改訂新版

基本情報技術者【科目B】

Fundamental Information Technology Engineer Examination

アルゴリズム×擬似言語 トレーニングブック

大滝みや子 著

技術評論社

はじめに

本書は，基本情報技術者試験の科目B試験に出題される『アルゴリズムと擬似言語プログラミング』の対策テキスト及び例題集です。基本情報技術者試験は，令和5年4月に大きく改訂され，これまでの午前試験が科目A試験，午後試験が科目B試験になりました。科目A試験については，問題数が80問から60問に削減され，それに伴い解答時間が150分から90分に短縮されただけで，問われる内容やレベルに変更はありません。したがって，従来どおりの試験対策を行えば十分だと思います。

注意しなければいけないのは科目B試験です。これまでの午後試験では，テクノロジ系，マネジメント系，ストラテジ系の各分野からバランスよく出題されていました。しかし科目B試験における出題分野は，「アルゴリズムとプログラミング(擬似言語による出題)」と「情報セキュリティ」の二分野のみです。しかも出題割合は，前者が8割，後者が2割です。したがって，アルゴリズムやプログラミングが苦手な受験者にとっては，かなり厳しい試験であることは間違いありません。また，IPA(独立行政法人 情報処理推進機構)が公表しているサンプル問題や公開問題を見ると，アルゴリズムを得意としている方でも難しいと感じる問題もあり，これまで以上に合格へのハードルが高くなったといえるでしょう。

このような状況を鑑みると，「アルゴリズムとプログラミング」の攻略なしでは，合格はあり得ません。合格するためには，何かしらの対策をとらなければいけませんが，試験問題が非公開であるため，既出問題でのトレーニングも不可能です。では，どんな学習をすればよいのか？ 本書は，受験者のこのような悩みを解決すべく作成したテキストです。令和5年5月に初版を刊行し，本書はその改訂新版になります。

本書作成に当たり，まずIPAが公表しているサンプル問題及び公開問題を基に（問題数は少ないですが），科目B試験における「アルゴリズムとプログラミング」の目指すところを分析しました。その上で，基本情報術者試験をはじめ，ITパスポート試験や応用情報技術者試験などに過去出題されたアルゴリズム問題やプログラミング問題，さらに数理・データサイエンス・AIなどの分野を題材とした過去問題を徹底的に分析し，合格のための必要要素を厳選しました。その結果として，本書では40問のオリジナル例題を掲載しています。従いまして，本書による学習を進めることで必ずや“合格証書”を手にすることができると信じています。

「アルゴリズム＝難しい」といった先入観は捨ててください。最初は，呼吸ができないほど(←誇張してます)苦しいかと思いますが，あきらめさえしなければ，徐々に「アルゴリズム」が見えてきますよ。頑張れ！

令和6年8月　大滝みや子

目次

第3章 基本例題 75

第4章 応用例題 121

読者特典（ダウンロードコンテンツ）のご案内

この度は本書をお買い求めいただき，まことにありがとうございます。今回の紙面構成の都合上，書籍に掲載することができなかった**「基本情報技術者試験 科目B 公開問題」の解答・解説**を，PDFファイルにてご用意いたしました。読者特典として，本書のサポートページよりダウンロードいただけます。是非ご活用ください。

- 本書のサポートページ
  https://gihyo.jp/book/2024/978-4-297-14271-1/support

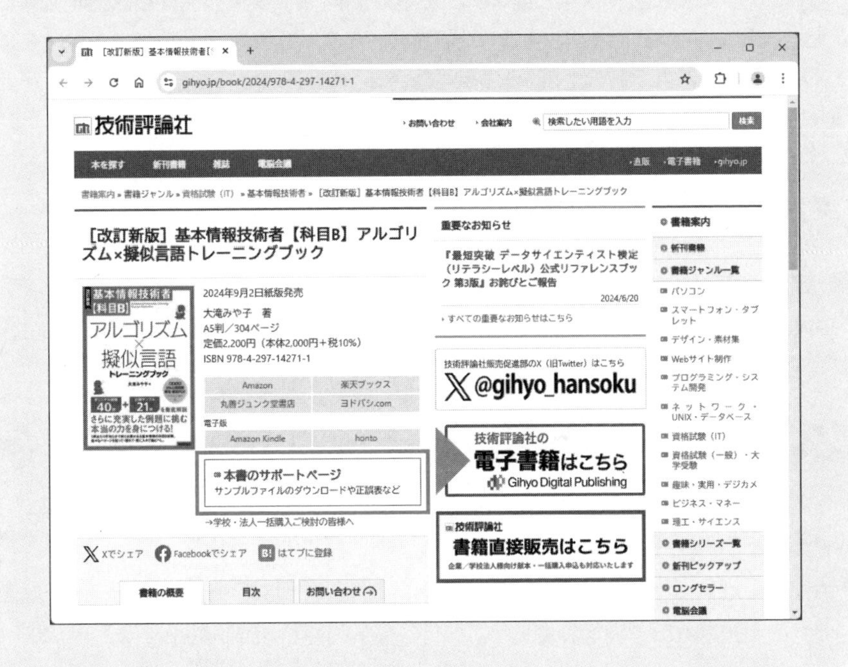

●本書及び読者特典（ダウンロードコンテンツ）ご利用に際してのご注意

・本書及びダウンロードコンテンツ（以下，特典PDFという）に記載した内容は，情報の提供のみを目的としています。本書及び特典PDF を用いた運用は必ずお客様自身の責任と判断によって行ってください。これらの情報の運用の結果について，著者および技術評論社はいかなる責任も負いません。

・著者および技術評論社は，本書及び特典PDFの使用による情報処理技術者試験の合格を保証するものではありません。
特典PDFについて，一般的な環境においては特に問題のないことを確認しておりますが，万一障害が発生し，その結果いかなる損害が生じたとしても，小社および著者は責任を負いかねます。必ずご自身の判断と責任においてご利用ください。

・特典PDFは，著作権法上の保護を受けています。収録されているファイルの一部，あるいは全部について，いかなる方法においても無断で複写，複製，再配布することは禁じられています。

学習の手引き

基本情報技術者試験の概要

基本情報技術者試験（通称，FE）は，「ITを活用したサービス，製品，システム及びソフトウェアを作る人材に必要な基本的知識・技能をもち，実践的な活用能力を身に付けた人」を対象に行われる，経済産業省の国家試験です。

これまで，試験の実施は年2回でしたが，**2023年（令和5年）4月からは通年試験**に変更されました。試験通年化により，受験者は，各自，都合の良い日時を選択して受験することができます。また，年間の受験可能回数も増えることになるため，運悪く不合格となってしまった場合でも，これまでのように半年間も待つことなく再受験が可能です。なお，受験申込み方法などの詳細は，試験センターのホームページでご確認ください。

情報処理技術者試験センターのホームページ ⇨ https://www.ipa.go.jp/shiken/

試験形式と合格基準

通年試験化に伴い，試験の出題形式，実施時間，出題数や解答数が変更されました。改訂前と改訂後の，出題形式・実施時間・出題数・解答数は次のとおりです。

改訂前		改訂後（2023年4月より）	
午前（小問）	試験時間：150分 出題形式：多肢選択式（四肢択一） 出題数：80問 解答数：80問	科目A（小問）	試験時間：90分 出題形式：多肢選択式（四肢択一） 出題数：60問※1 解答数：60問
午後（大問）	試験時間：150分 出題形式：多肢選択式 出題数：11問 解答数：5問 ※選択問題あり	科目B（小問）	試験時間：100分 出題形式：多肢選択式 出題数：20問※2 解答数：20問 ※選択問題なし（全問必須）

これまでの試験では午前・午後ともに100点満点の素点方式が採用されてきましたが，

※1　出題数60問のうち**評価が行われるのは56問**です。残りの4問は今後出題する問題の評価用であり，受験者の評価点を求めるために使われます。

※2　出題数20問のうち**評価が行われるのは19問**です。残りの1問は今後出題する問題の評価用であり，受験者の評価点を求めるために使われます。

2023年4月からは，科目A及び科目Bの各問に対する配点は設定せず，IRT※3に基づいて解答結果から評価点を算出する方式が採用されています。**科目A及び科目Bの評価点がともに，1,000点満点中，基準点（600点）以上の場合に合格**となります。

科目Aの出題分野と出題範囲

これまでの試験（午前試験）と変わりません。

科目Bの出題分野と出題範囲

科目Bの出題分野は「アルゴリズムとプログラミング」，「情報セキュリティ」の二分野のみです。出題割合（出題数）は**「アルゴリズムとプログラミング」が8割（16問）**，「情報セキュリティ」が2割（4問）です。出題範囲を次の表に示します。

1	プログラミング全般に関すること	実装するプログラムの要求仕様（入出力，処理，データ構造，アルゴリズムほか）の把握，使用するプログラム言語の仕様に基づくプログラムの実装，既存のプログラムの解読及び変更，処理の流れや変数の変化の想定，プログラムのテスト，処理の誤りの特定（デバッグ）及び修正方法の検討 など
2	プログラムの処理の基本要素に関すること	型，変数，配列，代入，算術演算，比較演算，論理演算，選択処理，繰返し処理，手続・関数の呼出し など
3	データ構造及びアルゴリズムに関すること	再帰，スタック，キュー，木構造，グラフ，連結リスト，整列，文字列処理 など
4	プログラミングの諸分野への適用に関すること	数理・データサイエンス・AI などの分野を題材としたプログラム など
5	情報セキュリティの確保に関すること	情報セキュリティ要求事項の提示（物理的及び環境的セキュリティ，技術的及び運用のセキュリティ），マルウェアからの保護，バックアップ，ログ取得及び監視，情報の転送における情報セキュリティの維持，脆弱性管理，利用者アクセスの管理，運用状況の点検 など

基本情報技術者試験が対象とするプログラミング言語

基本情報技術者試験が対象とするプログラム言語は「**擬似言語**」です。これまでの試験における，個別プログラム言語（C，Java，Python，アセンブラ言語，表計算ソフト）による出題は，普遍的・本質的なプログラミング的思考力を問う擬似言語による出題に統一されました。擬似言語を使用した問題では，各問題文中に注記がない限り，次ページに掲載した「**記述形式**」が適用されます。

※3　IRT(Item Response Theory：項目応答理論)とは，受験者の能力をより正確に測ろうとする理論です。個々の項目(問題)に対して，いくつかのパラメータを用いて，その項目に対する応答(すなわち，解答状況)から受験者の能力を推定します。

■ 擬似言語の記述方式※4

2023年7月6日公開の「基本情報技術者試験 科目B 公開問題」に掲載された記述形式は次のとおりです。

〔擬似言語の記述形式〕

記述形式	説明
○手続名又は関数名	手続又は関数を宣言する。
型名: 変数名	変数を宣言する。
/* 注釈 */	注釈を記述する。
// 注釈	
変数名 ← 式	変数に式の値を代入する。
手続名又は関数名(引数, …)	手続又は関数を呼び出し, 引数を受け渡す。

if (条件式1)
　処理1
elseif (条件式2)
　処理2
elseif (条件式n)
　処理n
else
　処理n + 1
endif
	選択処理を示す。
	条件式を上から評価し, 最初に真になった条件式に対応する処理を実行する。以降の条件式は評価せず, 対応する処理も実行しない。どの条件式も真にならないときは, 処理n + 1を実行する。
	各処理は, 0以上の文の集まりである。
	elseifと処理の組みは, 複数記述することがあり, 省略することもある。
	elseと処理n + 1の組みは一つだけ記述し, 省略することもある。

while (条件式)
　処理
endwhile
	前判定繰返し処理を示す。
	条件式が真の間, 処理を繰返し実行する。
	処理は, 0以上の文の集まりである。

do 　処理 while (条件式)	後判定繰返し処理を示す。 処理を実行し, 条件式が真の間, 処理を繰返し実行する。 処理は, 0以上の文の集まりである。

for (制御記述)
　処理
endfor
	繰返し処理を示す。
	制御記述の内容に基づいて, 処理を繰返し実行する。
	処理は, 0以上の文の集まりである。

※4　本書で学習する擬似言語も, 本ページ記載の記述形式を適用しています。

〔演算子と優先順位〕

演算子の種類		演算子	優先度
式		( ) .	高
単項演算子		not + −	↑
二項演算子	乗除	mod × ÷	
	加減	+ −	
	関係	≠ ≦ ≧ < = >	
	論理積	and	↓
	論理和	or	低

注記　演算子 . は，メンバ変数又はメソッドのアクセスを表す。
　　　演算子 mod は，剰余算を表す。

〔論理型の定数〕

true，false

〔配列〕

配列の要素は，“[” と “]”の間にアクセス対象要素の要素番号を指定することでアクセスする。なお，二次元配列の要素番号は，行番号，列番号の順に “,” で区切って指定する。

“{” は配列の内容の始まりを，“}” は配列の内容の終わりを表す。ただし，二次元配列において，内側の “{” と “}” に囲まれた部分は，1行分の内容を表す。

〔未定義，未定義の値〕

変数に値が格納されていない状態を，“未定義”という。変数に“未定義の値”を代入すると，その変数は未定義になる。

本書の特徴と使い方

受験予定者から,「科目Bの対策としては，過去のアルゴリズム問題をトレーニングすれば大丈夫でしょうか?」とよく聞かれますが，過去のアルゴリズム問題と現行の擬似言語問題では，出題傾向や出題形式が大きく異なるため，過去問では効率的な学習はできないと思います。

科目Bに出題される問題は，いずれも小問題(1～2ページに収まる問題)で，**解答時間は1問当たりおよそ5分**です。つまり,「問題文をサッと読んでパッと答える」といった感じの問題が出題されるわけです。従いまして，過去問のトレーニングではアルゴリズムをじっくり理解し習得することはできても，科目B問題の解答センスは身につきません。1問当たり5分で解答するためには，より多くの小問題に挑戦し，**解答センスを身につけ**

る必要があります。

本書では，第３章「基本例題」，第４章「応用例題」，そして第５章「サンプル問題」を合わせると**全部で61の小問題を掲載**していますので，トレーニングの第一歩としては十分だと思います。本書の構成と各章の目的は次のとおりです。

第１章 変数とデータ構造	科目Ｂにおける必要最低限の知識を確認する
第２章 擬似言語プログラミング	擬似言語プログラミングの基本事項を学習する
第３章 基本例題	科目Ｂに出題される基本的な問題を演習する
第４章 応用例題	科目Ｂに出題される応用的な問題を演習する
第５章 サンプル問題	IPAのサンプル問題で実力を確認する

〔補足〕

本書では，「参考」「参照」などの補足事項はページ下の**脚注**に記載しています。第1章，第2章の脚注番号は，章単位での通し番号になっていますが，第３章と第４章は例題単位，第5章は節単位の番号です。ご注意ください。

学習の進め方

右の図は，本書を効果的に活用するための模範的な『学習の流れ』です。このとおりに学習を進める必要はありません（自分のやり方，ペースでOKです）が，理解できないまま先に進まないでくださいね。一章一章**しっかり理解してから先に進みましょう！** なお，アルゴリズムやプログラミングを初めて学習する方にとっては，本書は，**鬼のように難しい内容かも知れません**（←ごめんなさい）。しかし，「本書を理解する⇒合格」と考えていますので，最後まであきらめずに頑張っていただきたいと思います。

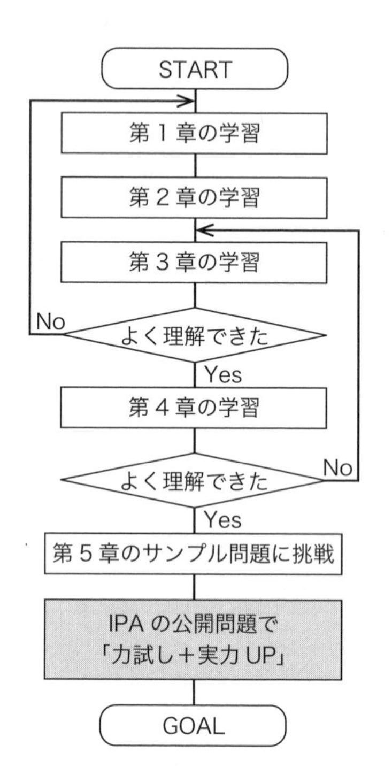

最後になりますが，IPAでは情報処理試験の公式サイトにて，「実際に出題されている試験問題の一部」を公開しています[※5]。この**公開問題の解答・解説**を，本書のサポートページからダウンロードできるようにしていますので，本書での学習がひととおり終わったら，「力試し＋実力UP」のために是非活用してください。皆さんの健闘を祈ります。

※5 公開問題サイト ⇨ https://www.ipa.go.jp/shiken/mondai-kaiotu/sg_fe/koukai/

第1章

変数とデータ構造

さぁ，早速学習を始めましょう。第１節から第３節までは，変数や配列についての基本事項です。「へぇ～。そうなんだ～」程度に捉えることが重要です。あまり難しく考えずにサクサク進みましょう。第４節以降は，リスト（連結リスト），スタック，キュー，木構造といったデータ構造を学習します。かなり応用的要素が入りますから気を抜かずに頑張りましょう！

1.1 アルゴリズムの要件と表現方法

1.1.1 アルゴリズムに求められるもの

アルゴリズムとは，問題を解決するための手順のことです。私たちは日常，様々な問題を解決するためのアルゴリズムを，意識せずに考えています。例えば，横断歩道を渡る場合を思い出してください。横断歩道を渡ろうとするとき，まず最初に信号機の色を確認しますよね。そして，信号機が“青”であれば横断歩道を渡り，“赤”だったら“青”になるまで待ちます。

つまり,「信号機の色を確認する→“青”なら横断歩道を渡る，“赤”なら“青”になるまで待つ」といった手順が,「横断歩道を渡る」という問題を解決するためのアルゴリズムです。

〔横断歩道を渡るアルゴリズム〕

・信号機の色を確認する

・信号機が“青”なら横断歩道を渡る
　しかし，
　“赤”なら“青”になるまで待つ

図1.1.1　横断歩道を渡るアルゴリズム

「アルゴリズム＝手順」ではありますが，ITの世界でいうアルゴリズムは少しハードルが高くなります。一般に，アルゴリズムはコンピュータプログラミングの基礎であるといわれますが，コンピュータプログラミングの基礎であるならば，アルゴリズムは単に問題を解決するための手順を示すだけでなく，次に示す要件も重視しなければなりません。

表1.1.1　アルゴリズムの要件

信頼性	正しい結果が，精度よく得られること
効率性	計算回数や比較回数が少なく処理効率がよいこと
汎用性 (一般性)	特定の場合だけに適用するのではなく，多くの場合においても適用できること
保守性及び 拡張性	仕様変更が発生しても，簡単に修正が行えること。また，誰が見ても分かりやすいこと

1.1.2 アルゴリズムの表現方法

では，問題を解決するための手順(アルゴリズム)が決まったとして，それをどのように表現するのでしょう？ 実は，「アルゴリズムはこう表現するんだよ」といった表現方法についての決まりはありません。つまり，同じアルゴリズムでも，それを流れ図で表現してもよいし，本書で学習する擬似言語で表現してもよいわけです。

流れ図

流れ図（フローチャートともいう）は，その名前のとおり処理の流れを図で表現したものです。横断歩道の例では，信号機を確認して"赤"なら，"青"になるまで待ってから渡ればいいので，これを流れ図で表すと次のようになります[※1]。

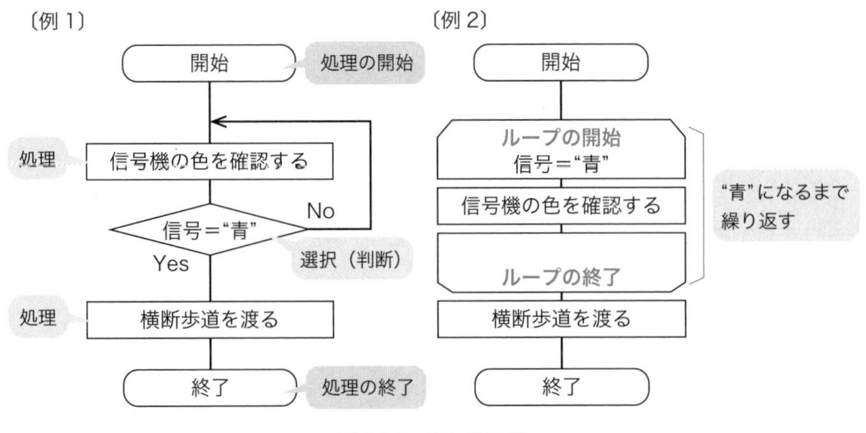

図1.1.2　流れ図の例

擬似言語

流れ図で表現したアルゴリズムは何となく機械的な感じなので，場合によっては，アルゴリズムの把握が難しくなってしまうことがあります。そこで，擬似的なプログラミング言語を使って，より分かりやすく表現しようというのが擬似言語です。

次節以降，擬似言語プログラミングの基本事項を一つ一つ学習していきますが，「擬似言語はアルゴリズムを表現するツールの一つであること」，そして「擬似言語＝擬似的なプログラミング言語」であることを意識しながら学習を進めてください。

※1　本書は「基本情報技術者試験の科目B試験対策本」であるため，流れ図の説明は省略しています。科目A試験では，流れ図も出題されるので他の書籍等で学習をしておきましょう。

1.2 変数

1.2.1 変数の役割

前節で少し触れましたが，アルゴリズム要件の一つに汎用性（一般性）があります。アルゴリズムに汎用性をもたせるためには，データを入れる箱（これを変数という）を用意し，その箱を使って処理内容を表現しなければなりません。

例えば，「りんご1個の値段が100円，5個購入したらいくら?」といった計算は，「100 × 5」という計算式でできますが，リンゴの値段が変わったり，購入個数が変わったりすると使えない計算式になってしまいます。そこで，リンゴの値段を入れる箱をprice，購入個数を入れる箱をquantityとして用意します。そして，計算式を「price × quantity」とすれば，汎用性をもたせることができます。つまり，リンゴの値段と購入個数をそれぞれの箱に入れれば，購入金額が求められるという仕組みです。

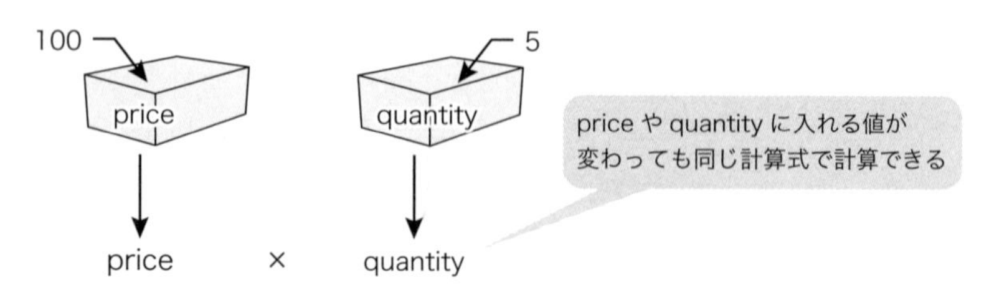

図1.2.1　変数(箱)を使用した計算

1.2.2 変数の型（基本データ型）

priceやquantityといった箱（以下，変数という）は数値を入れるための変数なので，これを整数型の変数といいます。また文字を入れるための変数もあります。これを文字型の変数といいます。

このように変数には「型」が存在します。料理でいえば，カレーはお皿，ラーメンはラーメンどんぶり，といったようにその料理にあった器があるのと同じです。どのような性質のデータ(値)を入れるかによって，使用する変数の型も異なります。

次ページの表1.2.1に，擬似言語で使用する基本データ型をまとめておきます。

表1.2.1　基本データ型の種類

整数型	整数値を格納するためのデータ型　〔例〕－1，0，1，2，3
実数型	実数値を格納するためのデータ型　〔例〕－0.12，2.78，3.14
文字型	文字を格納するためのデータ型 〔例〕英字文字："A"，"B"，"C"　数字文字："1"，"2"，"3"※2
文字列型	文字列（複数文字からなる文字の列）を格納するためのデータ型 〔例〕"ABC"，"123"
論理型	論理値（true，false）を格納するためのデータ型。論理値とは真偽値あるいはブール値とも呼ばれる値で，条件を満たすか否か，つまり条件が「真（true）」であるか「偽（false）」であるかを示す値のこと

1.2.3 変数の宣言

変数を使うときは，「○○という名前の変数を，△△型で使うよ」といった宣言が必要です。これを変数宣言といい，擬似言語では次の形式で記述します。なお，同じ型の変数は「, 」で区切って複数記述することができます。

```
型名: 変数名
```

〔例〕

- a という名前の変数と，b という名前の変数を整数型の変数として宣言する

  整数型 : a, b

- moji という名前の変数を文字型の変数として宣言する

  文字型 : moji

- str という名前の変数を文字列型の変数として宣言する

  文字列型 : str

▶ 変数宣言と同時に行う初期化

変数は宣言すれば使えるようになりますが一つ注意があります。それは，宣言した変数には，まだ何も値が入っていないことです。変数に値が入っていない（値が格納されていない）状態を"未定義"といい，"未定義"の変数は計算には使えません。

例えば，上記で宣言したaとbに値を入れないで，「a＋b」という計算を行うと妙な結果が得られてしまいます。通常，変数を宣言したら，その変数の用途によっては初期化

※2　1文字を表す場合，シングルクォーテーションで括る場合もありますが，本書ではダブルクォーテーションで括ることとします。

を行います。この初期化は，後述する代入操作で行えますが，変数宣言と同時に行うこともできます。変数宣言と同時に行う初期化の記述形式は，次のとおりです。

```
型名: 変数名 ← 値
```

〔例〕

- 整数型の変数 a を宣言して，0 を入れる

  整数型 : a ← 0

- 文字型の変数 moji を宣言して，“A” を入れる

  文字型 : moji ← ”A”

- 文字列型の変数 str を宣言して，“ 未定義の値 ” を入れる

  文字列型 : str ← 未定義の値

変数に“未定義の値”を代入すると，その変数は未定義になる。未定義であることを明示したい場合にこのような初期化を行う

1.2.4 変数に値を入れる（代入操作）

変数に，ある値や計算式で求めた結果を入れたり，変数に入っている値を別の変数に入れることを代入といいます。代入は，「←」を用いて次のように記述します。

〔例〕

- 整数型の変数 a に 10 を代入する

  a ← 10

- 整数型の変数 b に式 2 × 3 ＋ 4 の結果を代入する

  b ← 2 × 3 ＋ 4

- 整数型の変数 c に変数 b の値を代入する

  c ← b

変数 c に値を代入しても，変数 b の値は残る

COLUMN 円周率 3.14 を整数型の変数に入れたらどうなる？

整数型は「整数値専用」のデータ型ですが，3.14 といった実数データを入れても大丈夫です。ただし，カレーのお皿にラーメンを入れるとスープがこぼれてしまうように，整数型の変数に実数データを入れると小数点以下が切り捨てられることを知っておきましょう。

整数型の変数 [3]
実数型の変数 [3.14]
3.14 を入れる

1.2.5 変数の値を入れ替える

二つの変数の値を入れ替える（交換する）ときも代入操作を使います。この場合，どちらか一方の変数の値を一時的に退避するための変数が必要になります。

例えば，変数aと変数bの値を入れ替える場合，図1.2.2のように「①b ← a」，「②a ← b」を行えばよさそうですが，①の操作（aの値をbに代入）によって，変数bの値が変数aの値で上書きされてしまいます。

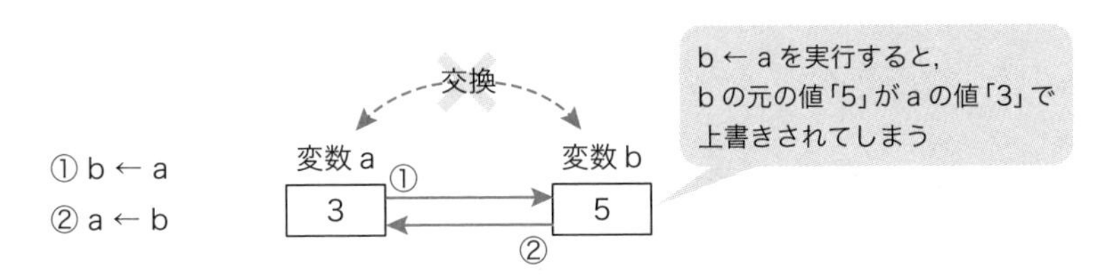

図1.2.2　誤った入れ替え処理

そこで，いったん変数bの値を退避用の変数Wに格納してから，変数aの値を変数bに代入します。その後，変数Wの値を変数aに代入すれば，変数aと変数bの値の交換ができます。

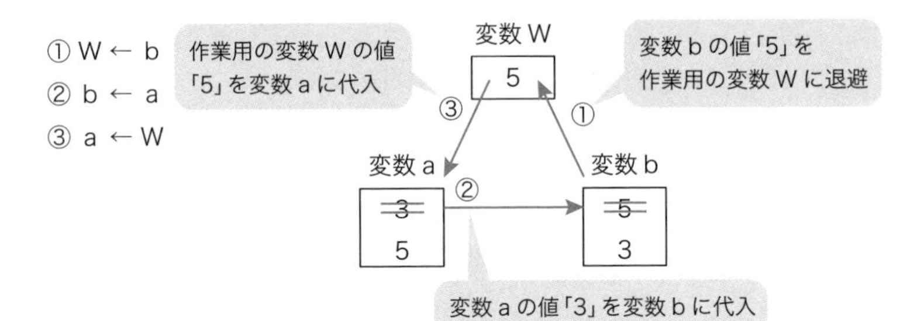

図1.2.3　正しい入れ替え処理

科目Aでよくでる

変数の値を入れ替える処理

変数Aと変数Bに格納されているデータを入れ替えたい。データを一時的に格納するための変数をTMPとすると，データが正しく入れ替わる手順はどれか。

ア	イ	ウ	エ
TMP ← A	TMP ← A	TMP ← B	TMP ← B
A ← B	A ← B	A ← B	A ← B
B ← A	B ← TMP	B ← TMP	B ← A

解説　　解答：イ

変数AとBの値を入れ替える場合，どちらか一方の変数の値を一時的なデータ格納用のTMPに退避しますが，どちらを退避するかで，次の二つの手順があります。

〔① 変数Aの値をTMPに退避する〕
- Aの値をTMPに退避する。
- Bの値をAに代入する。
- TMPの値をBに代入する。

〔② 変数Bの値をTMPに退避する〕
- Bの値をTMPに退避する。
- Aの値をBに代入する。
- TMPの値をAに代入する。

選択肢の〔イ〕が①の手順です。変数A，Bに具体的な値(例えば，A＝1，B＝2)を入れて，各選択肢の処理を確認しておきましょう。

COLUMN データ構造とは何か？

プログラムでは，多種多様なデータを扱います。そのため，整数型や文字型といった基本データ型の変数だけでは効率のよい処理ができません。処理を効率よく行うためには，例えば，同じ種類のデータをまとめて取り扱うことができたり，新しい順あるいは古い順にデータを取り出すことができたりするデータ型が必要です。

そこで，プログラムで扱うデータ群を，処理内容に合わせて都合よく構造化して処理効率の向上を図ろうというのが**データ構造**です。データ構造は，基本データ型や他のデータ構造を組み合わせて作る**抽象的なデータ型**です。代表的なデータ構造には，次のものがあります。

- 配列
- 構造体（レコード）※3
- リスト
- スタック
- キュー
- 木構造

このうち最も代表的なのはなんといっても配列です。次節以降，配列をはじめとしたこれらデータ構造の特徴や実現方法を見ていきましょう。

※3　構造体(レコード)とは，任意のデータ型を自由に組み合わせて作るデータ構造です。例えば，品名と価格を管理する場合,「文字列型の品名」と「整数型の価格」をひとかたまりにして管理できます。なお，構造体をさらに抽象化したものがクラスです。構造体については試験範囲から外れているため説明は省略しますが，クラスについては「2.6 オブジェクト指向とクラス」(p.66)で学習します。

1.3 配列

1.3.1 配列とは

同じデータ型の変数をいくつか連続で並べて，それをひとかたまりのデータと考えたものを配列といいます。配列内の一つ一つを要素といい，要素のデータ型によって整数型の配列，文字型の配列などと呼びます。

配列には，一次元配列や二次元配列，そして「配列の配列」と呼ばれるジャグ配列があります。

1.3.2 一次元配列

一次元配列は，横一列に並べられた要素からなる配列です。配列の要素は，先頭(左)から順に，1，2，3，…と，番号が付けられています[※4]。この番号を要素番号といいます。

配列要素の指定

配列の要素は，“[”と“]”の間に要素番号を指定して，次のように記述します。

```
配列名[要素番号]
```

例えば，配列TBL_Aの３番目の要素はTBL_A[3]，５番目の要素はTBL_A[5]です。

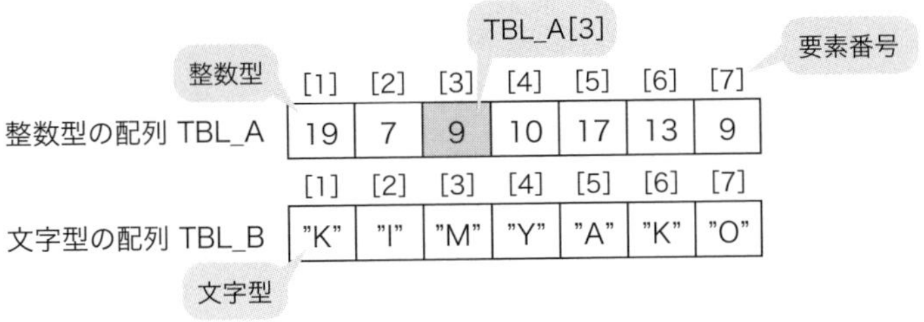

TBL_A[3]
要素番号
整数型

	[1]	[2]	[3]	[4]	[5]	[6]	[7]
整数型の配列 TBL_A	19	7	9	10	17	13	9

	[1]	[2]	[3]	[4]	[5]	[6]	[7]
文字型の配列 TBL_B	"K"	"I"	"M"	"Y"	"A"	"K"	"O"

文字型

図1.3.1　一次元配列の例

※4　擬似言語で扱われる配列は，要素番号が「1から始まる」ことが多いです。そのため，本書では「**配列の要素番号は1から始まる**」ことを前提にしています。しかし，「0から始まる」問題もあると思うので，問題文に提示される条件(0から始まるのか1から始まるのか)を見落とさないよう注意しましょう。

また，要素番号の指定には，数値だけでなく変数や計算式，さらに他の要素の値を使うこともできます。例えば，変数iを使ってi番目の要素をTBL_A [i] と表したとき，変数iに3を代入すれば，TBL_A[i] はTBL_A[3]，TBL_A[i＋1] はTBL_A[4] を表すことになります。また，TBL_A[TBL_A [2]] と表すと，TBL_Aの2番目の要素の値が7なのでTBL_A[7] を表すことになります。

TBL_A[TBL_A[2]] = TBL_A[7]

TBL_A[2]の値は7

配列 TBL_A

[1]	[2]	[3]	[4]	[5]	[6]	[7]
19	7	9	10	17	13	9

一次元配列の宣言と初期化

変数と同様，一次元配列(以下，単に「配列」という)も宣言が必要です。

▶配列の宣言のみを行う

配列の宣言は，次のように記述します。

```
[型名]の配列: 配列名
```

“[型名]”とは，要素のデータ型のことです。例えば，要素のデータ型が整数型なら整数型，文字型なら文字型と記述します。

配列の宣言のみを行った場合，単に「これは配列だよ」と宣言しただけなので，要素の値はもちろんのこと要素数も不明です。このような配列に値を格納するには，値を要素ごとに「,」で区切って列挙したものを“{”と“}”の間に記述し，それを配列に代入します。

```
〔例〕 整数型の配列: TBL_A
       TBL_A ← {19, 7, 9, 10, 17, 13, 9}
```

▶配列の宣言と同時に初期化を行う

配列の宣言と同時に初期化を行う場合 (すなわち，上の例の宣言と代入を同時に行う場合) は，下記①の形式で宣言します。②は,「要素数はn個だけど，要素の値はまだ未定義だよ」という場合に使用します。

```
① [型名]の配列: 配列名 ← {値1, 値2, 値3, ...}
② [型名]の配列: 配列名 ← {n個の未定義の値}
```

〔例〕 整数型の配列: TBL_A ← {19, 7, 9, 10, 17, 13, 9}
文字型の配列: TBL_B ← {7個の未定義の値}

▶ **要素数0の配列の宣言**

要素数が0という少し不思議な配列も宣言できます。

```
[型名]の配列: 配列名 ← { }        /* 要素数0の配列 */
```

/* ～ */は注釈

要素数が0として宣言された配列に要素を追加するには，「**～の末尾に○○を追加する**」という処理を行います。

〔例〕 整数型の配列: TBL_C ← { } /* 要素数0の配列 */
TBL_Cの末尾 に 値1 を追加する
TBL_Cの末尾 に 値2 を追加する
TBL_Cの末尾 に（3 ＋ 5 の結果）を追加する

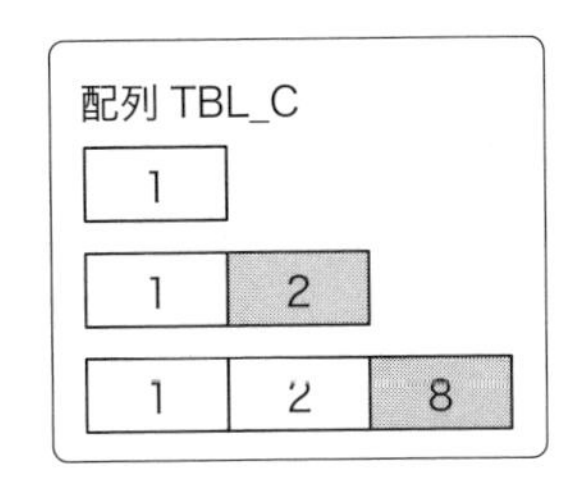

1.3.3 二次元配列

二次元配列は，行と列で構成される表形式の配列です。

◆ 配列要素の指定

二次元配列の要素は，行番号，列番号の順に「, 」で区切って次のように記述します。

```
配列名[行番号, 列番号]
```

例えば，二次元配列TBL_Dの2行4列目の要素はTBL_D[2, 4]です。

整数型の二次元配列 TBL_D

行番号＼列番号	1	2	3	4	5
1	3	8	5	1	9
2	8	0	35	4	10
3	17	11	24	2	7

TBL_D[2, 4]

図1.3.2　二次元配列の例

二次元配列の宣言と初期化

二次元配列は，通常，配列の宣言と同時に初期化が行われます。初期化の方法は，基本的に一次元配列と同じですが，二次元配列は行と列で構成されるため，各行ごとに，要素の値を"{"と"}"で括って記述します。

[型名]の二次元配列: 配列名 ← {{値$_{11}$, 値$_{12}$, 値$_{13}$, … , 値$_{1m}$}, （1行目）
{値$_{21}$, 値$_{22}$, 値$_{23}$, … , 値$_{2m}$}, （2行目）
:
{値$_{n1}$, 値$_{n2}$, 値$_{n3}$, … , 値$_{nm}$}} （n行目）

行の要素の値が未定義の場合は{m個の未定義の値}と記述する

〔例〕 前ページ図1.3.2の二次元配列TBL_Dの宣言と初期化

整数型の二次元配列: TBL_D ←{{3, 8, 5, 1, 9},
{6, 0, 35, 4, 10},
{17, 11, 24, 2, 7}}※5

二次元配列 TBL_D

3	8	5	1	9
6	0	35	4	10
17	11	24	2	7

科目Aでよくでる

二次元配列の要素の値

二次元の整数型配列Aの各要素A[i, j]の値は，2 × i + jである。
このとき，A[A[1, 1] × 2, A[2, 2] + 1]の値は幾つか。

ア 12　　イ 13　　ウ 18　　エ 19

解説　　解答：エ

A [i, j]の値が2 × i + jであるとき，A [1, 1]の値は「2 × 1 + 1 = 3」です。またA[2, 2]の値は「2 × 2 + 2 = 6」です。したがって，

A[A[1, 1] × 2, A[2, 2] + 1]
= A[3 × 2, 6 + 1]
= A[6, 7]
= 2 × 6 + 7
= 19

※5　問題によっては，横一列に並べて「{{3, 8, 5, 1, 9}, {6, 0, 35, 4, 10}, {17, 11, 24, 2, 7}}」と記述される場合もあります。注意してください。

1.3.4 配列の配列

配列の配列とは配列の要素が配列になっている配列でジャグ配列ともいいます。ジャグ(Jagged)は，ギザギザという意味です。

二次元配列も見ようによっては，一次元配列を要素とした「配列の配列」に見えますが，二次元配列の場合，行を構成する列数はどの行も同じでなければなりません。これに対して配列の配列は，列の数が異なっていてもよい配列です。

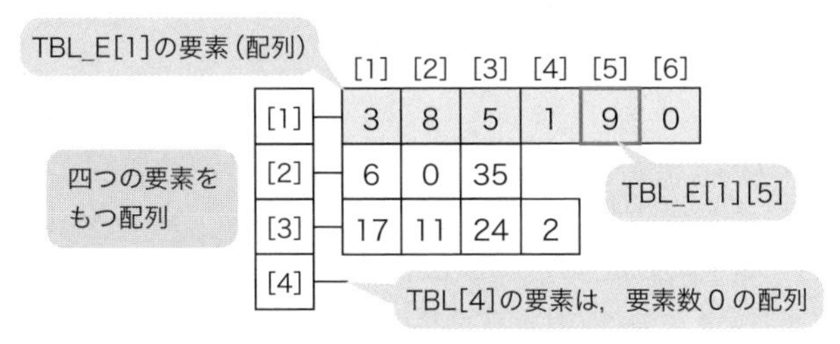

図1.3.3　配列の配列のイメージ

配列要素の指定

ジャグ配列は「配列の配列」ですから，上図1.3.3のTBL_Eであればその要素数は四つです。そのため，1番目の要素をTBL_E[1]と表し，TBL_E[1]の5番目の要素はTBL_E[1][5]と表します。二次元配列の要素指定の方法と異なることに注意してください。

配列名[行の要素番号] [列の要素番号]

配列の配列の宣言と初期化

二次元配列と同様，宣言と同時に初期化が行われます。

〔例〕 図1.3.3のTBL_Eの宣言と初期化

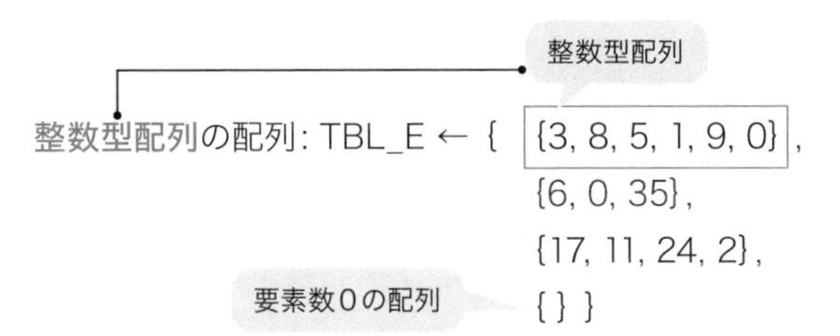

1.4 リスト

1.4.1 リストとは

順序づけられたデータの並び，あるいは集合のことをリストといいます。前節で学習した配列もリストの一種ですが，一般に「リスト」といったときは連結リスト（リンクリストともいう）を指すことが多いです。

リストの種類

リスト（連結リスト）は，データ部とポインタ部から構成された要素を，鎖状に繋げたデータ構造です。ポインタをどのようにもたせるかによって，図1.4.1に示す三つの種類があります。ポインタとは，次の要素を示すための識別子です。具体的には，次の要素の格納場所(アドレス)といったリンク情報がポインタです。

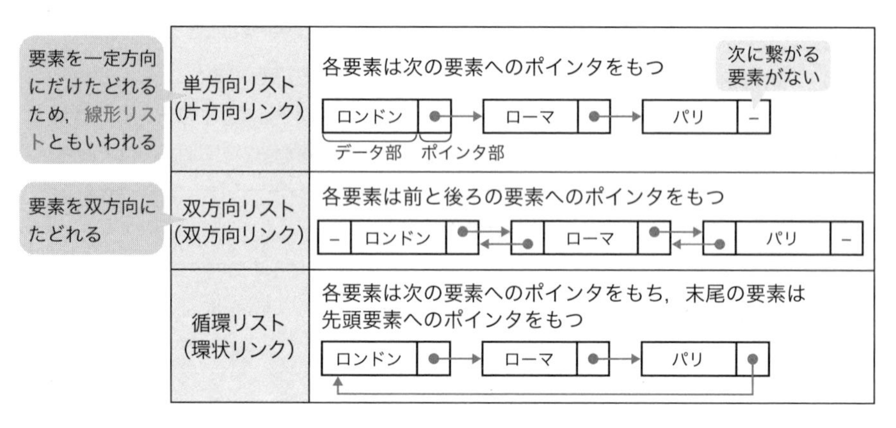

図1.4.1　リストの種類

1.4.2 リストの実現と操作

リストを実現する方法には，配列を使う方法やオブジェクト指向のクラスを使う方法[※6]があります。ここでは，配列を使ったリストの実現を説明します。

※6　クラスを使った実現方法については，「2.6.2 単方向リストの実現」(p.70) で説明します。

リストの実現

図1.4.1の単方向リストを実現する場合，文字列型の配列Valueと整数型の配列Nextを用いて，要素Value[i]とNext[i]の対をリストの一つの要素と考えます。そして，Value[i]には要素の値を入れ，Next[i]には次の要素の要素番号を入れます(図1.4.2)。

ここで，Next[i]の値が−1である要素はリストの最後であることを表し，Next[i]の値が0である要素はリストに連結されていないことを表します。また，変数Firstには，リストの先頭要素が格納されている配列Valueの要素番号を格納します。

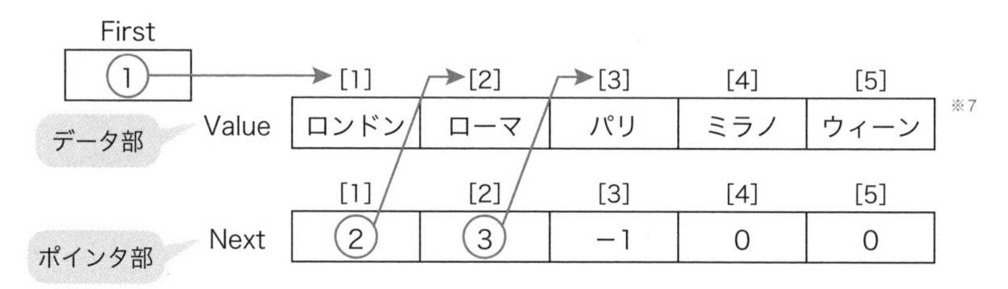

図1.4.2　一次元配列を用いた単方向リストの実現

リストの操作

試験では，単方向リストの要素の削除や，要素の追加操作が問われます。少し難しくなりますが頑張りましょう。

▶ リスト要素の削除

例えば，「ローマ」を削除する(リストから外す)場合，その直前の要素「ロンドン」のポインタ部であるNext[1]に，「ローマ」のポインタ部であるNext[2]の値を代入します。この操作だけで「ローマ」の削除は完成します。なお，厳密にはNext[2]を0にした方がよいですが，そのままでも構いません。

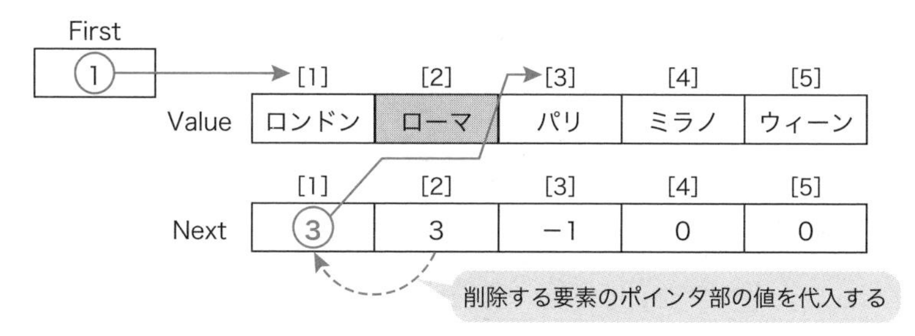

図1.4.3　単方向リストから「ローマ」を削除する

※7　次ページの説明で使用するために，「ミラノ」と「ウィーン」を追加しています。

では，前ページの図1.4.2の状態でリストの先頭要素である「ロンドン」を削除するにはどうしたらよいでしょう。この場合は，変数Firstに，「ロンドン」のポインタ部であるNext[1]の値を代入すれば完成です。

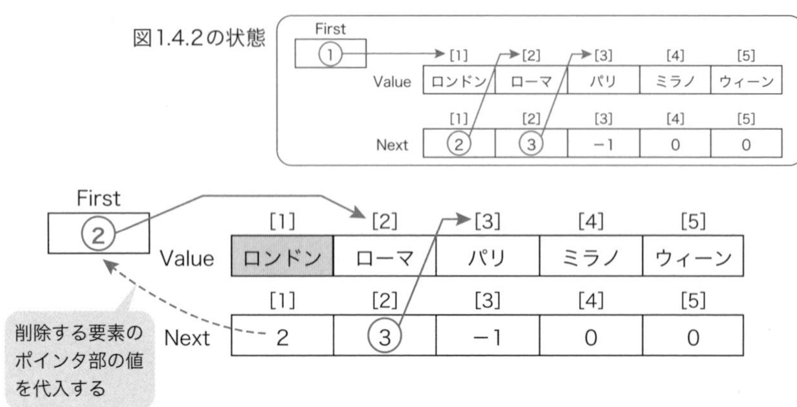

図1.4.4　単方向リストから「ロンドン」を削除する

▶ リスト要素の追加

図1.4.2の状態で「ローマ」と「パリ」の間に，「ミラノ」を追加（挿入）する場合，次に示す操作を①，②の順に行います。

①「ミラノ」のポインタ部であるNext[4]に，「ローマ」のポインタ部であるNext[2]の値を代入する。

②「ローマ」のポインタ部であるNext[2]に，「ミラノ」の要素番号4を入れる。

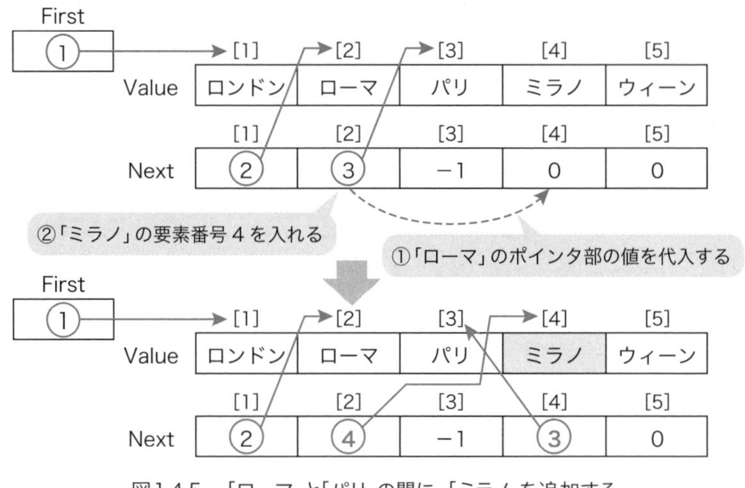

図1.4.5　「ローマ」と「パリ」の間に，「ミラノ」を追加する

では，最後に「ウィーン」を「ロンドン」の前に追加してみましょう。次の操作を行えば完成ですね。答えは，脚注にあります※8。

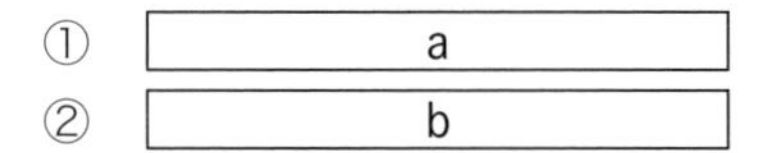

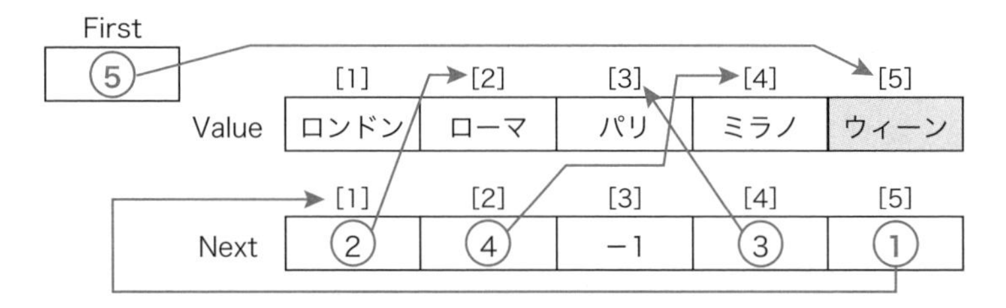

図1.4.6　「ウィーン」を「ロンドン」の前に追加する

COLUMN 双方向リストの場合，ポインタ部は二つ必要！

リストの操作に少し慣れてきたところで，**双方向リスト**の実現方法を紹介しておきます。双方向リストの各要素は，前と後の要素へのポインタをもつため，配列Nextの他に，前の要素の要素番号を入れる配列（ここでは，Prevとする）が必要です。例えば，図1.4.6の単方向リストを双方向リストとして実現した場合，配列Value，及び配列Next，配列Prevは，次のようになります。

「ウィーン ↔ ロンドン ↔ ローマ ↔ ミラノ ↔ パリ」となっていることを確認しておきましょう。

First: 5

	[1]	[2]	[3]	[4]	[5]
Value	ロンドン	ローマ	パリ	ミラノ	ウィーン
Next	2	4	−1	3	1
Prev	5	1	4	2	−1

「ロンドン」の前は「ウィーン」
「ローマ」の前は「ロンドン」
「パリ」の前は「ミラノ」
「ミラノ」の前は「ローマ」

※8 【解答】a：「ウィーン」のポインタ部であるNext[5]に，Firstの値を代入する。
b：Firstに「ウィーン」の要素番号5を入れる。

リスト要素の挿入操作

リストを，要素番号0から始まる二つの一次元配列で実現する。配列要素box[i]とnext[i]の対がリストの一つの要素に対応し，box[i]に要素の値が入り，next[i]に次の要素の番号が入る。配列が図の状態の場合，リストの3番目と4番目との間に値がHである要素を挿入したときのnext[8]の値はどれか。ここで，next[0]がリストの先頭(1番目)の要素を指し，next[i]の値が0である要素はリストの最後を示し，next[i]の値が空白である要素はリストに連結されていない。

	0	1	2	3	4	5	6	7	8	9
box		A	B	C	D	E	F	G	H	I

	0	1	2	3	4	5	6	7	8	9
next	1	5	0	7		3		2		

ア　3　　イ　5　　ウ　7　　エ　8

解説　　解答：ウ

問題文に示されたリストは，下図のような構造になります。

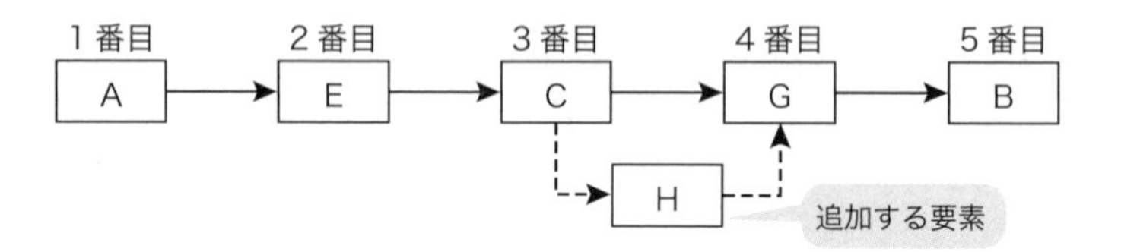

リストの3番目と4番目との間に「H」を挿入する操作は，

①「H」のnextに「C」のnextの値(すなわち7)を代入し，

②「C」のnextに「H」が格納されている要素番号8を入れる

となります。したがって，next[3]の値は8，**next[8]の値は7**になります。

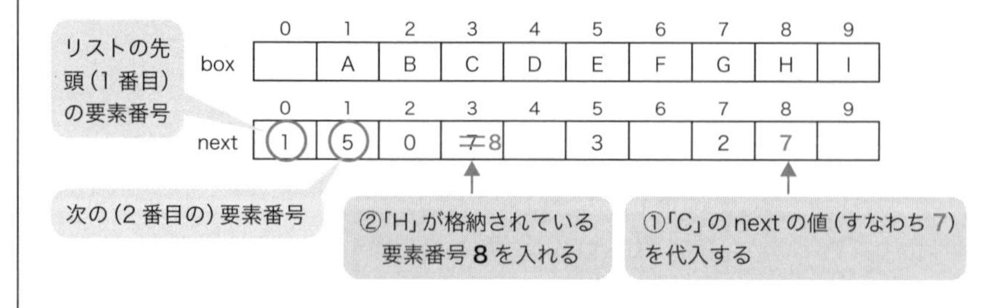

リスト要素の並びを変える操作

表は，配列を用いた連結セルによるリストの内部表現であり，リスト[東京，品川，名古屋，新大阪]を表している。

このリストを[東京，新横浜，名古屋，新大阪]に変化させる操作はどれか。ここで，A [i, j] は表の第 i 行第 j 列の要素を表す。例えば，A[3, 1] =“名古屋”であり，A[3, 2] = 4 である。

A（行＼列）	1	2
1	“東京”	2
2	“品川”	3
3	“名古屋”	4
4	“新大阪”	0
5	“新横浜”	

	第1の操作	第2の操作
ア	A[1, 2] ← 5	A[5, 2] ← A[A[1, 2], 2]
イ	A[1, 2] ← 5	A[5, 2] ← A[A[2, 2], 2]
ウ	A[5, 2] ← A[A[1, 2], 2]	A[1, 2] ← 5
エ	A[5, 2] ← A[A[2, 2], 2]	A[1, 2] ← 5

解説　　解答：ウ

リスト[東京，品川，名古屋，新大阪]を，[東京，新横浜，名古屋，新大阪]に変化させるということは，“東京”の次が“新横浜”，“新横浜”の次が“名古屋”になればよいわけです。これを行うためには，次の操作を①，②の順に行います。

① “新横浜”のポインタ部(すなわち，A[5, 2])に，“東京”のポインタ部(A[1, 2])が指す“品川”のポインタ部(A[2, 2])の値を代入する。

⇒ A[5, 2] ← A[A[1, 2], 2]

“東京”のポインタ部の値：A[1, 2]＝2

② “東京”のポインタ部(A[1, 2])に，“新横浜”の行番号5を入れる。

⇒ A[1, 2] ← 5

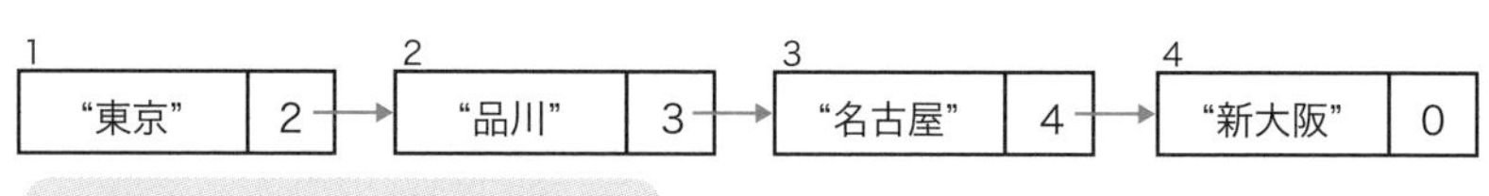

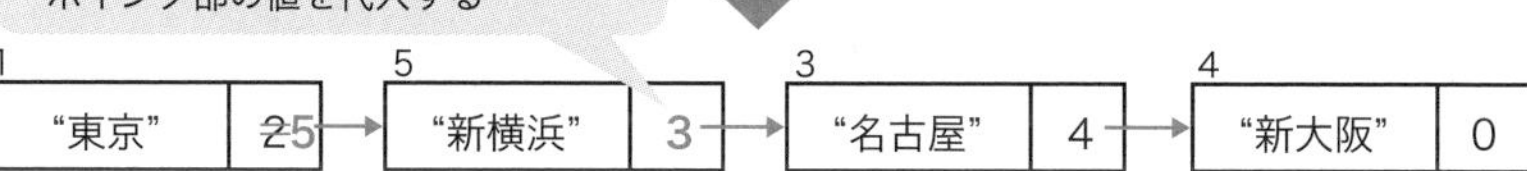

1.5 スタックとキュー

1.5.1 スタック

スタックは，後入れ先出し（LIFO：Last In First Out）処理に適したデータ構造です。最後に格納したデータを最初に取り出すことができます。

スタックに対してデータを格納する操作をプッシュ（push），スタックからデータを取り出す操作をポップ（pop）といい，これらの操作は常にスタックの最上段で行われます。

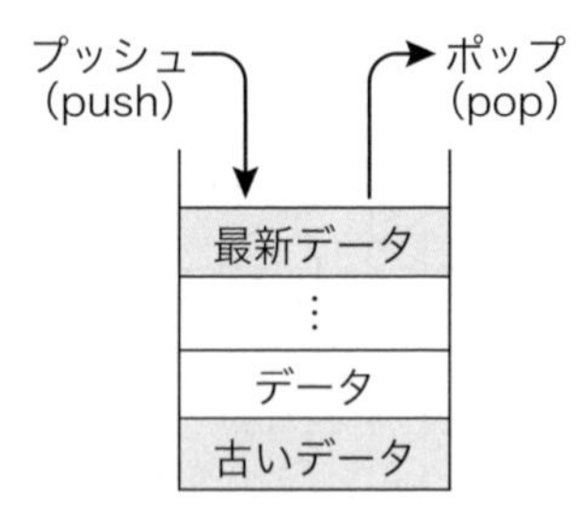

図1.5.1　スタック

スタックの実現

スタックの実現には，配列あるいはリストを用います。配列を用いてスタックを実現する場合，スタックの最上段の位置(すなわち，データを格納する要素位置)を示す変数(ここでは，topとする)を使って，プッシュ及びポップ操作を行います。

具体的には，まず変数topに初期値1を設定します。そして，topの示す要素位置にデータを格納し，格納後にtopの値を＋1します。また，データを取り出すときはtopの値を－1してから取り出します※9。

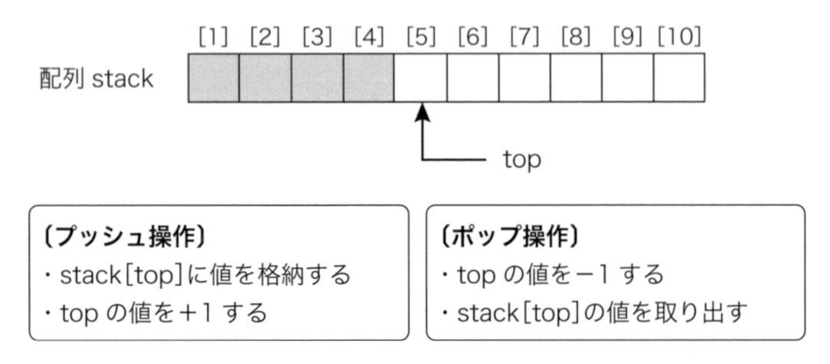

図1.5.2　配列を用いたスタックの実現

※9　ここではスタック操作の概要を説明しています。そのため，スタックサイズ（図1.5.2の場合，サイズ10）を超える格納チェックや，スタックが空（topの値が1）のときの取り出しチェックは省略しています(次ページのキューも同様）。

1.5.2 キュー

キューは，先入れ先出し（FIFO：First In First Out）処理に適したデータ構造です。最初に格納したデータを最初に取り出すことができるため待ち行列ともいわれます。

キューに対するデータの格納は，常に一方の端でエンキュー（enqueue）操作で行い，取り出しは他方の端でデキュー（dequeue）操作で行います。

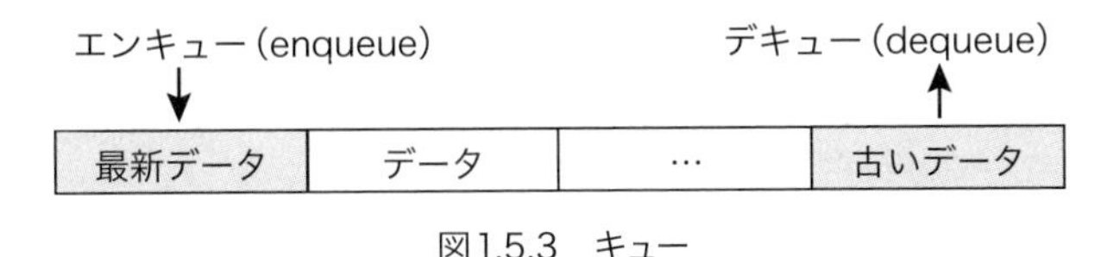

図1.5.3　キュー

キューの実現

スタックと同様，キューの実現にも配列やリストが用いられます。配列を用いてキューを実現する場合，データの格納位置を示す変数xと，取出し位置を示す変数yを使います。変数x，yの初期値は1です。

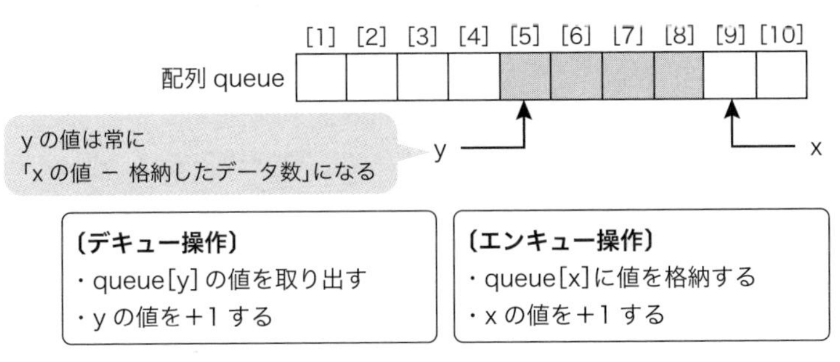

図1.5.4　配列を用いたキューの実現

1.5.3 リングバッファ（環状キュー）

配列で実現したキューに対してデータの出し入れを続けていくと，データ格納位置と取出し位置が徐々に一定方向（図1.5.4の場合，右方向）に移動し，いずれ配列の端からはみ出してしまいます。

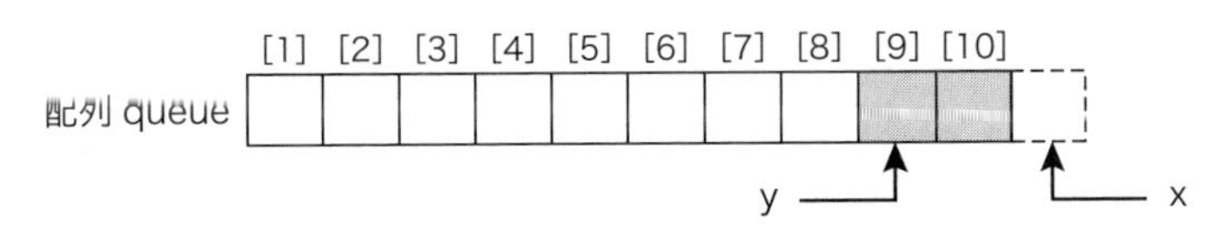

図1.5.5　配列を用いたキューの問題点

そこで，配列の先頭側にある処理済みのデータに着目し，この領域を再利用しようというデータ構造がリングバッファです。リングバッファは，配列の先頭と末尾を論理的に繋げ，データを末尾まで格納したら，先頭に戻って格納できるデータ構造です。環状キュー，あるいは循環バッファ，循環配列とも呼ばれています。

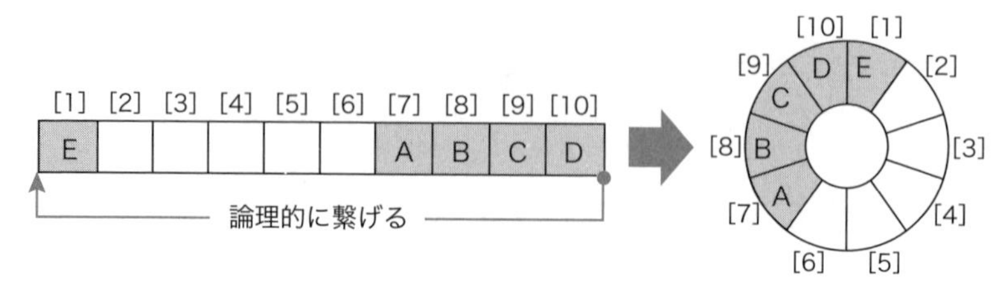

図1.5.6　リングバッファのイメージ図

リングバッファを実現するアルゴリズム

配列を用いてリングバッファを実現するには，データの格納位置を示す変数xと，取出し位置を示す変数yの移動方法に工夫が必要です。x，yが配列の末尾に達していなければ，前ページに示したエンキュー操作及びデキュー操作と同じ移動方法でよいですが，末尾に達した場合は配列の先頭に戻らなければなりません。このため，x，yの移動には，剰余演算子(余りを求める演算子)のmodを使います。

例えば，要素数N個の配列を用いてリングバッファを実現する場合，x，yの移動は次のように行います※10。

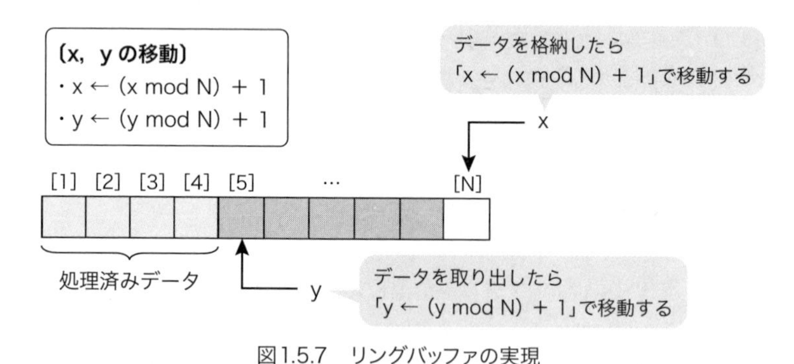

図1.5.7　リングバッファの実現

※10　本書では「**配列の要素番号は1から始まる**」ことを前提にしています。要素番号が0から始まる場合のx，yの移動は，次の式になります。
・x ← (x+1) mod N
・y ← (y+1) mod N

COLUMN リストを用いたスタックとキューの実現

▶スタックの実現

スタックは，下図のリストで実現できます。変数Firstは，リストの先頭要素を指すための変数，すなわち先頭要素の格納場所（アドレス）をもつ変数です。

データの追加（プッシュ操作）や取出し（ポップ操作）は，変数Firstを使って，常にリストの先頭で行います。

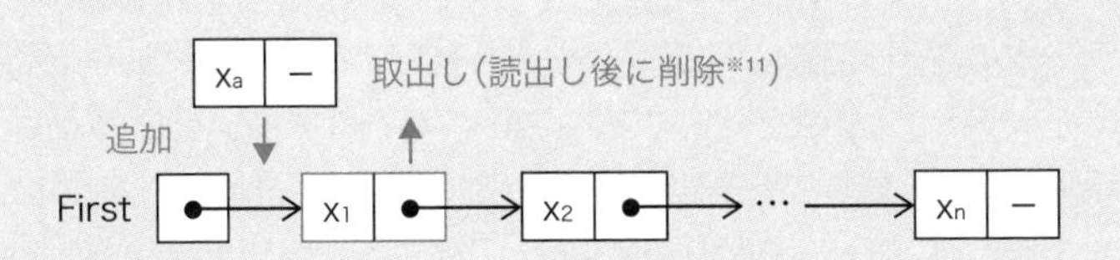

〔追加操作〕
- 追加要素のポインタ部 ← First
- First ← 追加要素のアドレス

〔取出し操作〕
- First が指す要素を読み出す
- First ← First が指す要素のポインタ部の値

▶キューの実現

リストでキューを実現する場合は，リストの先頭要素を指すFirstと，末尾要素を指すEndを使います。つまり，データの追加（エンキュー操作）はリストの末尾で行い，データの取出し（デキュー操作）は先頭で行うことでキューを実現します[※12]。

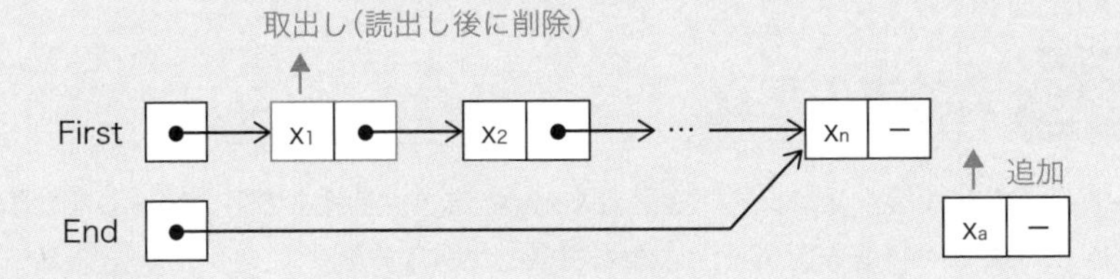

〔追加操作〕
- End が指す要素のポインタ部 ← 追加要素のアドレス
- End ← 追加要素のアドレス

〔取出し操作〕
- First が指す要素を読み出す
- First ← First が指す要素のポインタ部の値

※11　ここでいう「削除」とは，その要素をリストから外すという意味です。

※12　要素の追加に要する処理量は，リストの先頭で行っても末尾で行っても同じです。しかし，削除に要する処理量は先頭で行うより末尾で行う方が多くなります。そのため，キューを実現する場合は，「要素の追加は末尾，取出しは先頭」で行います。

1.6 木構造

1.6.1 木構造とは

木構造は，データの親子関係など階層的な構造を表現するのに適したデータ構造です。図1.6.1中の○で表したものを節といい(節点あるいはノードともいう)，木構造では，節と節の間に親子関係を定義し，親子間を枝で結びます。このとき枝の上側の節が親，下側の節が子です。また，親が存在しない節を根，子をもたない節を葉といいます。

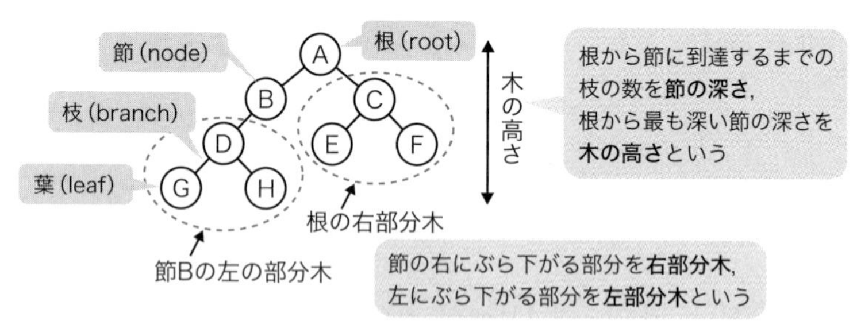

図1.6.1　木構造

1.6.2 2分木の走査

各節の子の数が高々２である木を２分木といいます。２分木の各節を一つずつ調べる代表的な方法に，幅優先探索と深さ優先探索とがあります。

幅優先探索

幅優先探索は，根に近い節から，また同じ深さの節は「左→右」の順に調べていく方法です。図1.6.1の２分木を幅優先で探索を行ったときの探索順は，「A，B，C，D，E，F，G，H」となります。

深さ優先探索

深さ優先探索では，根から葉へ向かって枝をたどり，葉に達したら一つ前の節(親)に戻って他方をたどります。節の値を調べるタイミングによって，先行順，中間順，後行順の三つの方法があります。

表1.6.1　深さ優先探索

先行順 （行きがけ順）	「節→左部分木→右部分木」の順に調べる 図 1.6.2 を先行順で探索したときの探索順：＋，a，＊，−，b，c，d
中間順 （通りがけ順）	「左部分木→節→右部分木」の順に調べる 図 1.6.2 を中間順で探索したときの探索順：a，＋，b，−，c，＊，d
後行順 （帰りがけ順）	「左部分木→右部分木→節」の順に調べる 図 1.6.2 を後行順で探索したときの探索順：a，b，c，−，d，＊，＋

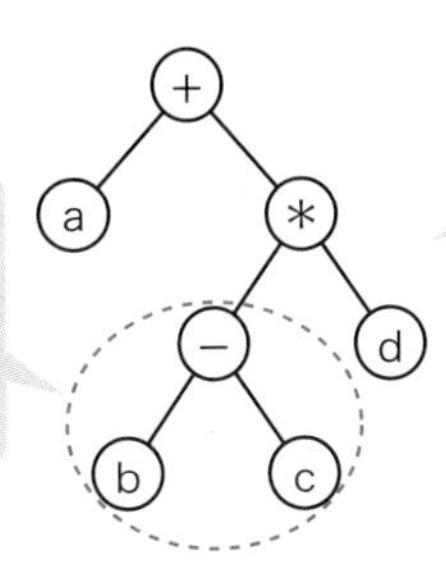

図1.6.2　2分木（算術木）

2分木の探索法

配列A[1]，A[2]，…，A[n]でA[1]を根とし，A[i]の左側の子をA[2×i]，右側の子をA[2×i＋1]とみなすことによって，2分木を表現する。このとき，配列を先頭から順に調べていくことは，2分木の探索のどれに当たるか。

ア　行きがけ順（先行順）深さ優先探索　　イ　帰りがけ順（後行順）深さ優先探索
ウ　通りがけ順（中間順）深さ優先探索　　エ　幅優先探索

解説　　　解答：エ

例えば，下図右の2分木を配列Aで表現すると次のようになります。この配列Aを先頭から順に調べていくということは，2分木を幅優先で探索するということです。

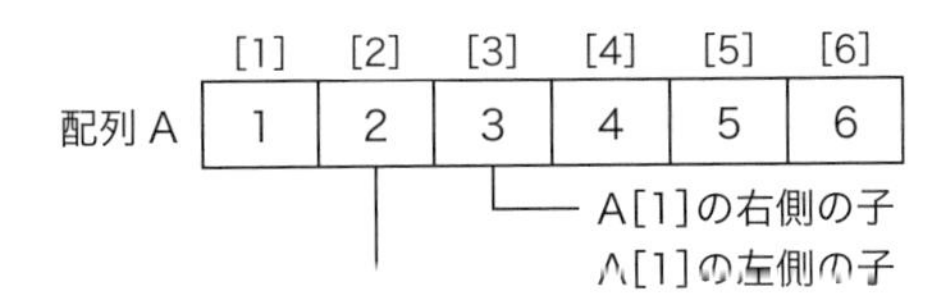

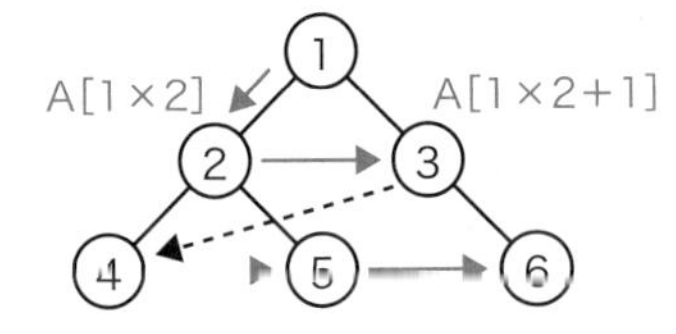

1.6.3 2分探索木

2分探索木は，どの節から見ても，その節がもつデータは左部分木の節がもつデータよりも大きく，逆に右部分木の節がもつデータよりも小さい，という性質をもつ2分木です。

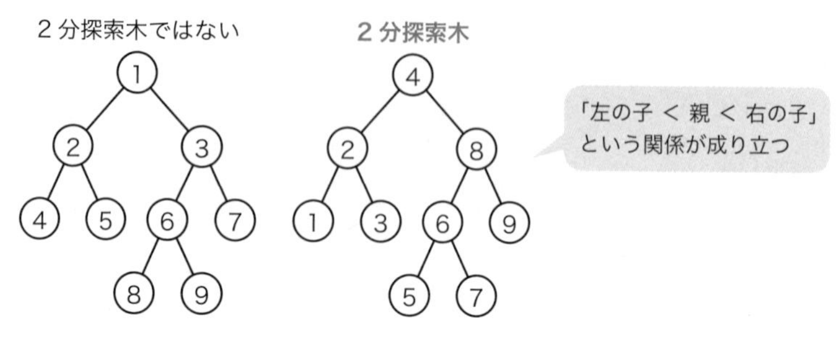

図1.6.3　2分探索木

2分探索木の探索

2分探索木からデータを探すときは，深さ優先探索を行います。つまり，根から葉の方向へ順次たどりながら，探したいデータ(探索データという)を探します。

まず，根のデータと探索データを比較し，「根のデータ ＞ 探索データ」なら左部分木の頂点となる節へ進み，「根のデータ ＜ 探索データ」なら右部分木の頂点となる節へ進みます。次に，進んだ先の節に対しても同様な操作を行い，これを探索データが見つかるか，あるいは進む節がなくなるまで繰り返します。例えば，図1.6.4の2分探索木でデータ6を探索する場合，④→⑧→⑥と進むとデータ6を見つけられます。

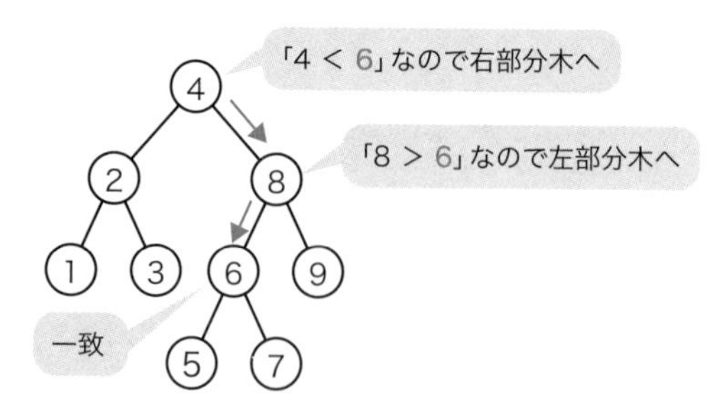

図1.6.4　2分探索木の探索

データ(節)の追加

データを追加する場合は，追加するデータを根から順に探索していき，進む節がなくなったところに追加します。例えば，図1.6.4の2分探索木にデータ10を追加する場合，④→⑧→⑨と進み，⑨の右の子の位置にデータ10を追加します。

◆ データ(節)の削除

データを削除する場合も，まず削除するデータを根から順に探索していき，見つかったら削除します。ここで，データ（すなわち，節）を削除した場合は注意が必要です。なぜならば，節を削除しても2分探索木の性質を維持しなければならないからです。削除した節が葉であれば2分探索木の性質はそのまま維持できますが，部分木をもつ節を削除した場合は，2分探索木の再構成を行わなければなりません。

例えば，図1.6.5右の2分探索木において④を削除したときは，その左部分木の最大の値をもつ③か，あるいは右部分木の最小の値をもつ⑤を，削除した④の位置に移動して，2分探索木の性質を維持する必要があります。

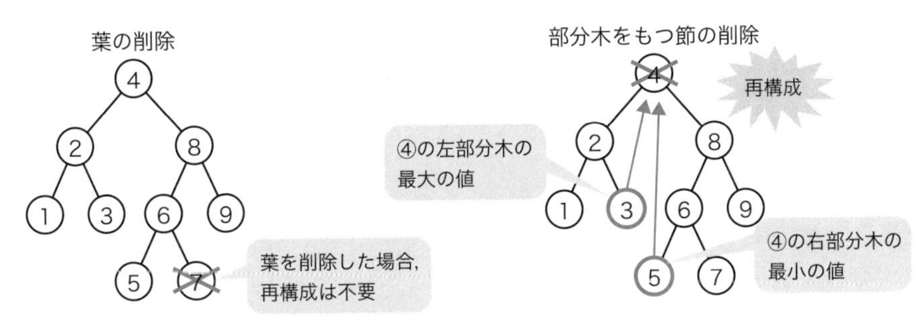

図1.6.5　2分探索木のデータ(節)の削除

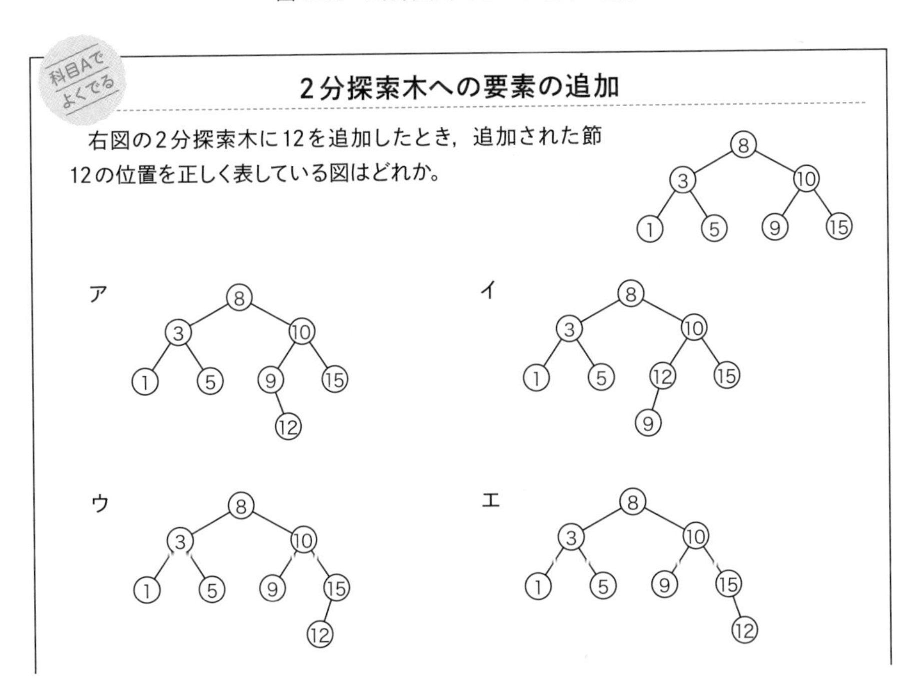

2分探索木への要素の追加

右図の2分探索木に12を追加したとき，追加された節12の位置を正しく表している図はどれか。

ア　イ　ウ　エ

解説　　解答：ウ

12を追加するには，まず12を探索します。そして，進む節がなくなったところに追加します。つまり，⑧→⑩→⑮の順に進み，⑮の左の子の位置に12を追加します。したがって，〔ウ〕が正しい図です。

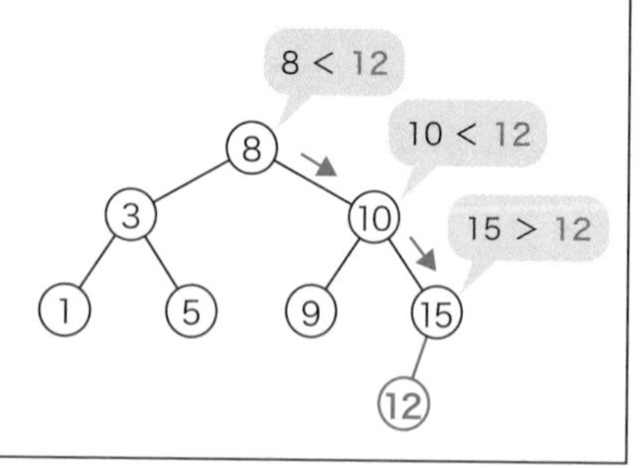

1.6.4 2分木の実現

2分木を実現する方法には，配列を使う方法やオブジェクト指向のクラスを使う方法があります。

2分木を一次元配列で実現する

2分木を一次元配列で実現する方法に，次の四つの配列を使って，同じ要素番号の要素の組みを一つの節に対応させる方法があります。

- 節の値を格納する配列：value
- 親の要素番号を格納する配列：parent ※13
- 左の子の要素番号を格納する配列：left
- 右の子の要素番号を格納する配列：right

ここで，節が葉のとき配列leftと配列rightの要素の値はいずれも−1，節が根のとき配列parentの要素の値は−1です。また，2分木に属さない節の，配列valueを除く各配列の要素の値は−1です。

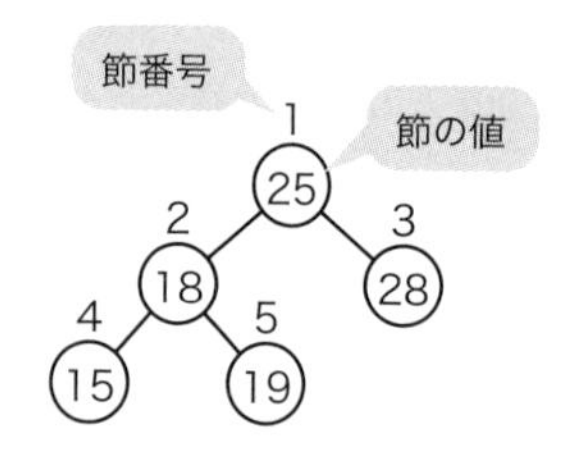

配列の要素番号が節番号に対応する

配列名	[1]	[2]	[3]	[4]	[5]	[6]
value	25	18	28	15	19	20
parent	−1	1	1	2	2	−1
left	2	4	−1	−1	−1	−1
right	3	5	−1	−1	−1	−1

図1.6.6　2分木の配列表現

※13　探索や追加のみを目的とした2分探索木の場合，配列parentは不要です。

▶ 葉の追加と削除

値20の新たな節を，値19の節（節番号5）の右の子の位置に追加してみましょう。この処理は，次のようになります。

① 値19の節の配列rightの要素に，値20の節の要素番号6を設定する。
② 値20の節の配列parentの要素に，値19の節の要素番号5を設定する。

〔値20の新たな節の追加〕
① right[5] ← 6
② parent[6] ← 5

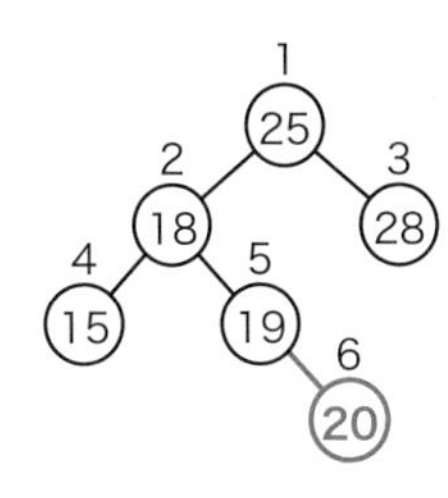

配列名	[1]	[2]	[3]	[4]	[5]	[6]
value	25	18	28	15	19	20
parent	−1	1	1	2	2	5
left	2	4	−1	−1	−1	−1
right	3	5	−1	−1	6	−1

図1.6.7　値20の新たな節を追加する処理

次に，値15の節(節番号4)を削除してみましょう。この処理は，次のようになります。

① 値15の節の親の配列leftの要素に，−1を設定する。
② 値15の節の配列parentの要素に，−1を設定する。

〔値15の節の削除〕
① left[parent[4]] ← −1
　└ 値15の節の親の要素番号
② parent[4] ← −1

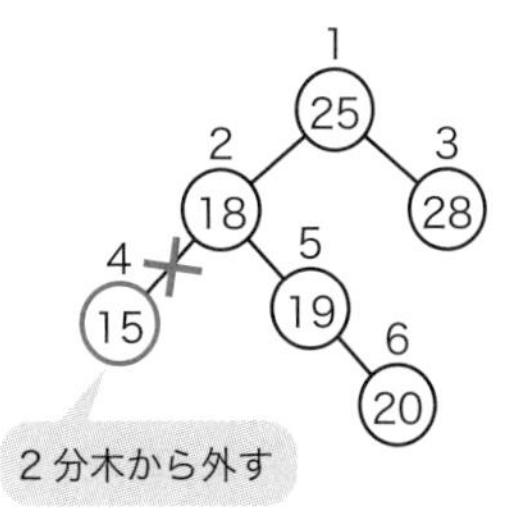

配列名	[1]	[2]	[3]	[4]	[5]	[6]
value	25	18	28	15	19	20
parent	−1	1	1	2	2	5
left	2	−1	−1	−1	−1	−1
right	3	5	−1	−1	6	−1

①の操作後に−1を設定する

図1.6.8　値15の節(節番号4)を削除する処理

▶ 葉以外の節の追加と削除

一次元配列の組みで実現した2分木において，葉以外の節を追加したり削除したりする処理はかなりゴチャゴチャします。そのため，ここでは説明を省略しますが，次々ページのコラムで「節の削除」を少しだけ説明しています。参考にしてください。

2分木を配列の配列で実現する

2分木の葉には左右の子が存在しないため，四つの一次元配列を使って2分木を実現した場合，葉の配列leftとrightの要素領域が無駄になってしまいます。この無駄な領域をなくすため配列の配列を使う場合もあります。

図1.6.6の2分木を，整数型配列の配列で実現したものを図1.6.9に示します。配列treeの要素は，節の値と，その節の親の要素番号，そして子の要素番号を左の子，右の子の順に格納した配列です。節が根のとき親の要素番号は−1です。

例えば，配列treeの要素番号1の要素 {25, −1, 2, 3} は，「節の値が25，親の要素番号が−1（すなわち，自身が根），左の子の要素番号が2，右の子の要素番号が3」であることを表しています。

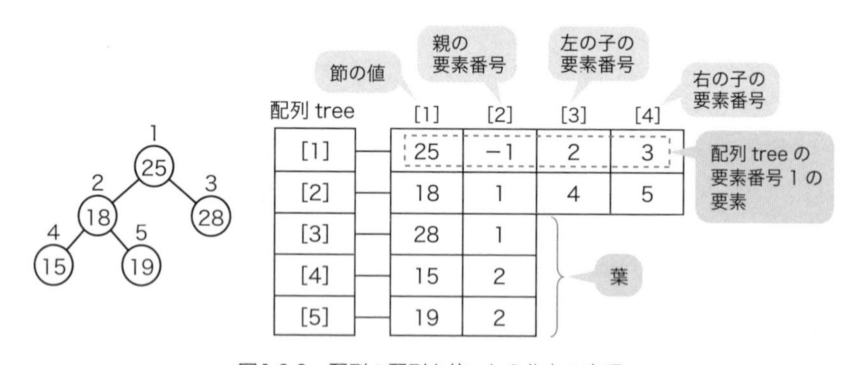

図1.6.9　配列の配列を使った2分木の表現

2分木を配列の配列で実現することで領域の無駄はなくなりますが，用途は限定的になります。つまり，配列の配列は，配列の要素が一次元配列であるため，上記の配列treeの例では，節の値が整数値でない場合は使用できません（節の値を格納する配列valueを別途設ける必要があります）。

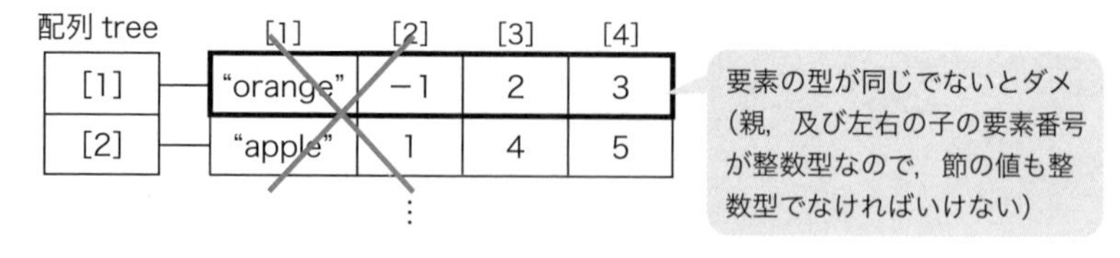

図1.6.10　誤った配列の配列の例

オブジェクト指向のクラスで実現する

節を表す情報には，「節の値，親，左の子，右の子」があります。これらの情報を別々の配列で管理すると，これまで説明したように処理が複雑になります。そこで，「節の値，親，左の子，右の子」をまとめて，図1.6.11のような構造で管理しようという考え方があります。そして，これを実現できるデータ構造が構造体（レコードともいう）とオブジェクト指向のクラスです。クラスについては，「2.6 オブジェクト指向とクラス」（p.66）で学習することにしましょう。なお，構造体については試験範囲から外されているため説明は省略します。

節の値	親への参照 （親の場所情報）	左の子への参照 （左の子の場所情報）	右の子への参照 （右の子の場所情報）

図1.6.11　節のデータ構造

COLUMN 部分木をもつ節の削除

図1.6.6の2分木において，**値18の節（節番号2の節）を削除**し，削除した位置に右の子を移動してみましょう。この場合の処理は，次のようになります。

① 値18の節の右の子の要素番号を，値18の節の親の配列leftの要素と，値18の節の左の子の配列parentの要素に設定する。
　⇒ left[parent[2]] ← right[2]
　　parent[left[2]] ← right[2]

② 値18の節の右の子の配列parentの要素に，値18の節の親の要素番号を設定する。
　⇒ parent[right[2]] ← parent[2]

③ 値18の節の右の子の配列leftの要素に，値18の左の子の要素番号を設定する。
　⇒ left[right[2]] ← left[2]

④ 値18の節の配列valueを除く各配列の要素の値を－1にする。

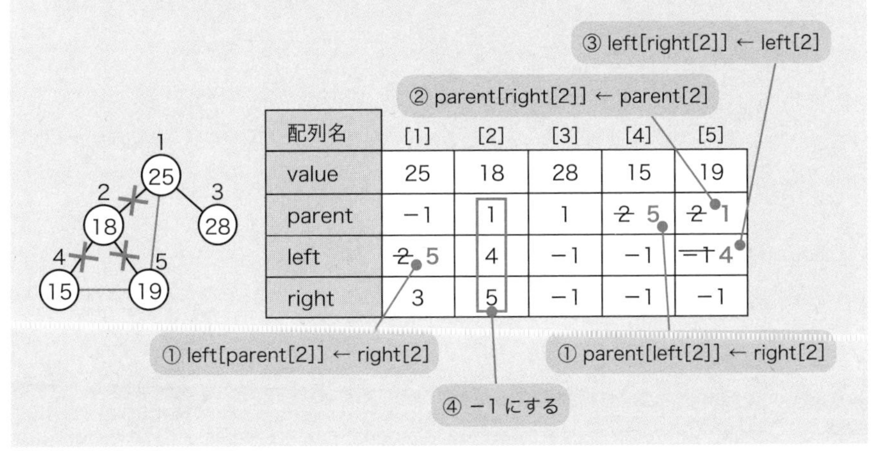

MEMO

第2章

擬似言語プログラミング

ここからは，擬似言語プログラミングの基本事項を学習します。擬似言語は，**擬似的なプログラミング言語**であり，アルゴリズムの理論を記述することに重点が置かれたプログラム言語です。そのため，実際に使用されているプログラミング言語（C，Java，Python など）とは異なり，コンピュータで実行することを目的とはしていません。

本章を学習するに当たっては，擬似言語プログラムを書くための学習ではなく，**擬似言語プログラムを読む**（すなわち，アルゴリズムを解釈する）ための学習であることを常に意識してください。

```
○整数型 : sum( 整数型 : num)
  整数型 : x ← 0
  整数型 : i
  for (i を 1 から num まで 1 ずつ増やす )
    x ← x + i
  endfor
  return x
```

2.1 手続と関数

2.1.1 手続

手続とは，何度も使われる同じ内容の処理をまとめたもので，他のプログラムから呼び出されるプログラムのことです。つまり，“○○処理”が必要になったとき，「○○処理をお願い」と依頼されるプログラムが手続(プロシージャともいう)です。

手続が呼び出されると，プログラムの実行は手続側に移ります。そして，手続内の処理が終わると，プログラムの実行は呼出し側に戻ります。

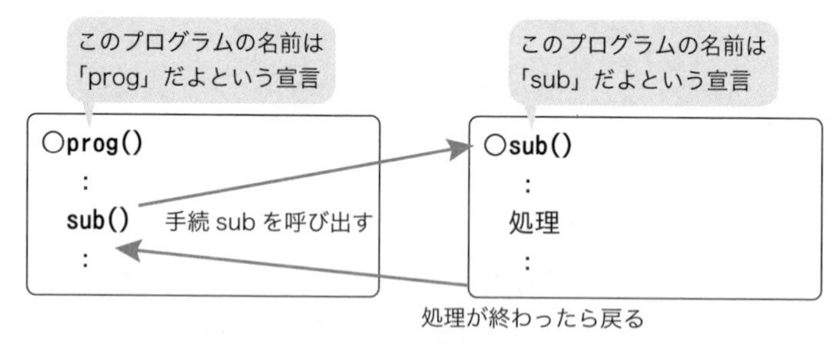

図2.1.1　手続の呼出し

手続の種類

手続には，「○○処理をお願い」というように，呼び出すだけで実行できるものと，必要なデータを与えないと実行できないものがあります。後者の手続を呼び出す場合，呼出しと同時にデータを受け渡します。この受け渡すデータのことを引数といい，引数を必要とする手続のことを「引数をもつ手続」といいます。

引数をもたない手続の呼出しは「手続名()」で行いますが，引数をもつ手続を呼び出す場合は，括弧内に引数を記述します。また，引数が複数ある場合は，「,」で区切って列挙します。

- 引数なし：手続名 ()
- 引数あり：手続名 (引数 , …)

◆ 手続宣言

手続の処理内容を記述することを手続定義といい，手続定義の冒頭で「この手続の名前は～だよ」の宣言を**手続宣言**といいます。手続宣言は次のように記述します。括弧内で宣言される変数は，呼出し側から与えられた引数を受け取るための変数です。これを**仮引数**といいます。引数をもたない手続の場合，括弧内には何も記述しません。

```
○手続名(型名: 変数名，…)
```

引数をもたない手続の場合，括弧内には何も記述しない

例えば，手続subが二つの整数型の引数をもつ場合，図2.1.2右のように宣言します。ちなみに，手続呼出しの際の引数を**実引数**といい，実引数と仮引数の個数やデータ型，そして並び順は一致させる必要がありますが，引数名は同じ名前である必要はありません(別の名前でもOKです)。

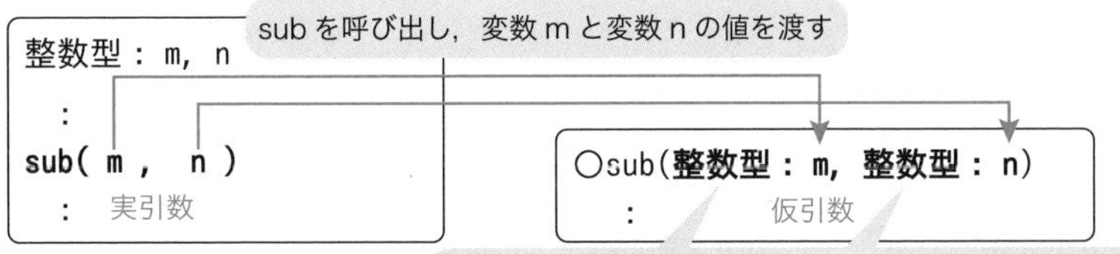

図2.1.2　引数の受け渡し

2.1.2 関数

関数は，「戻り値をもつ手続」です。**戻り値**とは，呼び出されたプログラムが，呼出し側のプログラムへ返す値のことです。返却値ともいいます。呼出し側のプログラムへ値を返すには，**return文**を使います。

```
return 返す値
```

返す値は一つだけ

例えば，数値10を返すなら「return 10」，変数aの値を返すなら「return a」と記述します。また，「return a＋10」といった式の記述も可能です。この場合，変数aの値に10を加算した値が呼出し側のプログラムへ返されます。実は，この戻り値の有無(すなわち，return文の有無)によって，関数であるか手続であるかに分かれます。return文ありが**関数**，return文なしが**手続**です。

関数の型と関数宣言

一般に，関数f(x)を「f(x)＝x＋1」と定義したとき，f(1)は1＋1＝2，f(2)は2＋1＝3という値になります。このため，f(1)＋f(2)＝5という計算が可能です。

プログラム言語の関数も同じです。整数型の引数をもつ関数fをf(1)として呼び出したとき，戻り値が2であれば「f(1)＝2」です。したがって，プログラム内に「f(1)の値を出力する」と記述すると，2が出力されます。

図2.1.3　関数呼出しと戻り値

関数の型とは，関数の戻り値のデータ型のことです。return文で返す戻り値が整数型であれば「整数型の関数」，文字型であれば「文字型の関数」です。このため，関数宣言は次のように記述します。

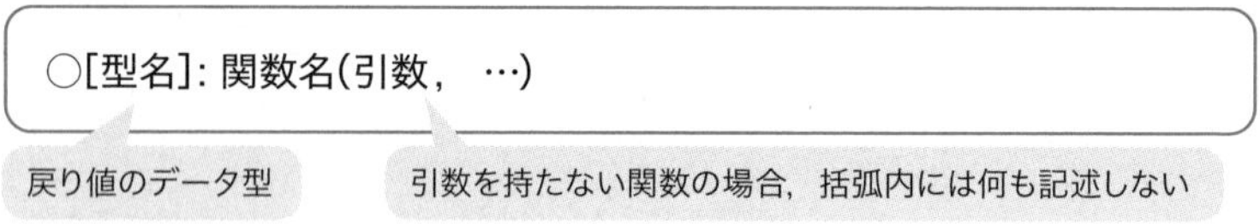

```
○[型名]: 関数名(引数, …)
```

戻り値のデータ型

引数を持たない関数の場合，括弧内には何も記述しない

▶ 関数呼出しの例

では，次のプログラムprogを実行したとき，変数mに10，変数nに2を入力すると，どんな値が出力されるでしょうか？

```
○prog()
  整数型 : m, n
  mに値を入力
  nに値を入力
  func(m, n)の値を出力
```

```
○整数型 : func(整数型 : m, 整数型 : n)
  return m+n
```

図2.1.4　関数の使用例

変数mの値は10，変数nの値は2なので，関数funcをfunc (10, 2)として呼び出すことになります。関数funcは引数で与えられた値を変数m，nに受け取り，m＋nの値をreturn文で返します。したがって，出力される値は**12**です。

2.1.3 大域変数と局所変数

通常，呼出し側のプログラムから関数あるいは手続へのデータの受け渡しは，引数を介して行います。しかし，引数が要素数の多い大きな配列だったり，同一の引数をもつ関数や手続が複数ある場合は，大域変数（グローバル変数ともいう）を使ってデータの受け渡しを行うことがあります。

大域変数

大域変数は，それが宣言された枠※1内のどのプログラムからでも参照できる変数です。これまで呼出し側のプログラムと，呼び出されるプログラムを別々の枠に記述してきましたが，これらを同じ枠に記述することもできます。そして，同じ枠に記述することでどちらのプログラムからも大域変数が使えるようになります。

図2.1.5左に，前ページの二つのプログラムを同じ枠に記述した例を示します。図2.1.5右は，大域変数として変数mとnを宣言し，どちらのプログラムからも使えるようにした例です。

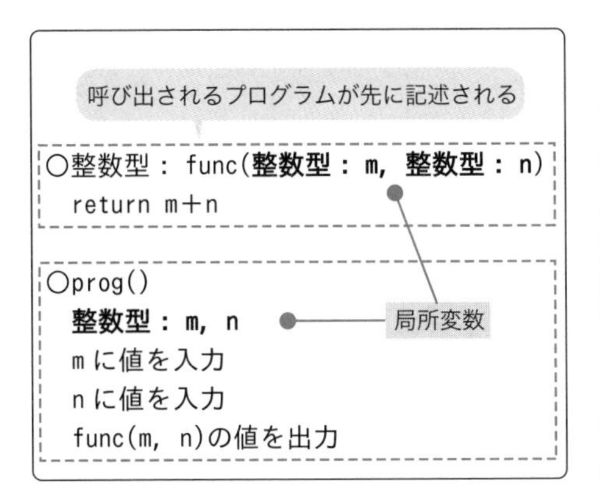

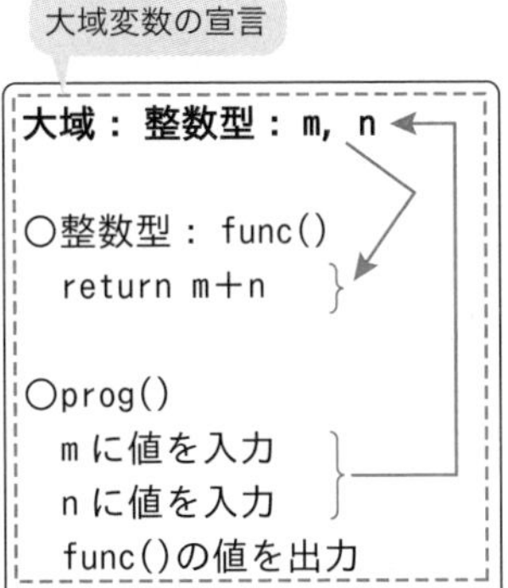

図2.1.5　局所変数(左)と大域変数(右)の使用例

局所変数

局所変数（ローカル変数ともいう）は，変数宣言されたプログラム内だけで使用できる変数です。図2.1.5左の関数func内の変数mとn，prog内の変数mとnが，それぞれの局所変数です。変数名は同じでも全く別の変数であることに注意してください。

※1　枠は，通常のプログラムでいうと「プログラムファイル」に該当します。

2.2 基本制御構造と条件式

2.2.1 基本制御構造

プログラムは，“順次”，“選択(分岐)”，“繰返し(反復)”の三つの構造で構成されます。これを基本制御構造といいます。基本制御構造のみを用いてプログラムを表現することで，論理の構造が明確になり，また，誰が見ても分かりやすいプログラムを実現できます※2。

〔基本制御構造〕

- 順次：一つ一つの処理を順番に処理する。
- 選択：条件によって実行する処理を分岐させる。
- 繰返し:同じ処理を繰り返し行う。繰返しの判定(繰返しを続けるか否かの判定) を，処理に入る前に行う前判定繰返しと，処理の後で行う後判定繰返しがある。

三つの制御構造を流れ図で表すと次のようになります。擬似言語では，選択処理の記述にはif文，前判定繰返し処理の記述にはfor文あるいはwhile文，後判定繰返しの記述にはdo-while文を使います。これらについては，次節以降で順番に説明します。

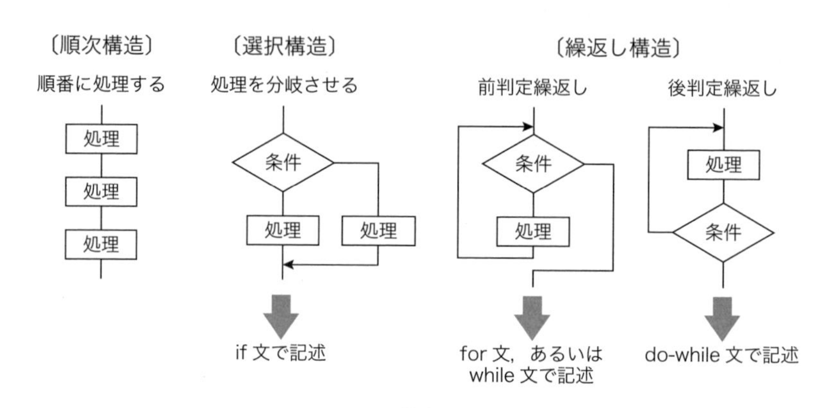

図2.2.1　基本制御構造

※2　基本制御構造のみで記述するプログラミング技法を，構造化プログラミングといいます。

2.2.2 条件式と条件式の評価

条件式とは,「処理を分岐させるための条件」や「処理を繰り返すための条件」を表した式です。

条件式は,真(true)か偽(false)のいずれかの値をとることに注意してください。例えば,条件式が「a=10」であるとき, 変数aの値が10なら「a=10」は成り立つので, このとき条件式は真(true)となります。一方, aの値が10以外なら条件式は偽(false)です。

プログラムの中に条件式が現れると, 条件式が真であるか偽であるかの判定が行われるわけですが, この真/偽の判定を行うことを「条件式を評価する」といいます。

条件式
「a=10」

- a の値が 10 のとき, 条件式「a=10」の値は真 (true)
- a の値が 10 以外のとき, 条件式「a=10」の値は偽 (false)

図2.2.2 条件式の評価

2.2.3 演算子

擬似言語プログラムで使用できる演算子を表2.2.1にまとめます。

表2.2.1 演算子

演算子の種類		演算子	優先度
式		( ) .	高
単項演算子		not + −	↑
二項演算子	乗除	mod × ÷	
	加減	+ −	
	関係	≠ ≦ ≧ < = >	
	論理積	and	↓
	論理和	or	低

クラスのメンバ変数又はメソッドのアクセスを表す演算子[※3]

剰余算を表す演算子

このうち, 条件式で使われる演算子は, 関係(≠, ≦, ≧, <, =, >)と論理積(and), 論理和(or)です。関係演算子の使用例は, 次のとおりです。

表2.2.2 関係演算子の使用例

演算子	意味
a ≠ b	a が b と**等しくない**とき真 (true), それ以外は偽 (false)
a ≦ b	a が b **以下**のとき真 (true), それ以外は偽 (false)
a ≧ b	a が b **以上**のとき真 (true), それ以外は偽 (false)
a < b	a が b **より小さい**とき真 (true), それ以外は偽 (false)
a = b	a が b と**等しい**とき真 (true), それ以外は偽 (false)
a > b	a が b **より大きい**とき真 (true), それ以外は偽 (false)

※3 クラスについては,「2.6 オブジェクト指向とクラス」(p.66) で学習します。

論理積と論理和

論理積（and）と論理和（or）は，複合条件（複数の条件を組み合わせた条件式）で使用されます。andは「かつ」，orは「又は」という意味です。

例えば，「aが10と等しく **かつ** bが10と等しい」という条件式は，「a＝10 **and** b＝10」と表現します※4。また，「aが10と等しいか **又は** bが10と等しい」という条件式は，「a＝10 **or** b＝10」と表現します。

▶複合条件の否定条件

条件式が複合条件であるとき，その条件式が偽（false）となる条件（これを，否定条件という）に留意する必要があります。実は，後述するwhile文は，「～の間，繰り返す」という反復条件で繰返しを制御しますが，「～になったら終了する」という終了条件で考えた方がしっくりいく場合があります。また問題文にも終了条件が示されることがよくあります。このため，反復条件と，その否定条件である終了条件を相互に（正確に）変換できるようにしておかないといけないわけです。

では，条件式「a＝10 and b＝10」が真の間，繰り返される繰返し処理の，終了条件はどのような条件になるでしょう？ 正解は，「a≠10 or b≠10」です。これを誤って「a≠10 and b≠10」と考えてしまわないように注意しましょう。

COLUMN 複合条件の否定はド・モルガンの法則で考える

複合条件が偽となる条件（否定条件）は，**ド・モルガンの法則**を使って考えます。ド・モルガンの法則は，科目A試験の論理式問題を解答するときよく使われる公式ですが，プログラムの条件式を考えるときにも活用できます。

先の例「a＝10 and b＝10」が偽となるのは「NOT （a＝10 and b＝10）」のときです。この式にド・モルガンの法則を適用すると，

NOT (a＝10 and b＝10)
＝NOT (a＝10) or NOT (b＝10)　　← ド・モルガンの法則を適用
＝ (a≠10) or (b≠10)

となります。

〔ド・モルガンの法則〕

①$\overline{X \cdot Y} = \overline{X} + \overline{Y}$
↓
NOT(X かつ Y)＝NOT(X) 又は NOT(Y)

②$\overline{X + Y} = \overline{X} \cdot \overline{Y}$
↓
NOT(X 又は Y)＝NOT(X) かつ NOT(Y)

※4　関係演算子(=)の優先度は論理積(and)よりも高いため，「a＝10」，「b＝10」の評価が先に行われます。評価順を明示したい場合は，「（a＝10） and （b＝10）」と記述してもOKです。

2.3 選択処理(if文)

2.3.1 if文の記述形式

選択処理の記述にはif文を使います。if文の記述形式は，次のとおりです。

〔if文の記述形式〕

```
if（条件式1）
  処理1
elseif（条件式2）
  処理2
elseif（条件式n）
  処理n
else
  処理 n＋1
endif
```

〔説明〕

- 条件式を上から評価し，最初に真になった条件式に対応する処理を実行する。それ以降の条件式は評価せず，対応する処理も実行しない。
- どの条件式(条件式 1 ～条件式 n)も真にならないときは，else に記述された処理 n+1 を実行する。
- elseif と処理の組みは，複数記述することがあり，省略することもある。
- else と処理 n+1 の組みは 1 つだけ記述し，省略することもある。

図2.3.1　if文の記述形式

2.3.2 if文の具体例

では，if文の具体例を見ていきましょう。ここで，変数a，及び変数xは整数型の変数とします。

例1

aの値が10より大きければ，xにaを4倍した値を代入する。

例2

aの値が10より大きければ，xにaを4倍した値を代入し，それ以外のときは0を代入する。

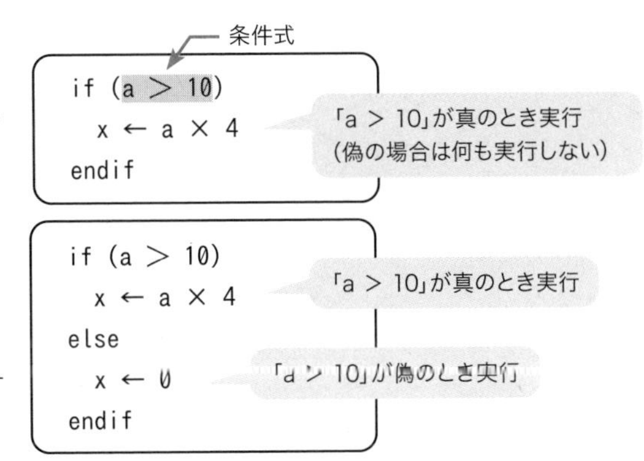

例3

aの値が10より大きければ，xにaを4倍した値を代入し，**10以下で5より大きければ**，aを2倍した値を代入する。それ以外のときは0を代入する。

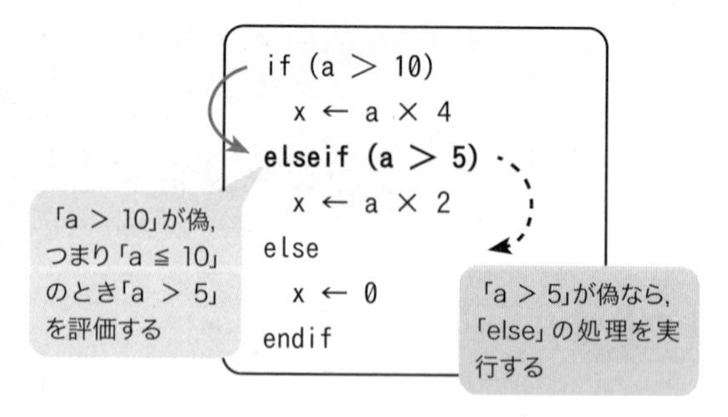

例3の場合，変数aの値とxに代入する値の関係は，下図のように整理できます。

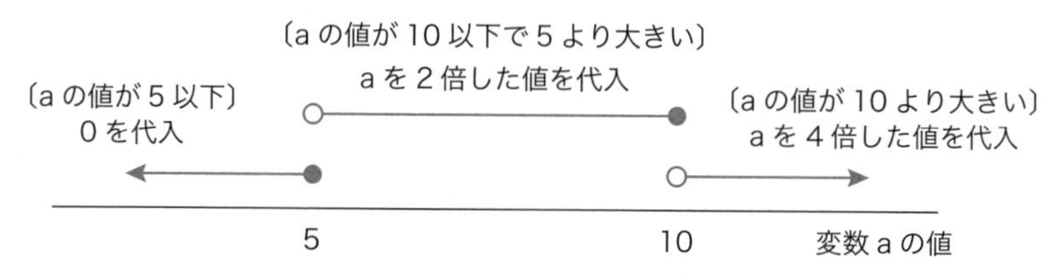

図2.3.2　変数aの値とxに代入する値の関係

例3のプログラムでは，「**aの値が10以下で5より大きければ**」に対応する条件式が，「**a > 5**」になっています。本来，「aの値が10以下で5より大きければ」を表す条件式は，「a ≦ 10 and a > 5」のはずです。これはどういうことでしょう?

if文では，最初の条件式で「a > 10」を評価しています。そのため，「elseif」の条件式「a > 5」を評価するときには，「a > 10」は偽であり，「a ≦ 10」を満たしているわけです。つまり，「elseif」の条件式「a > 5」は，「a ≦ 10 and a > 5」と同等な条件ということです。

では，例3のプログラムを流れ図で表現してみますね。流れ図の［点線枠］部分が「elseif (a > 5)」以降に相当します。

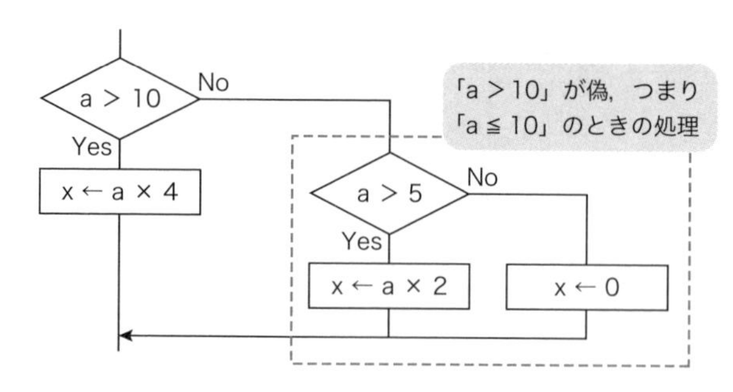

図2.3.3　例3のプログラムを流れ図で表現

if文の空欄埋め問題

2

下記は購入金額に応じたポイント数を計算するプログラムである。購入金額が1,000円以下の場合は購入金額の1%，購入金額が1,000円を超え3,000円以下の場合は購入金額の2%，購入金額が3,000円を超える場合は購入金額の3%のポイントを付与する。

変数kingakuに購入金額が格納されているとき，変数pointにポイント数を求める。プログラム中の［　　　］に正しい字句を入れよ。ここで，ポイント数の小数点以下は切捨てとする。

```
/* 変数kingakuには購入金額が格納されている */
if (kingaku ≦ 1000)
  point ← kingaku ÷ 100 の商          /* ポイント1% */
elseif ( [        ] )
  point ← kingaku × 2 ÷ 100 の商      /* ポイント2% */
else
  point ← kingaku × 3 ÷ 100 の商      /* ポイント3% */
endif
```

解説　　解答：kingaku ≦ 3000

ポイント付与率を整理すると，次のようになります。

条件式	ポイント付与率
kingaku ≦ 1000	1%
kingaku ＞ 1000 and kingaku ≦ 3000	2%
kingaku ＞ 3000	3%

最初の条件式「kingaku ≦ 1000」が偽のとき，「elseif」の条件式を評価します。このときすでに「kingaku ＞ 1000」を満たしているため，「elseif」の条件式に「kingaku ≦ 3000」を入れれば，「kingaku ＞ 1000 and kingaku ≦ 3000」と同じ評価ができます。右図に簡易的な流れ図を示しておきます。プログラムと比較してみましょう。

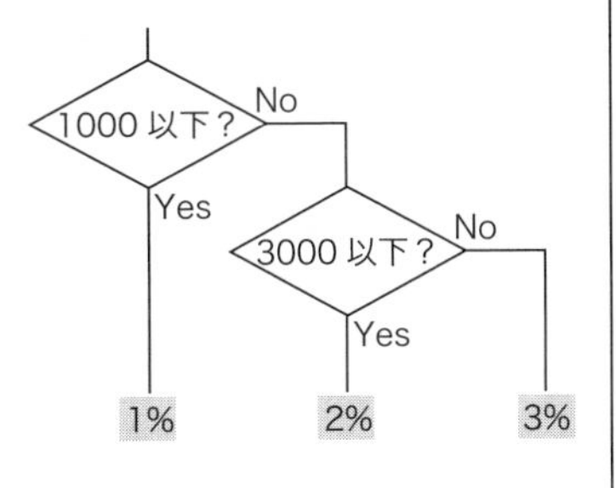

2.4 繰返し処理（while文とdo-while文）

2.4.1 繰返し処理の種類

繰返し処理には,「条件が真の間，処理を繰り返す」パターンと,「決まった回数処理を繰り返す」パターンの二つがあります。前者の繰返し処理を記述するときは, while文あるいはdo-while文が用いられます。また，後者の繰返し処理の記述には, for文が用いられます。本節では，while文とdo-while文を説明します。

2.4.2 while 文

繰返しを続けるかどうかの判定を，処理に入る前に行う場合，これを前判定繰返し処理といいます。そして，前判定繰返し処理の記述に用いられるのがwhile文です。

while文の記述形式

while文の記述形式は次のとおりです。条件式には, 反復条件（繰返し条件）が記述されることに注意してください。

```
〔while 文の記述形式〕
while (条件式)
  処理
endwhile
```

〔説明〕
・条件式が真の間，処理を繰返し実行する。

図2.4.1　while文の記述形式

while文の具体例

while文を用いた繰返し処理の具体例を見てみましょう。

〔例〕

sumの値が100以下の間，変数aの値をsumに加算する。

```
整数型: sum ← 0
整数型: a ← 3
while (sum ≦ 100)
  sum ← sum + a
endwhile
```

sumの値が100以下なら繰り返す（100より大きくなったら繰返しを終了する）

線形探索のプログラムをwhile文で書いてみる

線形探索とは，探したい値（以下，目的データという）をデータの先頭から順に探索していく方法です。

ここでは，要素数がnである整数型の一次元配列TBLの中から目的データを探し，その要素番号を出力するプログラムを考えます。なお，目的データは変数xに格納されています。また，配列TBLに格納されている数値は全て異なる値です。線形探索のイメージを図2.4.2に示します。

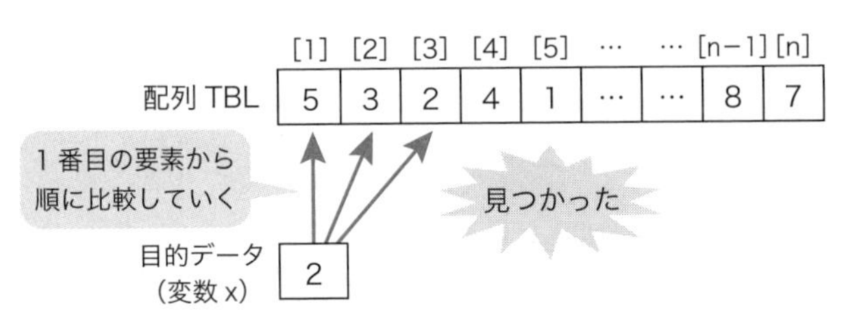

図2.4.2　線形探索のイメージ

▶配列TBLの中に目的データが必ず存在する場合

目的データが必ず配列TBLの中に存在するのであれば，配列TBLの要素を1番目から順番に，TBL［1］，TBL［2］，…と調べていけば，いずれかの要素で変数xの値と一致します。そこで，配列TBLの要素番号を変数iで表し，iの値を1，2，…と順に変化させます。そして，i番目の要素TBL[i]と変数xの値が一致したら探索を終了します。

処理手順とプログラムを下記に示します。while文の条件式には反復条件（すなわち，処理を繰り返す条件）を記述するので，**TBL［i］と変数xの値が不一致の間**，変数iの値を＋1する処理を繰り返せばよいことを確認してください。

〔処理手順〕

① 要素番号を表す変数iに，初期値1を設定する。

② TBL[i]と変数xの値を比較する。

③ 不一致なら，変数iの値に1を加算して次の要素に進み，再び②の操作を行う。一致なら，探索を終了し変数iの値を出力する。

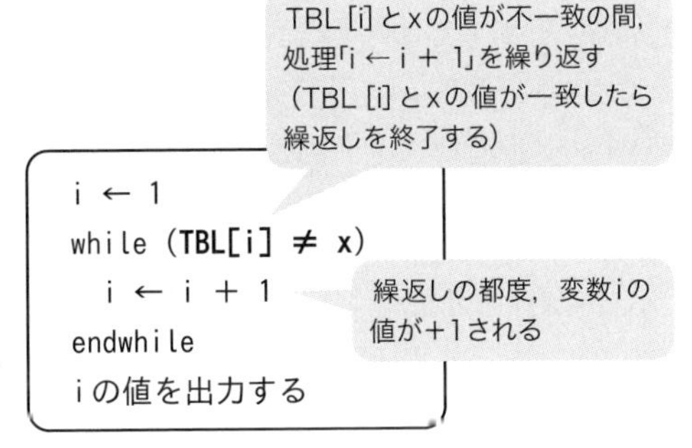

▶配列TBLの中に目的データが存在するとは限らない場合

配列TBLの中に目的データが存在しなければ，while文の条件式「TBL[i] ≠ x」が偽になること（すなわち，「TBL[i] = x」になること）はなく，最後の要素TBL[n]を超えても探索処理を継続してしまいます。

そこで，これを回避するため，while文の条件式を「**i ≦ n** and TBL[i] ≠ x」とします。こうすることで，変数iの値がnより大きくなったら探索処理を終了できます。ただしこの場合，「i > n」で終了するか，又は「TBL[i] = x」で終了することになるため※5，「i > n」で終了したのなら"該当データなし"としなければなりません。プログラムは，次のようになります。

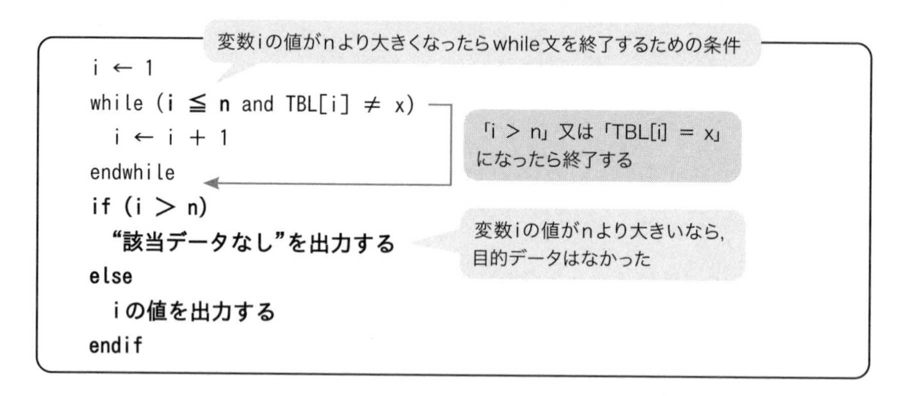

▶番兵を用いた方法

上記プログラムのwhile文の条件式を簡素化するため，目的データと同じ値（これを番兵という）を，配列TBLの最後の要素の次の要素（TBL[n+1]）に追加します。これにより，配列TBLの中に目的データが存在しなくても，TBL [n+1] で必ず一致するためwhile文の条件式は「**TBL [i] ≠ x**」のみでよくなります。

	[1]	[2]	[3]	…	[n]	[n+1]
配列 TBL	5	3	2	…	7	x

番兵

```
TBL[n + 1] ← x  /* 番兵を追加 */
i ← 1
while (TBL[i] ≠ x)
  i ← i + 1
endwhile
if (i > n)
  "該当データなし"を出力する
else
  iの値を出力する
endif
```

※5　反復条件が「i≦n and TBL[i] ≠ x」であれば，終了条件は「i＞n or TBL[i] ＝x」です。そのため，「i＞n」又は「TBL[i]＝x」のとき，while文を終了します。

2.4.3 do-while 文

繰返しを続けるかどうかの判定を，処理の後に行う場合，これを後判定繰返し処理といいます。後判定繰返し処理の記述にはdo-while文が用いられます。記述形式は次のとおりで，while文同様，条件式には反復条件を記述します。

```
〔do-while 文の記述形式〕
do
   処理
while (条件式)
```

〔説明〕
・処理を実行し，条件式が真の間，処理を繰返し実行する。

図2.4.3　do-while文の記述形式

◆ 線形探索のプログラムをdo - while文で書いてみる

while文では，処理に入る前に繰返しの判定が行われるため，条件によっては処理を一度も実行しない場合があります。これに対してdo-while文は，処理の後に繰返しの判定を行うので，少なくとも一度は処理が実行されます。

そのため，線形探索の番兵を用いたプログラム（前ページ下のプログラム）をdo-while文で書き換える場合は，要素番号を表す変数iの初期値を0に設定し，「i ← i ＋ 1」を行った後で繰返し判定を行います。

```
TBL[n＋1] ← x    /* 番兵を追加 */
i ← 0
do
   i ← i ＋ 1
while (TBL[i] ≠ x)
if (i ＞ n)
   "該当データなし"を出力する
else
   iの値を出力する
endif
```

COLUMN while文の条件式が常に真になる場合は注意！

while文やdo-while文の条件式が常に真である場合は，延々と繰返し処理が継続されます。このような現象を**無限ループ**あるいは**永久ループ**といいます。

例えば，右のようなプログラムはNG！です。

```
i ← 1
while (i ＞ 0)
   i ← i ＋ 1
endwhile
```

2分探索法の問題

要素数がnである配列Tの各要素T[1]，T[2]，…，T[n]に異なる値が昇順に格納されている。与えられた変数dataと同じ値が格納されている要素を2分探索法で見つける。見つかったときはその要素番号を返し，見つからなかったら−1を返す。

2分探索法の処理概要は，次のとおりである。プログラム中の □ に入れる正しい答えを，解答群の中から選べ。

〔2分探索法の処理概要〕

(1) 最初の探索範囲は，配列全体とする。

(2) 探索範囲の中央の位置にある配列要素の値(以後，中央の値という)と探索する値とを比較する。

(3) 比較の結果，

- 二つの値が等しければ，探索を終了する。
- “探索する値 > 中央の値”であれば，探索する値は探索範囲の前半には存在しないので，後半を次の探索範囲とし，(2)に戻る。
- “探索する値 < 中央の値”であれば，後半には存在しないので，前半を次の探索範囲とし，(2)に戻る。
- 二つの値が一致せず，しかも探索範囲の要素数が0個となったときは，探索を終了する。

〔プログラム〕

```
○整数型: binarysearch(整数型の配列: T, 整数型: data)
  整数型: low, high, mid
  low ← 1                    /* low :探索範囲の左端の要素番号 */
  high ← 配列Tの要素数        /* high:探索範囲の右端の要素番号 */
  while ( □ )
    mid ← (high + low) ÷ 2 の商      /* mid:中央の位置 */
    if (data = T[mid])
      return mid
    elseif (data > T[mid])
      low ← mid + 1    /* 後半を次の探索範囲とする */
    else
      high ← mid − 1   /* 前半を次の探索範囲とする */
    endif
  endwhile
  return −1
```

解答群

ア low < high　　イ low > high　　ウ low ≦ high　　エ low ≧ high

解説　解答：ウ

2分探索法は，探索の対象データがあらかじめ昇順に整列されているときに用いる探索法です。探索範囲の中央の値と探索する値を比較し，その結果により次に探索する範囲を中央位置より前か後に絞り込んでいく点に特徴があります。

さて，while文の空欄には「〜の間」という条件式が入ります。ヒントとなるのは，問題文（3）の「探索範囲の要素数が0個となったときは，探索を終了する」との記述です。この記述から，**探索範囲の要素数が0個でない間**，繰り返せばよいことになります。

では，探索範囲の要素数が0個でないかどうかをどのように判定するのでしょう。着目点は，lowとhighです。lowは探索範囲の左端の要素番号，highは右端の要素番号なので，探索範囲の要素数は「high − low + 1」個です。このことから，探索範囲の要素数が0個でない（つまり，探索範囲の要素数が1個以上）という条件式は「high − low + 1 ≧ 1」であり，これを整理すると「high ≧ low」⇒「low ≦ high」となります。したがって，空欄に「low ≦ high」を入れれば，探索範囲の要素数が0個でない間，繰り返すことができます。

COLUMN 2分探索法の流れ図

2分探索法は科目A試験でも頻出なので，探索の仕組みを理解しておきましょう。ちなみに，科目A試験では次のような流れ図が出題されます。図中のaに入る式を考えてみましょう。

〔流れ図の説明〕

昇順に整列済みの要素数nの配列Aから，A[m] = kとなる要素番号mを2分探索法で見つける。終了時点でm = 0であれば，A[m] = kとなる要素は存在しない。ここで，小数点以下を切り捨てる除算演算子を“／”とする。

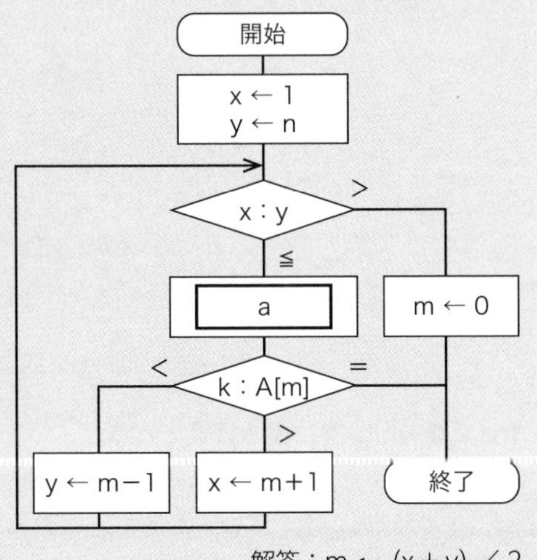

解答：m ← (x + y) ／ 2

2.5 繰返し処理(for文)

2.5.1 for文

for文は，決まった回数を繰り返す場合に用いられます。繰返しを続けるかどうかの判定が，処理に入る前に行われるため前判定繰返し処理になります。

for文の記述形式

for文の記述形式は，次のとおりです。

```
〔for 文の記述形式〕
for（制御記述）
  処理
endfor
```

〔説明〕
・制御記述の内容に基づいて，処理を繰返し実行する。

図2.5.1　for文の記述形式

制御記述には,「変数の値を，いくつから，いくつまで，いくつずつ増減させるか」を記述します。例えば,「i を 1 から 3 まで 1 つずつ増やす」と記述すると，変数iの値を1，2，3と，1つずつ増やしながら処理を3回繰り返します。なお，繰返しの制御に用いられる変数を制御変数といいます。

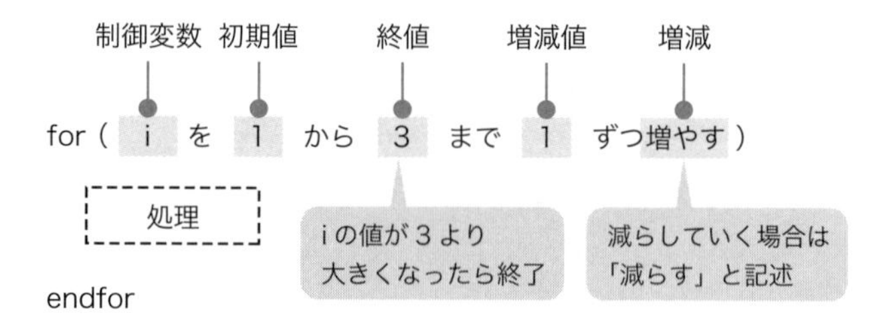

図2.5.2　for文の制御記述

▶ for文をwhile文に書き換えてみる

図2.5.2のfor文は，変数iの初期値を1に設定して，繰返し処理に入り，処理を1回行ったらiの値を1つ増やすという処理を，iの値が3になるまで繰り返します。したがって，図2.5.3のwhile文に書き換えることができます。

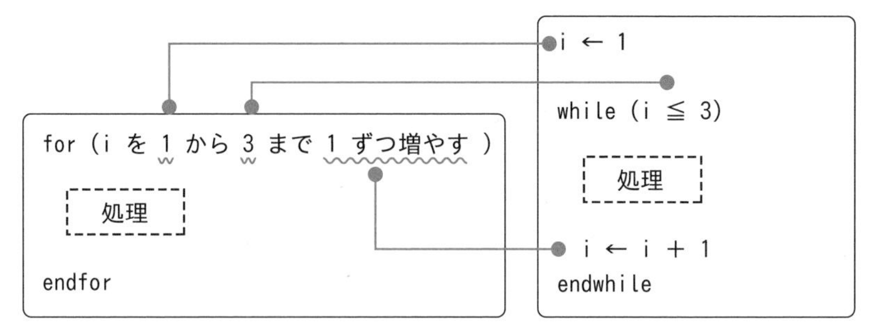

図2.5.3　for文とwhile文の関係

このように，for文からwhile文への書換は可能です。しかし，while文からfor文への書換ができるのは，決まった回数を繰り返すwhile文のみです。例えば，前節で学習した線形探索のプログラムはfor文に書き換えることはできません。

2.5.2 for 文を使った一次元配列の処理

要素数がnである整数型の一次元配列TBLの，要素番号が偶数である要素の合計値を変数sumに求めるプログラムを紹介します。

このプログラムでは，配列TBLの要素番号を変数iで表し，iの値を1からnまで1ずつ増やしながら,「iの値が偶数であるかを判定し，偶数なら，TBL[i]の値を変数sumに加算する」処理を繰返し行います。ここで,「a mod b」はaをbで割った余りです。演算子modは，関係演算子（=）よりも優先度※6が高いので「i mod 2 = 0」と記述できますが，演算順序を明確にするため「(i mod 2) = 0」としています。

```
sum ← 0
for (i を 1 から n まで 1 ずつ増やす)※7
  if ((i mod 2) = 0)        iの値を2で割った余りが0なら偶数
    sum ← sum + TBL[i]
  endif
endfor
```

※6　演算子の優先度については,「2.2.3 演算子」(p.51) を参照してください。

※7　for文の制御記述には「ずつ増やす」の他に「ずつ減らす」もあります。制御記述を「**i を n から 1 まで 1 ずつ減らす**」としても正しい結果が得られます。

2.5.3 for文を使った二次元配列の処理

n行m列の二次元配列MTBLに格納されている数値を，行方向を優先した順に加算していき，変数sumにその合計を求めるプログラムを考えます。ここで，行方向優先とは，進む方向が行方向（横方向）ということです。最初に，1行目の，1列目，2列目，3列目，…と横に進み，最後の列まで進んだら，次は2行目の，1列目，2列目，…と進みます。これを最後の行まで繰り返します。

例えば，3行4列の場合の，行方向優先の加算は次のようになります。

3行4列の二次元配列MTBL

行＼列	1	2	3	4
1	10	17	4	10
2	9	5	1	3
3	8	10	5	21

sum = MTBL[1, 1] + MTBL[1, 2] + MTBL[1, 3] + MTBL[1, 4]+
MTBL[2, 1] + MTBL[2, 2] + MTBL[2, 3] + MTBL[2, 4]+
MTBL[3, 1] + MTBL[3, 2] + MTBL[3, 3] + MTBL[3, 4]

図2.5.4　3行4列の加算例

この処理のポイントは，各行ごとの要素の和を求める式が，

MTBL[行番号, 1] + MTBL[行番号, 2] + … + MTBL[行番号, m]

と表せることです。つまり各行の要素の和を求めるためには，列番号を表す変数をjとし，jを1からmまで1ずつ増やしながら，MTBL [行番号, j] の値を順に変数sumに加算すればよいわけです。

さらにこの処理を，行番号を表す変数iを使って，iの値を1からnまで1ずつ増やしながら実行すれば，二次元配列MTBLの全ての要素の和を求めることができます。

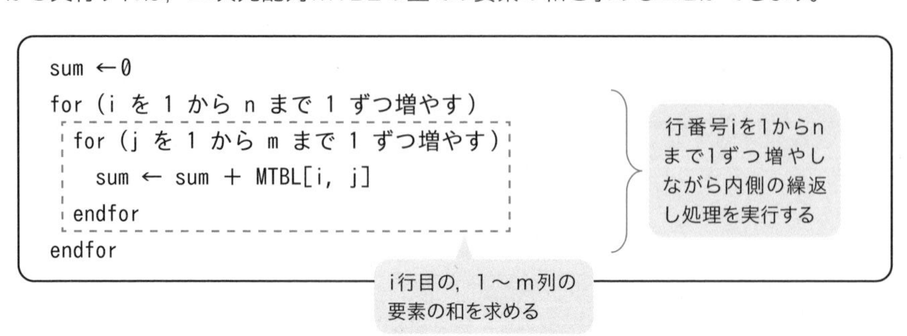

この処理のように,「繰返し処理の中に, さらに繰返し処理がある」構造を多重繰返し構造といいます。多重繰返し構造になっているプログラムを解釈するときは, 外側の繰返し処理（外側ループ）が1回実行されるたびに, 内側の繰返し処理（内側ループ）でどのような処理が行われるのかを意識することがポイントになります。

2

最小値を求める問題

n行m列の二次元配列MTBLに格納されている数値の中で最も小さな値（最小値）を,変数minに求める。ここで, MTBLに格納されている数値は0以上100以下である。プログラムの中の [ ] に正しい字句を入れよ。

```
min ← 101      /* 仮の最小値を101とする */
for (i を 1 から n まで 1 ずつ増やす)
  for (j を 1 から m まで 1 ずつ増やす)
    if ( [      ] )
      min ← MTBL[i, j]
    endif
  endfor
endfor
```

解説　　解答：MTBL [i, j] ＜ min

二次元配列MTBLの要素の値が0以上100以下であるということは, 最小値も100以下ということです。このことに着目して, 変数minに100よりも大きな値（このプログラムでは101）を仮の最小値として設定します。そして, 行方向を優先した順にMTBLの各要素とminの値を比較していき, 常に変数minの値が小さくなるようにします。これにより, MTBLの最後の要素まで比較し終えたとき, minに最小値が求められます。

常に変数minの値が小さくなるようにするためには, 比較した要素の値がminよりも小さいとき, その要素の値をminに代入します。したがって, 空欄には,「MTBL [i, j] ＜ min」が入ります。

```
if ( MTBL[i, j] < min )
  min ← MTBL[i, j]
endif
```

MTBL [i, j] の値がminよりも小さければ, minにMTBL[i, j]の値を代入する

2.6 オブジェクト指向とクラス

2.6.1 オブジェクト指向プログラミング

基本制御構造(順次，選択，繰返し)を用いたプログラミングは，あくまでも「処理」を中心としたプログラミングです。これに対して，「データ」を中心にプログラム構造を考え，効率よく開発しようというのがオブジェクト指向プログラミングです。

オブジェクトとクラスの関係

オブジェクト指向プログラミングでは，データに焦点を当て，データとそのデータを操作するための処理をひとまとまりの「物」と捉えます。この「物」のことをオブジェクトといい，オブジェクトをプログラムで実現する方法がクラスです。

クラスは，オブジェクトを作るための一種の設計図です。そのため，まずクラスを定義して，定義したクラスのオブジェクトを作るという順番になります。

▶ クラスの定義

クラスの定義では，「データ」に相当する変数の宣言と，「処理」に相当するメソッドの定義を記述します。クラス内に定義された変数やメソッドのことを，そのクラスのメンバといい，特に変数のことをメンバ変数といいます。メソッドは，「2.1 手続と関数」(p.46)で学習した手続や関数とほぼ同じです。概念は異なりますが，メソッドも引数の受け渡しができ，処理が終わると何らかの戻り値を返すこともできます。

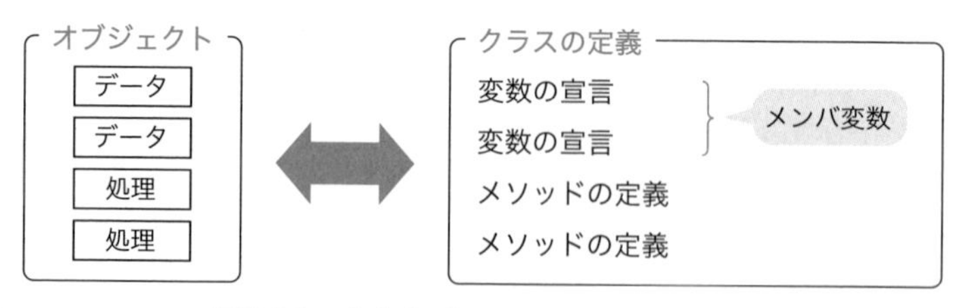

図2.6.1　オブジェクトとクラスの定義の対応

では，「1.5 スタックとキュー」(p.32)で学習したスタックを，クラス名をStackとして定義したイメージを図2.6.2に示します。なお，試験ではクラスの説明は表で示されるのみで，具体的な定義方法は問われません。ここでは「クラスって，こんな感じで定義されるんだ～」程度に捉えてください。

```
class: Stack              クラス名

/* メンバ変数の宣言 */
    整数型の配列 : stack ← {10 個の未定義の値 }
    整数型 : top              /* データを格納する要素位置 */

/* メソッドの定義 */
  ○push(整数型 : x)
    stack[top] ← x           プッシュ操作を行うメソッド
    top ← top + 1

  ○整数型 : pop()
    top ← top − 1            ポップ操作を行うメソッド
    return stack[top]

  ○Stack()                   クラス名と同じ名前のメソッドをコンストラクタ※8 といい，
    top ← 1                  インスタンスを生成するときに呼び出される（後述）
```

図2.6.2 クラスStackの定義イメージ

インスタンスの生成

定義したクラスのオブジェクトを作ることを，クラスの実体化，あるいはインスタンスの生成といいます。つまり，生成されたインスタンスがオブジェクトです。

インスタンスの生成の基本形は「**クラス名 ()**」です。例えば，クラスStackのインスタンスを生成するには,「Stack () 」と記述します。インスタンスが生成されると，その場所情報（すなわち，インスタンスが作成された場所）が返されるので，これを変数に格納しておきます。この変数は，クラスを実体化したインスタンスの場所（これを「参照」という）を格納する特別な変数で，クラス型変数又はインスタンス変数と呼ばれます。

クラスStackのインスタンスを生成する場合，まず**Stack型**の変数（ここでは，stとする）を宣言します。そして「Stack () 」でインスタンスを生成して，その戻り値を変数stに代入します。これによって，変数stを用いたインスタンスへのアクセスが可能になります。

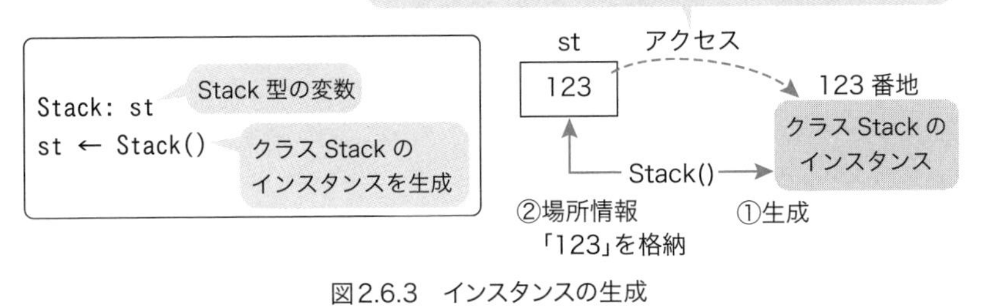

図2.6.3 インスタンスの生成

※8 コンストラクタは，通常，メソッド定義の冒頭に記述されます。

▶ コンストラクタ

クラスには，**クラス名と同じ名前のメソッド**が定義されます。このメソッドを**コンストラクタ**といいます。コンストラクタは，インスタンスを生成するときの特殊なメソッドで，主な役割は，新しく生成されたインスタンスの初期化です。例えば，前ページの図2.6.2のコンストラクタでは，スタック操作を行えるようにするためにインスタンスのメンバ変数top(データを格納する要素位置を表す変数)を1で初期化します。

▶ 引数をもつコンストラクタ

図2.6.2のコンストラクタは引数をもちませんが，図2.6.4のように引数をもつコンストラクタも定義できます。この場合のインスタンス生成は「**Stack (引数)**」で行います。引数は，コンストラクタに受け渡したい値です。コンストラクタの引数が複数ある場合は，「,」で区切って列挙します。

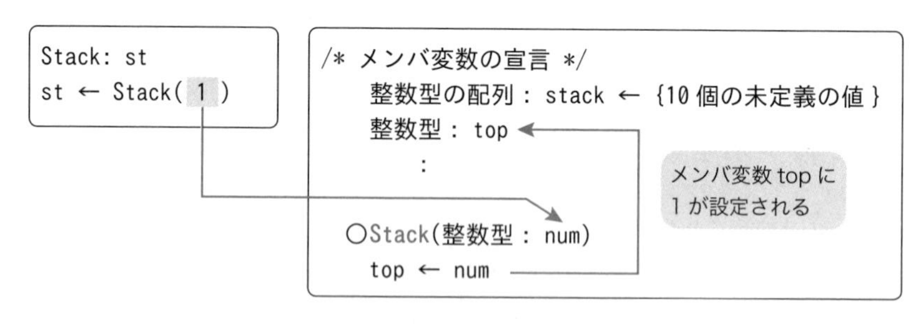

図2.6.4　コンストラクタ

下記に，**インスタンスの生成方法**をまとめておきます。クラス型変数の宣言とインスタンス生成を別々に行う方法(①)の他，②のように記述することでこれらを同時に行うこともできます。

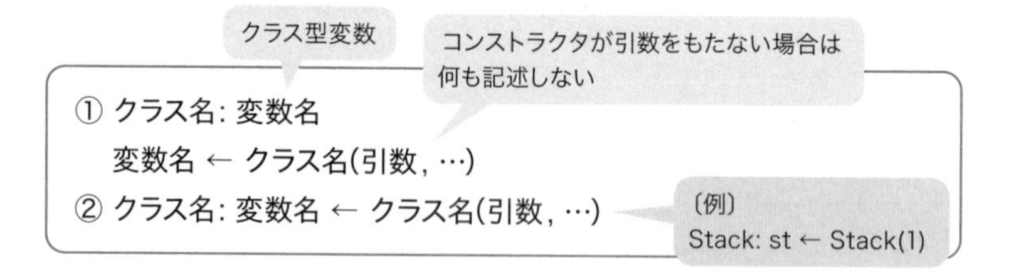

インスタンスへのアクセス

インスタンスへのアクセスには「参照」を使います。ここでいう「参照」とは，**インスタンスの場所を表す値**のことです。つまり，インスタンス生成時に返された値を使って，インスタンスにアクセスするわけです。そしてこの値は，クラス型変数に格納してあるので，次のように記述すればメンバ変数やメソッドをアクセスできます。ここで,「.」はメンバ変数又はメソッドのアクセスを表す演算子です。

```
クラス型変数名.メンバ変数
クラス型変数名.メソッド(引数, …)
```

次のプログラムでは,図2.6.2のクラスStackの**インスタンスの「参照」**[※9]を変数stに格納しているので,メンバ変数やメソッドへのアクセスは「st.○○」で行えます。

例えば,スタック(すなわち,インスタンスの配列stack)に値10を格納したい場合は,「**st.push(10)**」と記述します。

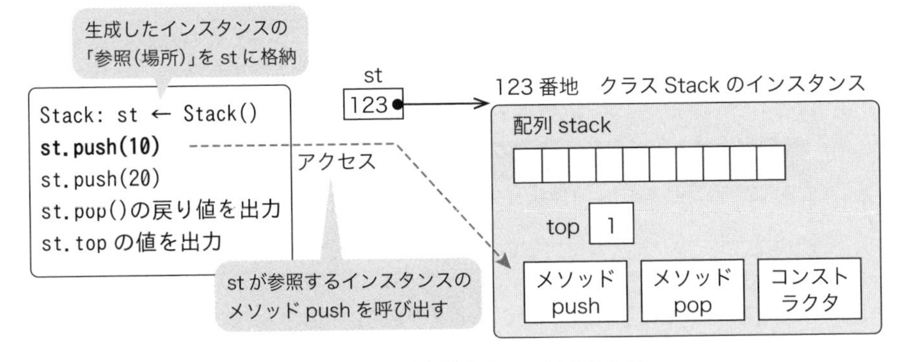

図2.6.5　メンバ変数やメソッドのアクセス

COLUMN クラスStackのインスタンスを二つ作る

クラスから複数のインスタンスを作ることができます。例えば,図2.6.2のクラスStackのインスタンスを二つ作る場合は,Stack型の変数を二つ用意して,それぞれのインスタンスの「参照」を格納すればOKです。

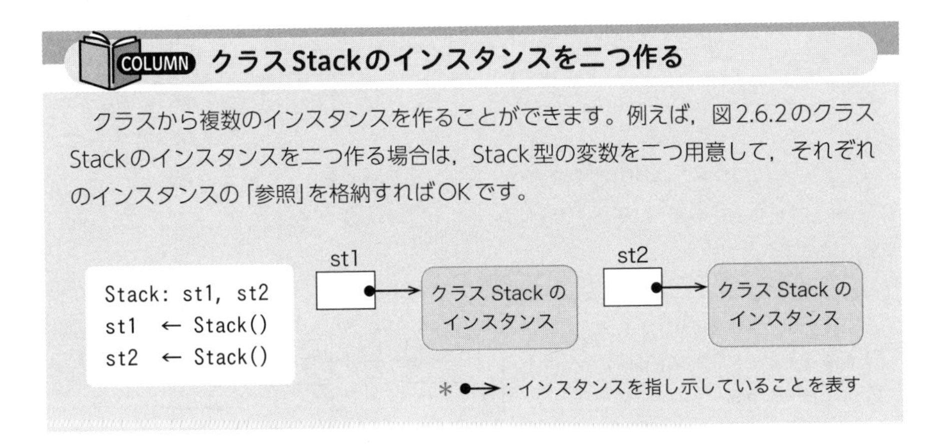

※9　試験では「インスタンスの参照」と表現されますが,本書では「〜を参照する」と区別するため,参照にカッコを付けています。「参照」ときたら,「場所」と読み替えてください。

2.6.2 単方向リストの実現

クラスに定義するメンバ変数やメソッドの個数に制約はありません。メンバ変数のないクラス，あるいはメソッドのないクラスも作ることができます。ここでは，コンストラクタのみをもつクラス（クラスListとする）を使って，「1.4 リスト」（p.26）で学習した単方向リストを実現してみましょう。リストの各要素はデータ部とポインタ部から構成されるので，クラスListのメンバ変数として表2.6.1に示す二つを定義します。また，コンストラクタは表2.6.2に示すとおりです。

表2.6.1　クラスListのメンバ変数

	メンバ変数	型	説明
データ部	value	文字列型	リストに格納する文字列
ポインタ部	next	List	次の要素（インスタンス）の「参照」 次の要素がない場合は未定義

表2.6.2　クラスListのコンストラクタ

コンストラクタ	説明
List（文字列型：val）	引数valでメンバ変数valueを初期化する メンバ変数nextを“未定義の値”で初期化する

では，単方向リストを作成していきましょう。ここでfirstは，リストの先頭要素の「参照」を格納する変数です。まず，要素“ロンドン”を生成し(①)，その「参照」をfirstに格納します(②)。

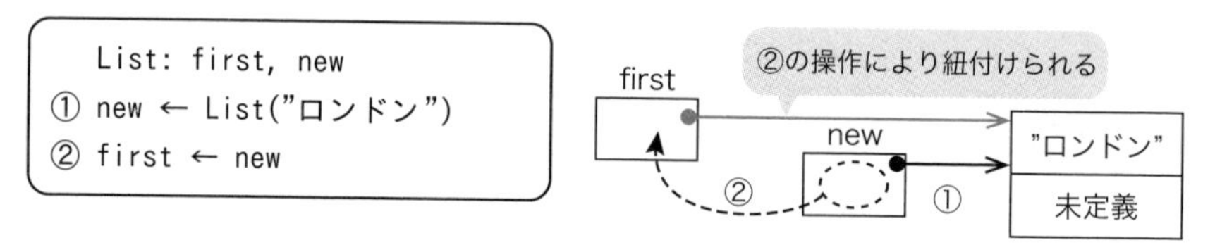

次に，要素“ロンドン”の後ろに要素“ローマ”を追加します。これを行うためには，要素“ローマ”を生成し(③)，その「参照」をfirstが参照している要素“ロンドン”のnextに格納します(④)。

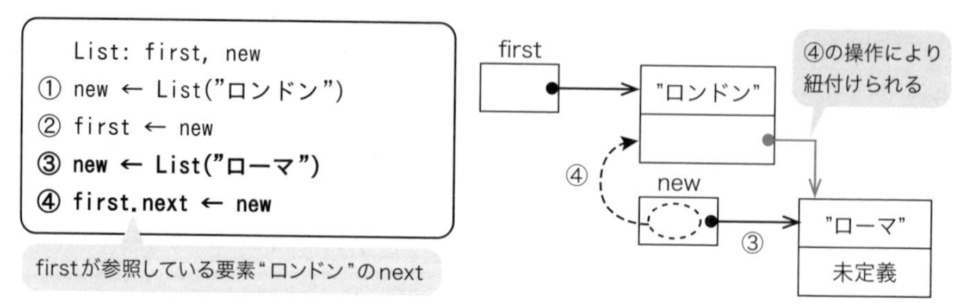

リストの末尾に要素を追加する処理

さて，要素“ローマ”の後ろ（つまり，リストの末尾）に，要素“パリ”を追加するには，どのようにしたらよいでしょう？「new ← List（”パリ”）」でインスタンスを生成するところまでは，先のプログラムと同じです。

図2.6.6　現在のリストの状態

リストの末尾に要素“パリ”を追加するためには，要素“パリ”の「参照」（すなわち，newの値）をリストの末尾である要素“ローマ”のnextに格納すればよいわけですが，これをプログラムで行うためには，まずリストの末尾である要素“ローマ”を探す必要があります。そして，末尾要素の“ローマ”が見つかったら，そのnextに要素“パリ”の「参照」（newの値）を代入すれば完成です。

具体的には，リストの先頭要素の「参照」を保持するfirstから，要素“ロンドン”をたどり，要素“ロンドン”のnextから要素“ローマ”をたどります。すると，要素“ローマ”のnextが未定義なので，このnextに要素“パリ”の「参照」（newの値）を代入します。

プログラムは次のようになります。このプログラムでは，List型の変数followを使って要素を順番にたどっています。変数firstには，リストの先頭要素の「参照」が格納されているものとしてプログラムを見てください。

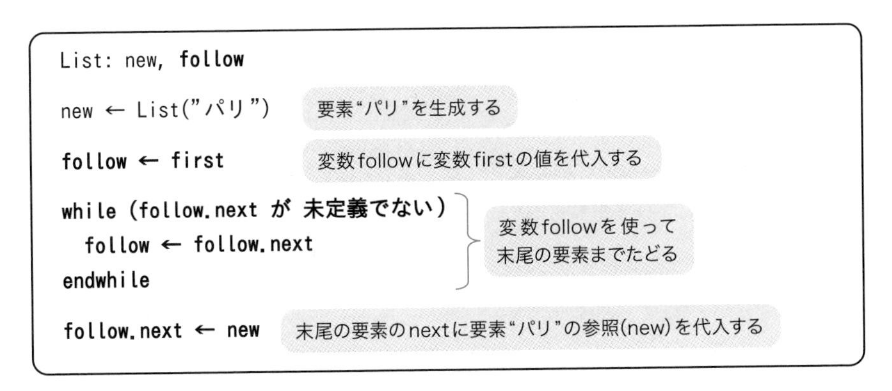
```
List: new, follow

new ← List(”パリ”)                要素“パリ”を生成する

follow ← first                    変数followに変数firstの値を代入する

while (follow.next が 未定義でない)  ┐ 変数followを使って
  follow ← follow.next             │ 末尾の要素までたどる
endwhile                           ┘

follow.next ← new                 末尾の要素のnextに要素“パリ”の参照(new)を代入する
```

このプログラムでポイントとなるのは「follow ← follow.next」です。これを行うことで要素を順番にたどることができるわけです。では，順を追って説明します。

①「follow ← first」により，先頭要素の「参照」がfollowに代入されると，followは先頭要素を参照します。

```
follow ← first
while (follow.next が 未定義でない)
  follow ← follow.next
endwhile
follow.next ← new
```

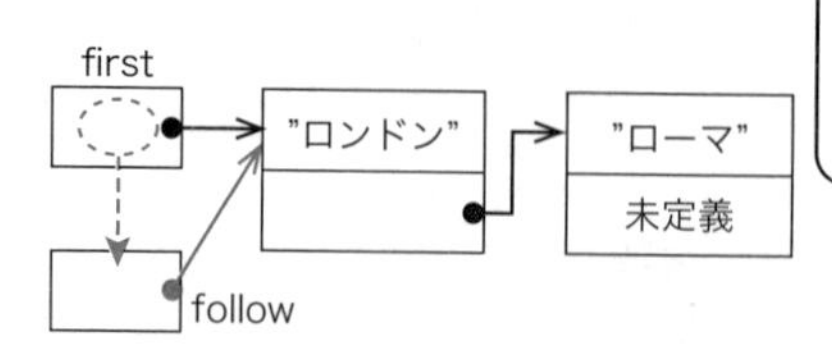

②「follow.next」は，followが参照している要素のnextという意味です。現在followが参照しているのは要素“ロンドン”であり，そのnextは未定義ではないので，繰返し処理に入ります。

```
follow ← first
while (follow.next が 未定義でない)
  follow ← follow.next
endwhile
follow.next ← new
```

③「follow ← follow.next」により，現在followが参照している要素“ロンドン”のnextに格納されている，要素“ローマ”の「参照」がfollowに格納されます。

```
follow ← first
while (follow.next が 未定義でない)
  follow ← follow.next
endwhile
follow.next ← new
```

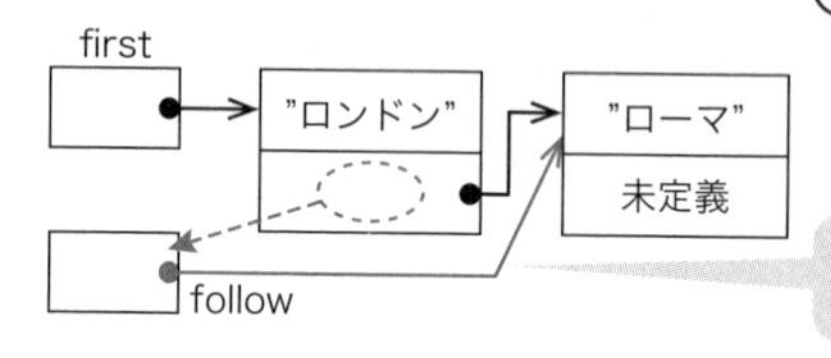

要素“ローマ”の「参照」がfollowに格納されると，followは要素“ローマ”を参照する

④ 現在，followが参照しているのは要素“ローマ”です。nextは未定義なので，繰返し処理を終わります。

```
follow ← first
while (follow.next が 未定義でない)
  follow ← follow.next
endwhile
follow.next ← new
```

⑤「follow.next ← new」により，要素“パリ”の「参照」（newの値）が，followが参照している要素“ローマ”のnextに格納されます。

```
follow ← first
while (follow.next が 未定義でない)
  follow ← follow.next
endwhile
follow.next ← new
```

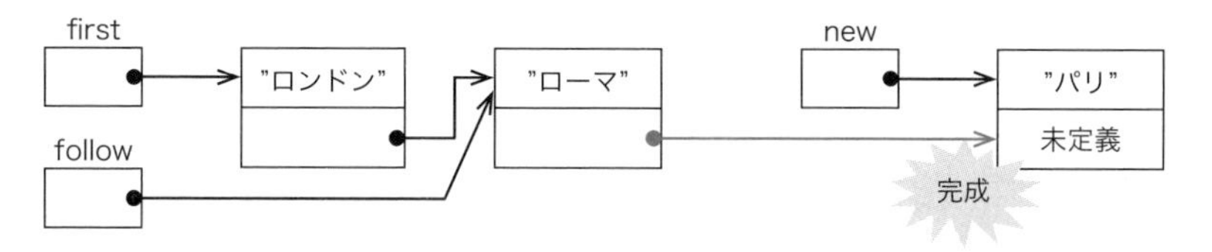

図2.6.7　リストの末尾に要素を追加

挑戦してみる?

リストの末尾の要素を削除する

下記はリストの末尾の要素を削除する（リストから外す）プログラムである。プログラム中の［　　　］に正しい字句を入れよ。ここで，リストの要素は2個以上とする。また変数firstには，リストの先頭の要素の「参照」が格納されているものとする。

```
List: pre, follow
follow ← first
while (follow.next が 未定義でない)
  pre ← follow
  follow ← follow.next
endwhile
[　　　] ← 未定義の値
```

解説　解答：pre.next

リストの末尾の要素を削除する場合も，追加処理と同じように，変数followを使ってリストの末尾の要素までたどります。そして，末尾の要素の一つ前の要素のnextに“未定義の値”を代入すれば，末尾の要素をリストから外すことができます。

プログラムでは，**末尾の要素の一つ前の要素**の「参照」を格納するための変数としてpreを使っています。followを次の要素へ進める前に，followの値をpreに代入しておくことで，preには，常に一つ前の要素の「参照」が格納されます。したがって，末尾の要素が見つかったら（すなわち，while文から抜けたら），pre.nextに“未定義の値”を代入すればOKです。

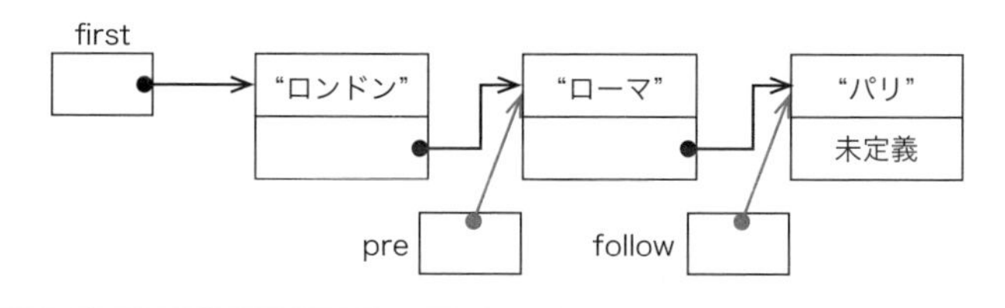

2.6.3 2分探索木の実現

では最後に，クラスを使って実現した2分探索木から，探索データ（目的デ--タ）を見つけるプログラム（関数lookup）を紹介します。少し難しいプログラムかもしれませんが，行っている処理はリストと似ています。「1.6.3 2分探索木」(p.38) で学習した内容を思い出しながら，プログラムを見てください。ここで，プログラムの前提条件は，次のとおりです。

- 関数 lookup は，2 分探索木の根の要素の「参照」と，整数型の探索データの値を引数として受け取り，文字列を返す関数である。
- 2 分探索木の各節は，クラス Tree を用いて実現されている。クラス Tree のメンバ変数は，表 2.6.2 のとおりである。

表2.6.2　クラスTreeのメンバ変数

メンバ変数	型	説明
value	整数型	節に格納する数値
left	Tree	左の子の「参照」。左の子がないときは未定義
right	Tree	右の子の「参照」。右の子がないときは未定義

〔プログラム〕

```
○文字列型：lookup(Tree: t, 整数型: data)
  while (t が 未定義でない)
    if (data = t.value)
      return "探索データが見つかった"
    elseif (data < t.value)
      t ← t.left    /* 左の子へ進む */
    else
      t ← t.right   /* 右の子へ進む */
    endif
  endwhile
  return "探索データなし"
```

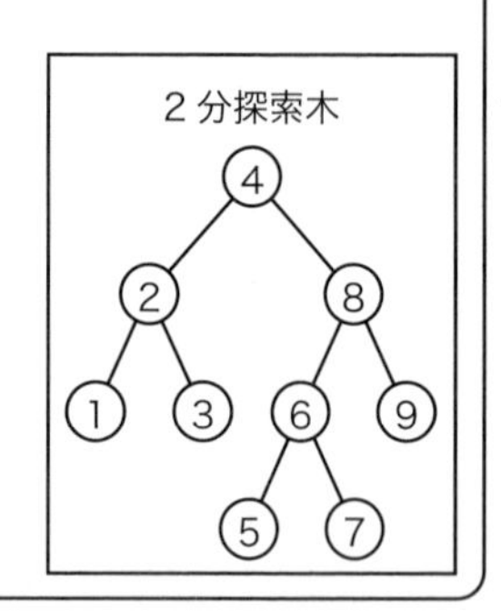

「1.6.4 2分木の実現」(p.40) では，四つの配列を使って2分木を表現したけど，配列を使った処理は難しかったなぁ～。
クラスを使えば「節の値，左の子，右の子」をまとめて扱えるから，処理はかなり楽になりそうだね！

第3章

基本例題

この章では，科目 A にも出題される，基本的かつ代表的なアルゴリズム問題を解きながら**擬似言語プログラミングの基礎能力の習得**を目指します。

第 1 章や第 2 章で学習していない内容を題材にした例題もありますが, 難しいと思っても絶対にあきらめないでください！「ローマは一日にして成らず」ではないですが,「**擬似言語プログラミングは一日にして成らず**」です。いくつかの例題をこなしていくと，考え方が次第に分かってくると思います。重要なのは，考え方が身につくまで何度も何度もヒーヒー言いながら繰返し学習することです。ここが踏ん張りどころです。頑張れ！

3.1 成績評価を行う

例題

次の記述中の［ a ］と［ b ］に入れる正しい答えの組合せを，解答群の中から選べ。

関数gradeEvaluationは，引数で与えられたinDataを用いて成績評価を行い，その結果を返す。inDataは0以上100以下の整数値である。

関数gradeEvaluationをgradeEvaluation(85)として呼び出すと，戻り値は"［ a ］"，gradeEvaluation(70)として呼び出すと，戻り値は"［ b ］"となる。

〔プログラム〕

```
○文字列型: gradeEvaluation(整数型: inData)
  文字列型: eResult
  if (inData ≧ 80)
    eResult ← "評価A"
  elseif (inData ≧ 60)
    eResult ← "評価B"
  else
    eResult ← "評価C"
  endif
  return eResult
```

解答群

	a	b
ア	評価A	評価B
イ	評価A	評価C
ウ	評価B	評価A
エ	評価B	評価C

解説　　解答：ア

選択処理(if文)の動作を確認する問題です。if文で特に注意すべきは，**「elseif」の条件式はそれよりも前に評価された全ての条件式が偽だった場合のみ評価される**ことです。本例題の場合，条件式「inData ≧ 60」は，条件式「inData ≧ 80」が偽だった場合に評価されます。このことに注意してプログラムを見ていきます。

inDataが85[※1]のとき，最初の条件式「inData ≧ 80」が真となるのでeResultに"評価A"を代入して選択処理を終了します。inDataが70のときは，条件式「inData ≧ 80」が偽となるので，次の条件式「inData ≧ 60」を評価します。評価の結果は真となり，eResultに"評価B"を代入して選択処理を終了します。

したがって，gradeEvaluation(85)として呼び出したときの戻り値は"評価A"，gradeEvaluation(70)として呼び出したときの戻り値は"評価B"となります。

CHECK!

「inData ≧ 80」が偽なら，次の「inData ≧ 60」を評価する

```
if (inData ≧ 80)
  eResult ← "評価A"
elseif (inData ≧ 60)
  eResult ← "評価B"
else
  eResult ← "評価C"
endif
return eResult
```

「inData ≧ 60」が偽なら「else」の処理を実行する

eResultの値を返す

COLUMN　if文の記述形式を確認しておこう！

if文で示される選択処理では，条件式を上から評価し，最初に真になった条件式に対応する処理を実行して選択処理を終了します。どの条件式も真にならないときは，「else」に対応する処理を実行します。なお，「else」は省略されることもあり，その場合は何も実行しないで選択処理を終了します。

「elseif」の条件式はそれよりも前に評価された全ての条件式が偽だった場合のみ評価される

〔if文の記述形式〕

```
if (条件式1)
  処理1
elseif (条件式2)
  処理2
elseif (条件式n)
  処理n
else
  処理 n＋1
endif
```

※1　gradeEvaluation(85)として呼び出すと，変数inDataの値は85になります。

3.2 1からNまでの整数の総和を求める

例題

次の記述中の［　　　］に入れる正しい答えを，解答群の中から選べ。

関数sumは，1から引数で与えられた値までの総和を求める関数であるが，一部誤りがある。正しく動作させるためには，［　　　］する必要がある。なお，関数sumには，引数として，1よりも大きな整数値だけが渡されるものとする。

行番号　〔プログラム〕

```
01    ○整数型: sum(整数型: num)
02      整数型: x ← 1
03      整数型: i
04      for (i を 1 から num まで 1 ずつ増やす)
05        x ← x + i
06      endfor
07      return x
```

解答群

ア　行番号02の宣言文を「x ← 0」に訂正

イ　行番号04の制御記述を「i を 2 から num−1 まで 1 ずつ増やす」に訂正

ウ　行番号05の処理を「i ← i + x」に訂正

エ　行番号07の処理を「return i」に訂正

解説　　解答：ア

関数sumは，1から引数で与えられた値までの総和を求める関数です。例えば，引数として10が渡されたとき，すなわちnumの値が10なら，「1＋2＋3＋…＋9＋10」を計算し，その結果を返す必要があります。

行番号04～06のfor文(繰返し処理)を見ると，変数iの値を1からnumまで1ずつ増やしながら「x ← x ＋ i」を実行しています。これは，繰返し1回目(iの値が1)のとき「xにiの値**1を加算**」し，繰返し2回目(iの値が2)のとき「xにiの値**2を加算**」し，…，繰返しnum回目(iの値がnum)のとき「xにiの値**numを加算**」するという処理です。これにより，変数xに「1＋2＋3＋…＋num」を求めるわけです。

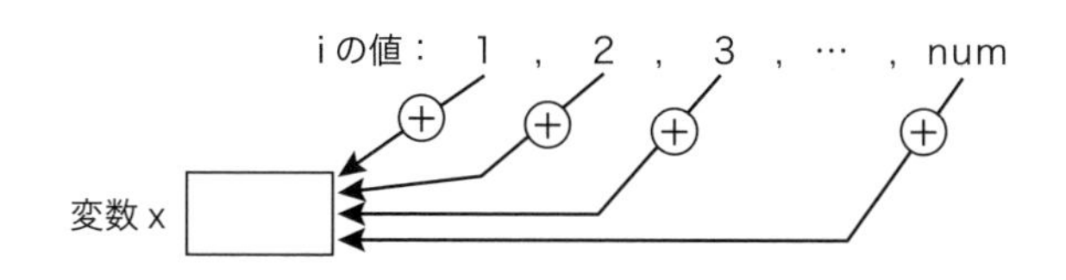

CHECK!

ここで，**変数xの初期値**が1であることに注意します。上記で説明した，for文の処理は，xの初期値が0であることを前提とした処理です。初期値が1の場合，「1＋1＋2＋3＋…＋num」を求めることになり，総和はxの初期値分だけ大きな値になってしまいます。したがって，正しく総和を求めるためには，xの初期値は0にしなければなりません。つまり，行番号02の宣言文を「x ← 0」に訂正する必要があります。

COLUMN 変数の初期値に注意！

総和を求める変数は0(ゼロ)で初期化するのが一般的です。ただし，0以外の値で初期化することもあります。例えば，1からnum(numは2以上)までの総和を求める場合，1は必ず加算されます。このことを考えれば，変数xの初期値を1にして，行番号04を「for (i を **2** から num まで 1 ずつ増やす)」としても正しく総和を求めることができます。

ただし，“1からnumまでの総和”というと，誰もが「1＋2＋…＋num」を想像しますから，「for (i を **1** から num まで 1 ずつ増やす)」とした方が，プログラムは分かりやすいと思います。

3.3 配列内に格納されているある数値を求める

例題

次の記述中の [　　　　] に入れる正しい答えを，解答群の中から選べ。ここで，配列の要素番号は1から始まる。

関数funcは，非負の整数が格納された整数型の配列を引数にとり，ある処理を施した結果を返す。関数funcをfunc({3, 8, 5, 4, 16, 13, 7, 9, 6, 5})として呼び出すと，戻り値は [　　　　] になる。

〔プログラム〕

```
○整数型: func(整数型の配列: data)
  整数型: n ← dataの要素数
  整数型: a, i
  a ← data[n]
  for (i を n－1 から 1 まで 1 ずつ減らす)
    if (data[i] ＞ a)
      a ← data[i]
    endif
  endfor
  return a
```

解答群

ア　3	イ　4	ウ　5	エ　6	オ　7
カ　8	キ　9	ク　13	ケ　16	

解説

解答：ケ

関数funcは，配列dataの要素を順番に調べることで変数aに最大値を求める関数です[※1]。具体的には，最初にdata[n]（すなわち配列dataの最後の要素）の値を変数aに設定し，配列dataのn−1番目から1番目の要素に向かって順に変数aの値と比較していきます。そして，変数aの値よりも大きな値があれば，その値を変数aに代入します。

変数aの値をそれよりも大きな値で順次書き換えていくので，配列dataの1番目の要素の処理が終了した時点の変数aの値は16になります。つまり，戻り値は**16**です。

COLUMN 変数aの初期値として−1を設定する方法もある?!

本例題の場合，配列dataの要素は全て非負の整数[※2]なので，変数aの初期値として−1といった負の値を設定することも可能です。ただしこの場合，for文の制御記述が「i を n から 1 まで 1 ずつ減らす」となるので，本例題のプログラムに比べて比較回数が1回多くなります。

ところで，「どうして配列の後ろの方から調べるの？」と疑問を感じた方もいると思いますが，本例題の場合，後ろから調べることにあまり意味はありません。右図に示したように配列の先頭から調べてもOKです。

```
a ← data[1]
for (i を 2 から n まで 1 ずつ増やす)
  if (data[i] > a)
    a ← data[i]
  endif
endfor
```

※1　配列の中から最大値（あるいは最小値）を求めるアルゴリズムは基本中の基本です。プログラムをザックリ見て，「繰返し処理の中でdata[i]の値とaの値を比較して大きい方をaに入れているから，最大値を求めているのかな？」と推測できるようにしておきましょう。

※2　**非負の整数**とは，負ではない整数のことです。つまり，0と正の整数が非負の整数です。

3.4 二つの配列を連結する

例題

次のプログラム中の [a] と [b] に入れる正しい答えの組合せを，解答群の中から選べ。ここで，配列の要素番号は1から始まる。

関数conCatは，第1引数として文字型の配列xを，第2引数として文字型の配列yを受け取り，配列xのデータの後ろに，配列yのデータを連結した配列zを返す関数である。配列x及びyの要素数は1以上である。

〔プログラム〕

```
○文字型の配列: conCat(文字型の配列: x, 文字型の配列: y)
  整数型: len_x ← xの要素数
  整数型: len_y ← yの要素数
  文字型の配列: z ← {(len_x + len_y)個の未定義の値}
  整数型: k
  for (k を 1 から len_x まで 1 ずつ増やす)
    [    a    ]
  endfor
  for (k を 1 から len_y まで 1 ずつ増やす)
    [    b    ]
  endfor
  return z
```

解答群

	a	b
ア	z[k] ← x[k]	z[len_x + k] ← y[k]
イ	z[k] ← x[k]	z[len_y + k] ← y[k]
ウ	z[k] ← y[k]	z[len_x + k] ← x[k]
エ	z[k] ← y[k]	z[len_y + k] ← x[k]

解説　　解答：ア

関数conCatは，二つの配列を連結した新たな配列を作る関数です。例えば，conCat({"A", "p", "p", "l", "e"}, {"P", "e", "n"})として呼び出すと，新たな配列{"A", "p", "p", "l", "e", "P", "e", "n"}を作成し，この配列を戻します。

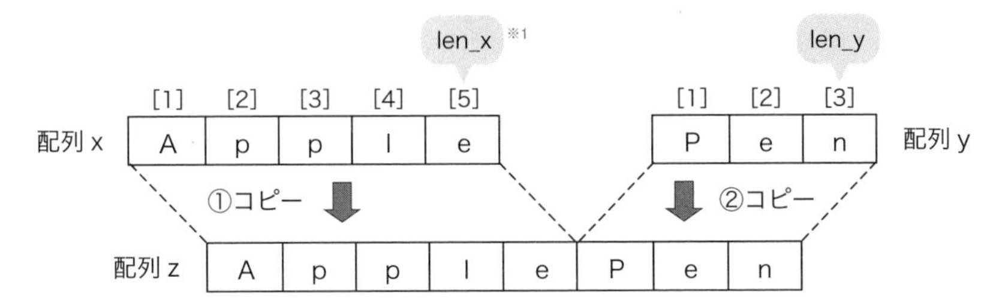

プログラムでは，一つ目のfor文で変数kの値を1からlen_xまで1ずつ増やしながら[a]を行い，二つ目のfor文で変数kの値を1からlen_yまで1ずつ増やしながら[b]を行っています。len_xはxの要素数，len_yはyの要素数です。そして，変数kは，配列x及び配列yの要素番号を1，2，3，…と順番に指定するための変数です。つまり，一つ目のfor文で上図①の処理を行い，二つ目のfor文で上図②の処理を行っているわけです。

▶ 空欄a

配列xの1番目の要素からlen_x番目の要素の値を，配列zの1番目から順に格納すればよいので，空欄aには「z[k] ← x[k]」が入ります。

▶ 空欄b

一つ目のfor文が終了した時点で，配列zには配列xの全ての要素(len_x個の要素)が格納されているので，y[1]の値を格納する最初の位置はlen_x＋1番目です。つまり，z[len_x＋1] ← y[1]，z[len_x＋2] ← y[2]，… と，行っていけばよいので，空欄bは「z[len_x + k] ← y[k]」です。

COLUMN 二つの配列を一つにする処理

二つの配列を一つにする処理には，本例題のように単純に二つの配列を連結する処理の他に，整列済みの二つの配列から，整列された一つの配列を作る“**併合(マージ)**”と呼ばれる処理もあります。この併合処理については，「4.6 整列済の二つの配列を併合する」(p.142)で学習します。

※1　配列xの要素番号は1から始まるので，最後の要素番号はlen_xです。

3.5 配列の要素の並びを逆順にする

例題

次のプログラム中の［　　　］に入れる正しい答えを，解答群の中から選べ。二つの［　　　］には，同じ答えが入る。ここで，配列の要素番号は1から始まる。

次のプログラムは，整数型の配列arrayの要素の並びを逆順にする。

〔プログラム〕

```
整数型の配列: array ← {1, 2, 3, 4, 5}
整数型: left, right, tmp
left ← 1
right ← arrayの要素数
while (left < right)
  tmp ← array[right]
  array[right] ← [　　　]
  [　　　] ← tmp
  left ← left + 1
  right ← right − 1
endwhile
```

解答群

ア　array[left]

イ　array[left + 1]

ウ　array[left − 1]

エ　array[left + tmp]

解説　　解答：ア

本例題は，配列arrayのみを操作して要素の並びを逆順にするプログラムです。最初にarray[1]の値とarray[5]の値を交換し，次にarray[2]の値とarray[4]の値を交換すれば，並びを逆順にできます。

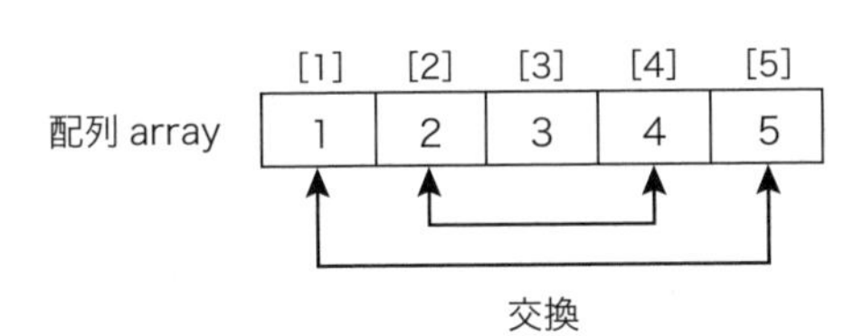

配列の半分の位置にある要素までを交換すれば並びを逆順にできる

上図の操作を行うため，交換する左側の要素番号をleft，右側の要素番号をrightとします。初期値としてleftに1，rightにarrayの要素数5を設定したら，『array[left]の値とarray [right]の値を交換し，次の処理を行うためにleftの値を＋1，rightの値を−1する』という操作をwhile文の条件式「left < right」が真である間，繰り返します。これによって，繰返し1回目でarray[1]とarray[5]，繰返し2回目でarray[2]とarray[4]の値が交換できます※1。

問われているのは，array[left]の値とarray[right]の値を交換する処理です。二つの変数の値を交換するためには，一方の変数の値を退避させる必要があります※2。ここでは退避用の変数tmpを用いて，次のように行っています。

```
tmp ← array[right]
array[right] ← array[left]
array[left] ← tmp
```

- `tmp ← array[right]`：array[right]の値をtmpに退避する
- `array[right] ← array[left]`：array[left]の値をarray[right]に代入する
- `array[left] ← tmp`：変数tmpに退避しておいたarray [right]の値をarray[left]に代入する

COLUMN 問われている処理のみに着目する?!

繰返し処理(while文)の中でどのような処理を行っているのかを探ることがポイントです。「要素の値を交換しているんじゃない?!」と推測できたら，leftに1，rightに5を代入してプログラムを考えてみましょう。解答時間の短縮が図れますよ。

※1　array[2]とarray[4]の値の交換後，leftが3，rightが3になるので処理は完了します。

※2　二つの変数の値を交換する処理については，「1.2.5 変数の値を入れ替える」(p.19)を参照してください。

3.6 配列の要素の値を別の配列の要素番号に使用する

例題

次の記述中の[ ]に入れる正しい答えを，解答群の中から選べ。ここで，配列の要素番号は1から始まる。

関数sumArrayをsumArray({3, 8, 5, 4, 16, 13, 7, 9, 6, 5}，{3, 5, 8})として呼び出したときの戻り値は[ ]である。

なお，関数sumArrayが受け取る第2引数の配列の要素数は，第1引数の配列の要素数以下であり，また配列の領域外を参照するデータはないものとする。

〔プログラム〕

```
○整数型: sumArray(整数型の配列: a, 整数型の配列: b)
  整数型: n ← bの要素数
  整数型: x ← 0
  for (i を 1 から n まで 1 ずつ増やす)
    x ← x + a[b[i]]
  endfor
  return x
```

解答群

ア 13　　イ 16　　ウ 21　　エ 30　　オ 76

解説

解答：エ

本例題で着目すべきは，**a[b[i]]**という表現です。これは，配列bのi番目の要素の値を，配列aの要素番号として指定していることを意味します。例えば，b[i]の値が2であれば，**a[b[i]] は a[2]と同じ**ということです。

CHECK!

3

プログラムでは，初期値を0とした変数xに，a[b[i]]を加算する処理を繰返し行っています。for文の制御記述は「i を 1 から n まで 1 ずつ増やす」となっていて，nは配列bの要素数です。したがって，繰返し1回目のとき「xにa[b[1]]の値を加算」し，繰返し2回目のとき「xにa[b[2]]の値を加算」し，…，繰返しn回目のとき「xにa[b[n]]の値を加算」することになります。これを図で表すと次のようになり，変数xには「5＋16＋9」の結果30が求められるので，戻り値は30です。

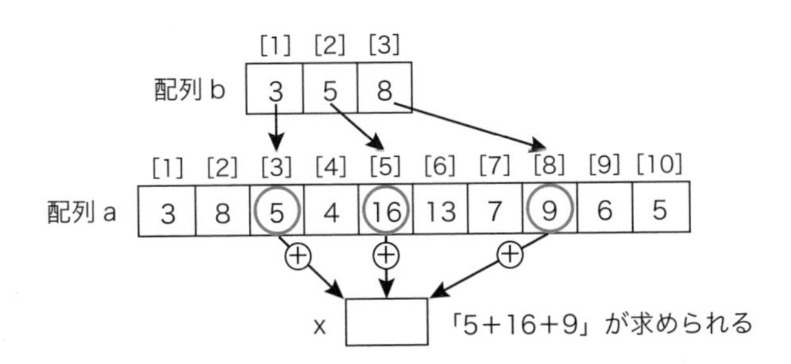

COLUMN 「配列の領域外を参照する」ってどういうこと？

「配列の領域外を参照する」とは，配列の範囲を超えて要素の参照を行うことをいいます。本例題の配列aの要素数は10ですから，要素番号1 ～ 10の要素は参照できます。しかし，それ以外の要素番号を指定した参照はできません。例えば，配列bが {**11**，5，8} であったとき，繰返し1回目でa[b[1]]を参照することになりますが，a[b[1]]＝a[**11**]なので領域外参照となります。

[1] [2] [3] [4] [5] [6] [7] [8] [9] [10]
配列 a
3 8 5 4 16 13 7 9 6 5
a[b[1]] = a[**11**]

3.7 二つの正の整数の最大公約数を求める

例題

次の記述中の [　　　] に入れる正しい答えを，解答群の中から選べ。

関数gcdは，二つの正の整数aとbを受け取り，その最大公約数を返す。関数gcdをgcd(98, 42)として呼び出したとき，αで示された繰返し判定を [　　　] 回実行して処理は終了する。

〔プログラム〕

```
○整数型: gcd(整数型: a, 整数型: b)
  整数型: m ← a
  整数型: n ← b
  while (m ≠ n)   ⬅ α
    if (m ＞ n)
      m ← m − n
    else
      n ← n − m
    endif
  endwhile
  return m
```

解答群

ア 4　　　イ 5　　　ウ 10　　　エ 11

解説　　解答：イ

本例題で問われているのは，処理が終了するまでに，while文の繰返し判定が何回実行されるかです。したがって，最大公約数の求め方(すなわち，アルゴリズム)は気にせずプログラムをトレースしていきます。

関数gcdでは，引数として受け取ったaの値(98)を変数mに，bの値(42)を変数nに代入してから，繰返し処理に入ります。繰返し処理の実行の様子を表にまとめました。この表から，繰返し判定※1を5回実行して処理を終了することが分かります。

繰返し判定	m		n	処理内容
1回目	98	≠	42	98 > 42なので，m = 98 − 42 = 56
2回目	56	≠	42	56 > 42なので，m = 56 − 42 = 14
3回目	14	≠	42	14 < 42なので，n = 42 − 14 = 28
4回目	14	≠	28	14 < 28なので，n = 28 − 14 = 14
5回目	14	=	14	14 = 14なので，繰返しを終了する

最大公約数

COLUMN 最大公約数の求め方

本例題のプログラムでは，二つの正の整数m，n(m＞n)について，**「mとnの最大公約数は，m－nとnの最大公約数を求める方法に置き換えることができる」**という原理に基づき，mとnの最大公約数を求めています。この原理に従うと，“mとnの最大公約数”問題を，“m－nとnの最大公約数”問題に置き換え，さらにm－nとnについても同様な置き換えを繰り返し，m＝nとなったときのmが最大公約数です。これをアルゴリズム的にまとめると，次のようになります。

(1) m＝nのとき，mとnの最大公約数はm (nでもよい)である。
(2) m＞nのとき，mとnの最大公約数は，(m－n)とnの最大公約数と等しい。
(3) m＜nのとき，mとnの最大公約数は，(n－m)とmの最大公約数と等しい。

最大公約数を題材とした問題は，過去にも複数回出題されています。上記に示した理論を理解する必要はありませんが，処理の概要は覚えておいた方がよいでしょう。なお，別の方法でも最大公約数を求めることができます。これについては，「3.15 再帰関数の戻り値を求める」のコラム (p.119)で紹介します。

※1　前判定繰返し処理のwhile文では，**「繰返し判定回数 = 繰返し回数 + 1」**であることを理解しておきましょう。

3.8 k番目のデータまでを並べ替える

例題

次のプログラム中の [　　　] に入れる正しい答えを，解答群の中から選べ。ここで，配列の要素番号は1から始まる。

手続sortは，挿入ソートの一部である。整数型の引数kを受け取り，配列dataのk番目の要素data[k]を，既に昇順に整列されているdata[1]からdata[k−1]の正しい位置に挿入する。引数kに指定される数値は2以上，配列dataの要素数以下である。

ここで，配列dataは大域にある整数型の配列である。配列dataの各要素の値は全て異なる値であり，先頭の要素data[1]が配列dataの中で最も小さい値である。

〔プログラム〕

```
大域: 整数型の配列: data  /* 配列dataには整数値が格納されており，
                              data[1]からdata[k − 1]までは昇順に並んでいる */
○sort(整数型: k)
  整数型: i, tmp
  tmp ← data[k]
  i ← k − 1
  while (data[i] [        ] tmp)
    data[i + 1] ← data[i]
    i ← i − 1
  endwhile
  data[i + 1] ← tmp
```

解答群

ア　=　　　イ　≠　　　ウ　<　　　エ　>

解説

解答：エ

手続sortは，k番目の要素data[k]を，整列済みであるdata[1]からdata[k－1]の適切な位置(昇順になるよう)に挿入する手続です。下図の例で，引数kに10が与えられると，data[10]の値を，要素番号4の次の要素として(data[5]の位置)に挿入します。

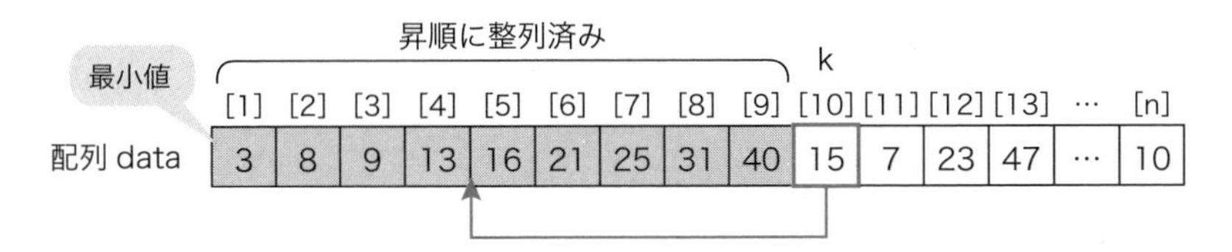

上記の操作を行うためには，まずdata[k]の値を変数tmpに退避します(下図の①)。そして，data[k－1]からdata[1]に向かって順にtmpと比較していき，tmpよりも大きな値なら一つ後ろに移動させるという操作を，**tmpよりも小さな値が見つかるまで**繰り返し行います(下図の②)。この繰返し処理が終了したら，最後に移動した値が入っていた配列要素(下図の場合，data[5])にtmpの値を格納します(下図の③)。これによって，data[1]からdata[k]までの整列が完了します。

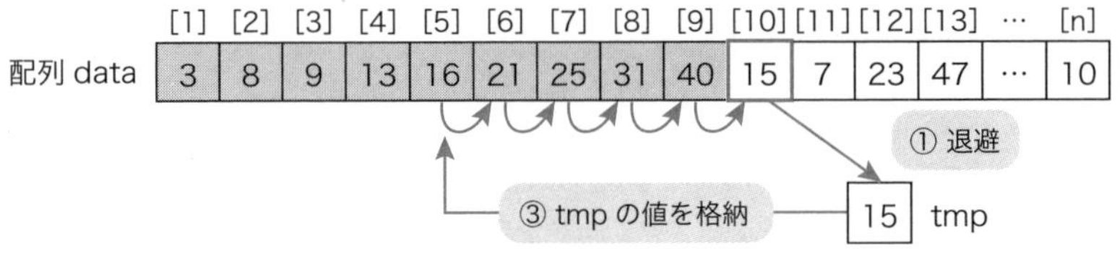

では，プログラムと照らし合わせてみましょう。次のようになります。

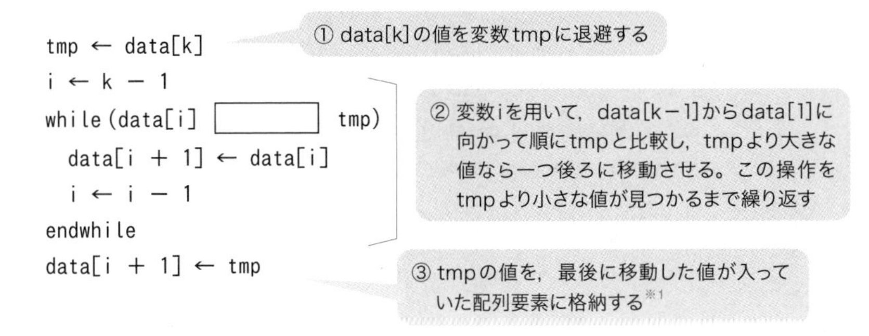
```
tmp ← data[k]
i ← k − 1
while (data[i] [      ] tmp)
  data[i + 1] ← data[i]
  i ← i − 1
endwhile
data[i + 1] ← tmp
```


※1　tmpよりも小さな値がdata[i]に見つかったとき，最後に移動した要素はdata[i＋1]です。

本例題で問われているのは，while文の繰返し条件です。「**tmpよりも小さな値が見つかるまで繰り返す**」ということは，「**tmpよりも大きい値なら繰り返す**」ということです。したがって，条件式は「data[i] > tmp」になります。

COLUMN data[1]が最小の値でなかったら…？

本例題のプログラムは，data[1]が，配列dataの中の最小値であることを前提としたプログラムです。なぜ，このような前提条件が必要なのでしょう。結論をいってしまうと，この条件がなければ**配列の領域外を参照する**※2可能性があるからです。

CHECK!

例えば，k＝10番目の要素（data[10]）の値が1だった場合，data[9]から順に，比較と一つ後方への移動を繰り返し，data[1]との比較でも「data[1] > tmp」を満たすため，data[1]を一つ後方へ移動し，次の**data[0]**との比較を行ってしまいます。これはまさに配列の領域外参照です。

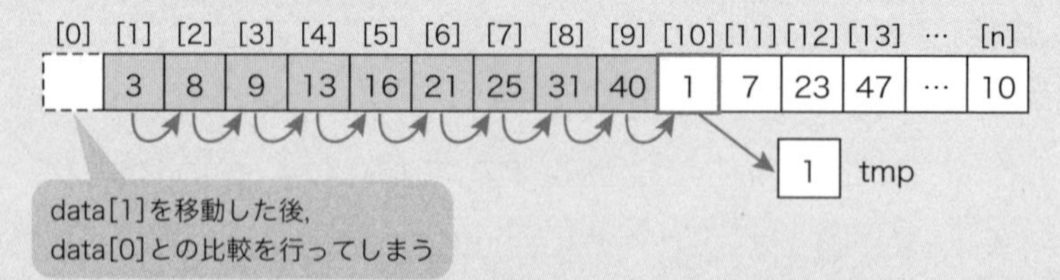

data[1]が最小値であるならば，「data[1] > tmp」は必ず偽となるので，この時点で繰返しは終了します。つまり，配列の領域外参照は起こりません。

なお，“data[1]が最小である”という前提条件がなかった場合には，while文の条件式に「i ≧ 1」を追加し，「**i ≧ 1 and data[i] > tmp**」とすることで配列の領域外参照を防ぐことができます。

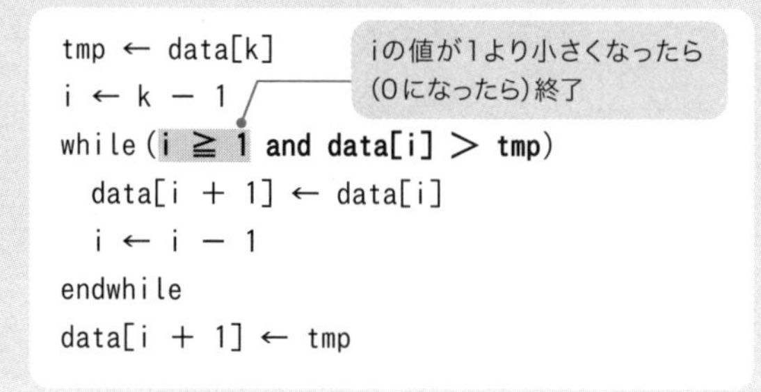
```
tmp ← data[k]
i ← k － 1
while (i ≧ 1 and data[i] > tmp)
  data[i ＋ 1] ← data[i]
  i ← i － 1
endwhile
data[i ＋ 1] ← tmp
```


※2 「3.6 配列の要素の値を別の配列の要素番号に使用する」のコラム(p.87)を参照してください。

基本例題の半分終了！
次の例題から，少しパワーアップするよ。
頑張れ！

3

3.9 リスト要素を探索する

例題

次のプログラム中の [　　　] に入れる正しい答えを，解答群の中から選べ。

関数searchは，引数で与えられた値を単方向リストの先頭から探索し，同じ値が見つかれば“探索成功”を返し，見つからなければ“探索失敗”を返す関数である。

単方向リストの要素はクラスNodeを用いて表現する。クラスNodeのメンバ変数の説明を表に示す。Node型の変数は，クラスNodeのインスタンスの参照を格納するものとする。大域変数topには，単方向リストの先頭要素の参照があらかじめ格納されている。

表　クラスNodeのメンバ変数の説明

メンバ変数	型	説明
key	文字型	要素に格納する値(キー値)
next	Node	次の要素の参照。次の要素がないときの状態は未定義

〔プログラム〕

```
大域: Node: top  /* リストの先頭要素の参照が格納されている */

○文字列型: search(文字型: key)
  Node: node ← top
  while (node が 未定義でない)
    if (node.key が key と等しい)
      return "探索成功"
    endif
    [　　　]
  endwhile
  return "探索失敗"
```

解答群

ア　node ← top
イ　node ← node.next
ウ　node.key ← key
エ　node.next ← node

解説

解答：イ

関数searchは，単方向リスト（以下，リストという）の先頭から順に要素をアクセスし，引数で与えられた値（すなわち，keyの値）と同じ値が見つかれば"探索成功"を返します。

node.keyとkeyを比較していること，及び変数nodeの初期値にリストの先頭要素の「参照」※1（すなわち，topの値）を設定していることから，変数nodeを使って，先頭の要素から順に要素のキー値を調べていることになります。なお，「node.key」とは，nodeが参照している要素のキー値のことです。

3

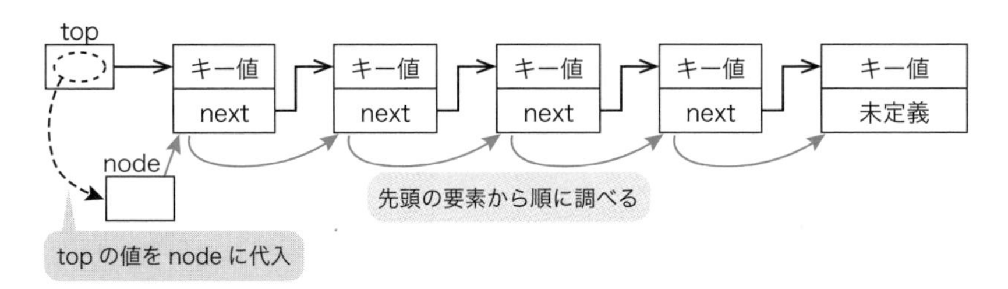

空欄の処理が行われるのは，if文の条件式「node.keyがkeyと等しい」が偽のときです※2。node.keyがkeyと等しくなければ次の要素を調べる必要があるので，nodeに，現在，nodeが参照している要素のnextの値を代入します。

つまり，空欄には「node ← node.next」が入ります。なお，リストの末尾まで調べてもkeyと同じ値が見つからなければ，末尾要素のnextの値がnodeに代入され，nodeが未定義になるのでwhile文が終了します。そして，このとき"探索失敗"を返します。

COLUMN 「node + 1」で次の要素をアクセスできないの？

配列の場合，主記憶上に連続して要素領域が確保されるため，「現在の要素番号＋1」で次の要素をアクセスできます。

しかし，リストの各要素は，主記憶上のバラバラな場所に確保されています。このため，node＋1を行っても次の要素をアクセスできません。次の要素をアクセスするためには，現在参照している要素のnextの値を使うことを理解しておきましょう。

〔リスト処理の定石〕

```
node ← top
while (node が 未定義でない)
    :
  node ← node.next
endwhile
```

※1　本書では「～を参照する」と区別するため，カギ括弧を付けて「参照」と表現しています。
※2　条件式が真のときreturn文で呼出し側に戻るので，空欄が実行されるのは条件式が偽のときだけです。

3.10 二次元配列からデータを探索する

例題

次のプログラム中の［　　　］に入れる正しい答えを，解答群の中から選べ。ここで，配列の要素番号は1から始まる。

関数arraySearchは，大域の二次元配列mdataの中から，引数で指定された値（以下，探索値という）を探索する関数である。探索値が見つかれば"OK"を返し，見つからなかった場合は"NG"を返す。二次元配列mdataは，3行5列の整数型の配列であり，行・列の両方向に昇順に整列されている。また，値に重複はない。

〔プログラム〕

```
大域: 整数型の二次元配列: mdata ← {{ 3,  5,  8, 11, 15},
                                   {17, 20, 25, 31, 33},
                                   {40, 43, 51, 62, 71}}
大域: 整数型: i_max ← 3, j_max ← 5

○文字列型: arraySearch(整数型: n)
  整数型: i ← i_max, j ← 1
  while ((i ≧ 1) and (j ≦ j_max))
    if (mdata[i, j] = n)
      return "OK"
    elseif (mdata[i, j] > n)
      [        ]
    else
      j ← j + 1
    endif
  endwhile
  return "NG"
```

解答群

ア　i ← i_max + 1　　　イ　i ← i_max − 1

ウ　i ← i + 1　　　エ　i ← i − 1

解説 解答：エ

関数arraySearchは，二次元配列mdataを探索する関数です。着目すべきは，変数iにi_maxの値を，変数jにはj_maxの値を初期値として設定していることです。i_maxの値は3，j_maxの値は5であり，これはそれぞれ二次元配列mdataの行数，列数を表しています。したがって，本例題のプログラムでは，**最終行の先頭要素(つまり，mdata[3, 1])から探索を開始する**ことになります※1。

では，while文の中の処理を見てみます。mdata[i, j]と探索値nを比較し，等しければ"OK"を返しますが，mdata[i, j]がnよりも大きければ空欄の処理を行い，nの方が大きければ変数jの値を+1しています。二次元配列mdataは，**行・列の両方向に昇順に整列されている**こと，そして探索は最終行の先頭要素(mdata[3, 1])から開始することに着目すると，nがmdata[i, j]よりも小さければ，そのnは当該行(i行)よりも上の行にあるはずです。一方，nがmdata[i, j]よりも大きければ，当該列(j列)よりも右の列にあるはずです。

このことから，条件式「mdata[i, j] > n」が真であれば，「i ← i − 1」を行って一つ上の行に移動し，偽であれば「j ← j + 1」を行って一つ右の列に移動すればよいわけです。したがって，空欄には「i ← i − 1」が入ります。

下図に，引数nに20が与えられたときの処理を示すので確認しましょう。

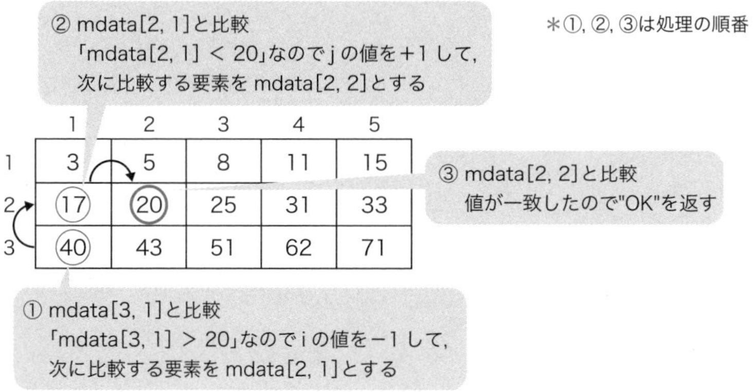

	1	2	3	4	5
1	3	5	8	11	15
2	(17)	(20)	25	31	33
3	(40)	43	51	62	71

〔補足〕

探索値nがmdata内に存在しない場合，例えばnが4のとき，mdata[3, 1]，mdata[2, 1]，mdata[1, 1]，mdata[1, 2]の順に探索した後，iの値が0になるので“NG”を返します。

※1 配列の先頭要素から探索するのが一般的ではありますが，「常に，探索開始位置が配列の先頭要素から」とは限りません。どこから探索を開始するのか，配列の要素番号を表す変数の初期値を必ず確認しましょう。なお，mdataの先頭要素(mdata[1, 1])から探索するプログラムの例を解説の後の「コラム」(p.99)で紹介しています。参考にしてください。

COLUMN プログラムを「while (true)」の形式に書き換えてみよう！

本例題のプログラムでは，条件式「(i ≧ 1) and (j ≦ j_max)」が真である間，探索処理を繰り返し，探索値が見つかれば"OK"を返しますが，見つからなかったときには"NG"を返します。探索値が見つからなかったということは，while文の条件式「(i ≧ 1) and (j ≦ j_max)」が偽になったということです。つまり，**iの値が1よりも小さくなったか，又はjの値がj_maxよりも大きくなった**とき，探索値が見つからなかったと判断し，探索処理を終了しているわけです。

ではここで，「iの値が1よりも小さくなったか，又はjの値がj_maxよりも大きくなった」という条件，すなわち「**(i < 1) or (j > j_max)**」を終了条件[※2]としたプログラムを紹介しておきましょう。下記右のプログラムでは，while文の条件式に「true」と記述しています。**true**は論理型の定数で**真**を表すため，「while (true)」と記述すると探索処理を延々と繰り返します[※3]。そこでif文を使って，条件式「(i < 1) or (j > j_max)」が真になったら探索処理を終了するようにしています。

〔本例題のプログラム〕

```
while ((i ≧ 1) and (j ≦ j_max))
  if (mdata[i, j] = n)          ┐
    return "OK"                 │
  elseif (mdata[i, j] > n)      │
    i ← i − 1                   │ 探索処理
  else                          │
    j ← j + 1                   │
  endif                         ┘
endwhile
return "NG"
```

while文の条件式が偽になり探索処理が終了したら"NG"を返す

〔書き換えたプログラム〕

```
while (true)
  if ((i < 1) or (j > j_max))
    繰返し処理を終了する※4
  endif
  if (mdata[i, j] = n)          ┐
    return "OK"                 │
  elseif (mdata[i, j] > n)      │
    i ← i − 1                   │ 探索処理
  else                          │
    j ← j + 1                   │
  endif                         ┘
endwhile
return "NG"
```

本例題の場合，「while (true)」の形式に書き換える必要はありません。しかしアルゴリズムによっては，「while (true)」の形式で記述した方が分かりやすくなる場合もあります。どちらのプログラムも解釈できるようにしておきましょう。

※2　「(i ≧ 1) and (j ≦ j_max)」の否定条件が，「(i < 1) or (j > j_max)」です。繰返し条件（反復条件）から終了条件を考えるときは，ド・モルガンの法則(p.52参照)を使いましょう。

※3　繰返し処理を延々と続けてしまい，プログラムが終了しない現象のことを無限ループといいます。

※4　while文やfor文の繰返し処理の中で「**繰返し処理を終了する**」といった文が実行されると，現在実行している繰返し処理を終了して次の処理に移ります。ちなみに，CやJava，Pythonなどの個別プログラム言語では「**break**」と記述します。

COLUMN 二次元配列mdataを別の方法で探索する?!

一つの問題を解決するためのアルゴリズムには，いくつものアルゴリズムがあります。例えば本例題のプログラムでは，最終行の先頭要素（mdata[3, 1]）から探索を開始しましたが，配列の先頭であるmdata[1, 1]から探索することも，もちろん可能です。ここでは，**mdata[1, 1]から探索を開始する**関数の一つを紹介します。

下記の関数arraySearch_v2は，mdata[1, 1]から探索を開始し，行方向を優先した順に探索を行います。つまり右図に示すように，最初に1行目の，1列目，2列目，3列目，…と探索を進め，最後の列まで進んだら，次は2行目の，1列目，2列目，…と進みます。これを最後の行まで繰り返します。ただし，途中で探索値nが見つかった場合は"OK"を返し，探索値nがmdata[i, j]よりも小さくなった場合は探索処理を終了して"NG"を返します。

二次元配列 mdata

	1	2	3	4	5
1	3	5	8	11	15
2	17	20	25	31	33
3	40	43	51	62	71

配列mdataは昇順に整列されていることを念頭に，プログラムを見てください。なお，大域の二次元配列mdata，及び整数型変数のi_max，j_maxは，本例題と同じなので宣言部分は省略しています。

【参考】関数arraySearch_v2のプログラム例

```
○文字列型: arraySearch_v2(整数型: n)
  整数型: i ← 1, j ← 1
  while (i ≦ i_max)
    if (mdata[i, j] = n)
      return "OK"
    elseif (mdata[i, j] < n)
      j ← j + 1
      if (j > j_max)
        j ← 1
        i ← i + 1
      endif
    else
      繰返し処理を終了する
    endif
  endwhile
  return "NG"
```

探索処理

nがmdata[i, j]よりも大きければ次へ探索を進める

i行目の最後の列を超えたら，次の行(i＋1行)の1列目に進むための処理

nがmdata[i, j]よりも小さくなったら探索値nは存在しないので探索処理を終了する

3.11 プログラム実行途中の配列の内容を考える

例題

次の記述中の[　　　　]に入れる正しい答えを，解答群の中から選べ。ここで，配列の要素番号は1から始まる。

次のプログラムは，整数型の配列dataの要素を昇順に整列する。αで示された行を最初に実行したときの出力は，“[　　　　]”となる。

〔プログラム〕

```
整数型の配列：data ← {5, 2, 3, 4, 1}
整数型：i, j, tmp
for (i を 1 から dataの要素数 − 1 まで 1 ずつ増やす)
  for (j を dataの要素数 から i ＋ 1 まで 1 ずつ減らす)
    if (data[j − 1] ＞ data[j])
      tmp ← data[j]
      data[j] ← data[j − 1]
      data[j − 1] ← tmp
    endif
  endfor
  dataの全要素の値を要素番号の順に空白区切りで出力する  ⬅ α
endfor
```

解答群

ア	1 2 3 4 5	イ	1 2 3 5 4
ウ	1 2 5 3 4	エ	1 5 2 3 4

解説

解答：エ

本例題は，配列dataの要素を昇順に整列するプログラムです。プログラムを見ると，「for文の中に，さらにfor文がある」という**多重繰返し構造**※1になっています。しかし，本例題で問われているのは，αで示された行(以下，α行という)を最初に実行したときの出力です。どのタイミングで（すなわち，どの処理の後で）α行が実行されるのかをプログラムから読み取り，多重繰返し構造であることは気にせずプログラムをトレースしていくことがポイントです。

α行で行われる処理は，配列dataの全要素の値の出力です。そして，この処理が最初に実行されるのは，外側for文の繰返し1回目（変数iの値が1のとき）における，内側for文が終了した直後です。したがって，変数iの値が1のときの内側for文の処理を見ていきます。

内側for文の制御記述が，「j を dataの要素数 から i ＋ 1 まで 1 ずつ減らす」となっているので，変数iの値が1のときには，内側for文は変数jの値を5，4，3，2と，1ずつ減らしながら4回繰り返すことになります。内側for文の中で行われる処理は，data[j − 1]の値がdata[j]の値よりも大きければ，data[j]とdata[j − 1]の値を入れ替えるという処理です。表に，変数iの値が1のときの，内側for文の処理の様子をまとめました。

配列 data の初期状態

[1]	[2]	[3]	[4]	[5]
5	2	3	4	1

jの値	data[j − 1]	data[j]	処理内容
5	4	1	4 ＞ 1 なので，要素の値を入れ替える 配列 data [1] 5 [2] 2 [3] 3 [4] 1 [5] 4
4	3	1	3 ＞ 1 なので，要素の値を入れ替える 配列 data [1] 5 [2] 2 [3] 1 [4] 3 [5] 4
3	2	1	2 ＞ 1 なので，要素の値を入れ替える 配列 data [1] 5 [2] 1 [3] 2 [4] 3 [5] 4
2	5	1	5 ＞ 1 なので，要素の値を入れ替える 配列 data [1] 1 [2] 5 [3] 2 [4] 3 [5] 4

※1　本例題のように繰返しが二重になっている場合，二重繰返し構造(二重ループ)といいます。

前ページの表の最後（jの値が2のとき）の状態が，外側for文の繰返し1回目における内側for文が終了した直後の状態なので出力は「1　5　2　3　4」となります。

COLUMN 基本問題としてよく出題される（?）バブルソート

本例題のプログラムは，基本整列法の一つである**バブルソート**（**隣接交換法**ともいう）のプログラムです。バブルソートとは，隣り合う要素を比較して，大小の順が逆であれば，それらの要素を入れ替えるという操作を繰り返すことでデータを整列する方法です。本例題では，外側for文の繰返し1回目の処理だけをトレースしましたが，ここではプログラム全体の流れを確認しておきましょう。

外側for文の制御記述が，「i を 1 から dataの要素数 － 1 まで 1 ずつ増やす」となっているので，外側for文は変数iの値を1，2，3，4と1ずつ増やしながら4回繰り返されます。そして，**外側for文が1回繰り返されるたびに，内側for文が実行されます。**

ここで，外側for文の繰返し1回目における内側for文が終了した直後の配列dataの先頭要素（data[1]）の値が，data[1] ～ data[5]の中の最小値であることに着目してください。この点がポイント！です。つまり，**内側for文によって，整列範囲の中の最小値がその範囲の先頭の要素に求められる**わけです。

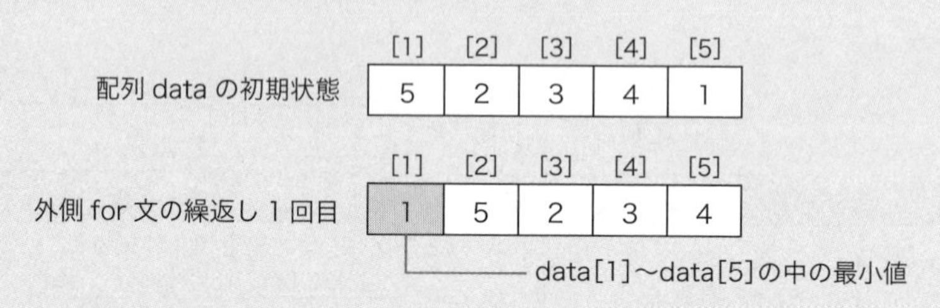

ということは，外側for文の繰返し2回目では，data[1]を除く，data[2]～data[5]に対して内側for文を実行すればdata[2]～data[5]の中の最小値がdata[2]に求められ，外側for文の繰返し3回目では，data[1]とdata[2]を除く，data[3]～data[5]に対して内側for文を実行すればdata[3]～data[5]の中の最小値がdata[3]に求められ，…ということになります。説明だけでは分かりづらいので，次ページに，外側for文の各繰返しにおける，内側for文の実行後の配列dataの内容，及び“dataの要素数”を5に置き換えたプログラムを掲載しました。両方を照らし合わせながら上記で説明したポイント事項を確認してください。

二重繰返し構造（二重ループ）のプログラムを解釈するのは少し難しいかもしれませんが，科目B試験対策としては必須です。バブルソートのアルゴリズムは，二重繰返し構造を学習するのに適しているので，焦らず落ち着いてプログラムを見てください。

〔外側for文の各繰返しにおける，内側for文実行後の配列data〕

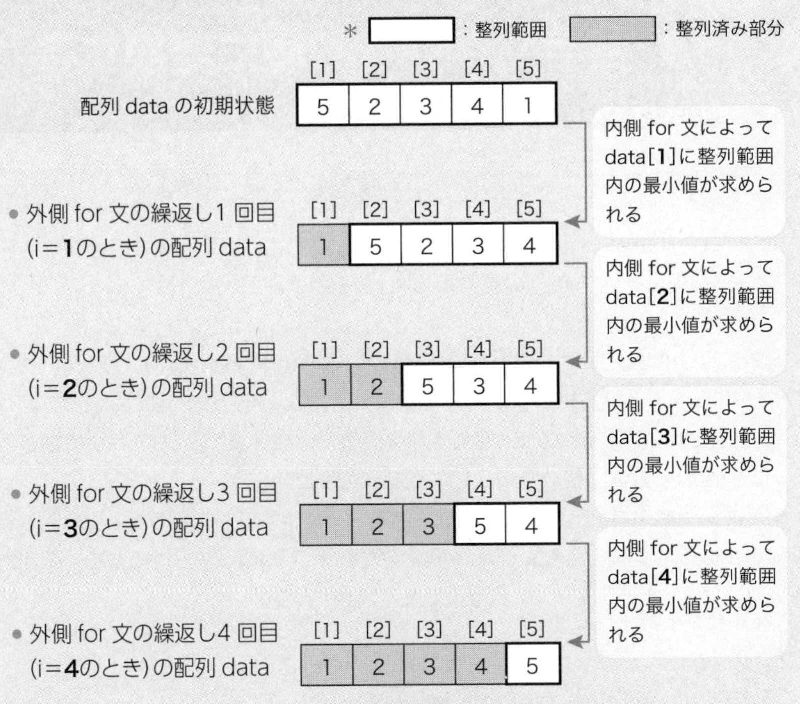

＊data[4]が決まれば data[5]も決まるため
この時点で整列完了

〔“dataの要素数”を5に置き換えたプログラム〕

i＝4の処理が終われば整列は完了する

```
for (i を 1 から 4 まで 1 ずつ増やす)
  for (j を 5 から i ＋ 1 まで 1 ずつ減らす)
    if (data[j － 1] ＞ data[j])
      tmp ← data[j]
      data[j] ← data[j － 1]
      data[j － 1] ← tmp
    endif
  endfor
endfor
```

data[i]～data[5]の中の最小値をdata[i]に求める処理

- i＝1のとき，data[1]～data[5]の中の最小値がdata[1]に求められる
- i＝2のとき，data[2]～data[5]の中の最小値がdata[2]に求められる
- i＝3のとき，data[3]～data[5]の中の最小値がdata[3]に求められる
- i＝4のとき，data[4]～data[5]の中の最小値がdata[4]に求められる

3.12 数字文字列を数値に変換する

例題

次のプログラム中の [a] と [b] に入れる正しい答えの組合せを，解答群の中から選べ。ここで，配列の要素番号は1から始まる。

関数strToIntは，文字型の配列strを受け取り，strに格納されている数字文字から成る文字列(以下，数字文字列という)を数値に変換し，その値を返す関数である。配列strの要素数は1以上であり，数字文字列の最後には終端文字として"#"が格納されている。変換後の数値は，整数型の変数に収まる範囲とする。

例えば，関数strToIntをstrToInt({"3", "8", "5", "#"})として呼び出したとき，戻り値は385となる。なお，関数strToIntが使う関数charToIntは，引数として一つの数字文字を受け取り，それを1桁の整数型の数値に変換し返す。

〔プログラム〕

```
○整数型: strToInt(文字型の配列: str)
  整数型: val, i, tmp
  val ← 0
  i ← 1
  while ( [ a ] )
    tmp ← charToInt(str[i])
    [ b ]
    i ← i + 1
  endwhile
  return val
```

解答群

	a	b
ア	str[i] = "#"	val ← val + tmp
イ	str[i] = "#"	val ← val + tmp × 10
ウ	str[i] ≠ "#"	val ← val × 10 + tmp
エ	str[i] ≠ "#"	val ← val × 10 + tmp × 10

解説　　解答：ウ

関数strToIntでは，while文の中の処理を繰返し行うことによって，数字文字から成る文字列を数値に変換しています。ここで，数値385は「$3 \times 10^2 + 8 \times 10^1 + 5 \times 10^0$」という式で表せることに着目します。そして，この計算を繰返し処理で行うため，つまり「"3"の処理，"8"の処理，"5"の処理」を同じ処理(式)で行うために，さらに変形すると次のようになります。

$$3 \times 10^2 + 8 \times 10^1 + 5 \times 10^0$$
$$=(3 \times 10 + 8) \times 10 + 5$$

$$=(((0) \times 10 + \mathbf{3}) \times 10 + \mathbf{8}) \times 10 + \mathbf{5}$$

少し分かりにくい式かもしれませんが，よく見ると，

"3"の処理では「(0) × 10 + **3**」
"8"の処理では「"3"の処理の結果 × 10 + **8**」
"5"の処理では「"8"の処理の結果 × 10 + **5**」

を行えばよいことが分かります。したがって，変数valの初期値を0とした後，各繰返しの中で「**val ← val × 10 + 数字文字を変換した数値**」を行えばよいわけです。具体的には，次の操作を行うことになります。

valの初期値は0

＊ 網掛部分：繰返しの中で行う処理

- 繰返し 1 回目：val ← val × 10 + charToInt ("3")
  (((0) × 10+ 3) × 10 + 8) × 10 + 5
  val＝3
- 繰返し 2 回目：val ← val × 10 + charToInt ("8")
  ((　3　) × 10 + 8) × 10 + 5
  val＝38
- 繰返し 3 回目：val ← val × 10 + charToInt ("5")
  (　38　) × 10 + 5
  val＝385

▶ 空欄a

配列strの1番目の要素str[1]から順に変換処理を行い，str[i]が終端文字"#"になったら処理を終了します。つまり，str[i]が"#"でない間，変換処理を繰り返せばよいので空欄aは「str[i] ≠ "#"」です。

▶ 空欄b

プログラムでは，関数charToIntで数値に変換した値を変数tmpに代入しているので，空欄bは「val ← val × 10 + tmp」です。ここで次の表に，実行の様子をまとめておきます。確認しておきましょう。

```
val ← 0
i ← 1
while (str[i] ≠ "#")
  tmp ← charToInt(str[i])
  val ← val × 10 + tmp
  i ← i + 1
endwhile
```

i	str[i]	tmp	val（初期値 0）
1	"3"	3	val = 0 × 10 + 3 = 3
2	"8"	8	val = 3 × 10 + 8 = 38
3	"5"	5	val = 38 × 10 + 5 = 385
4	"#"	処理終了	

COLUMN 16進数の数字文字列を数値に変換する

Q. 本例題では10進数の数字文字が配列strに格納されていましたが，これが16進数の数字文字であった場合，プログラムのどの部分を書き換えればよいでしょうか？ ここで，プログラムで使用する関数charToIntを下記に示します。

ヒント：16進数のAは10，Fは15です。例えば，配列strが
{"A", "2", "5", "F", "#"} であった場合の計算式は，
$val = 10 \times 16^3 + 2 \times 16^2 + 5 \times 16^1 + 15 \times 16^0$です。

```
○整数型: charToInt(文字型: p)
  文字型の配列：code
  /* codeには，初期値として "0", "1", "2", "3", "4", "5", "6", "7", */
  /* "8", "9", "A", "B", "C", "D", "E", "F" がこの順に格納されている */
  整数型: i ← 1
  while (p ≠ code[i])  /* 文字の比較 */
    i ← i + 1
  endwhile
  return i − 1
```

A. while文の中の「val ← val × 10 + tmp」を「**val ← val × 16 + tmp**」に変更すればOKです。

COLUMN 数字文字列を数値に変換する応用プログラムに挑戦！

"#"を区切り文字として複数の数字文字が格納された配列str2を受け取り，整数型の配列valArrayを返す**関数strToInt_v2**を紹介します。ここで，配列str2の最後の要素には"#"が格納されているものとします。

例えば，関数strToInt_v2に次の配列を与えたとき，関数strToInt_v2は下図の配列valArrayを返します。

{"1", "2", "#", "3", "4", "5", "#", "6", "#", "#", "7", "8", "#"}

	[1]	[2]	[3]	[4]	[5]
配列 valArray	12	345	6	0	78

【参考】関数strToInt_v2のプログラム例

```
○整数型の配列: strToInt2_v2(文字型の配列: str2)
  整数型の配列: valArray ← {}  /* 要素数0の配列 */
  整数型: val, i, tmp
  整数型: n ← str2の要素数
  i ← 1
  while (i ≦ n)
    val ← 0
    while (str2[i] ≠ "#")
      tmp ← charToInt(str2[i])
      val ← val × 10 + tmp
      i ← i + 1
    endwhile
    valArrayの末尾 に valの値 を追加する
    i ← i + 1
  endwhile
  return valArray
```

まだ要素をもっていない配列

"#"までを数値に変換する処理

求められた数値valを，配列valArrayの要素として追加していく

関数strToInt2_v2は，「while文の中に，さらにwhile文がある」という**二重繰返し構造**(二重ループ)になっています。外側のwhile文は，配列str2の最後の要素までを処理するための繰返しです。そして，外側while文が1回繰り返されるたびに，内側のwhile文が実行され，これによって"#"までを数値に変換する処理が行われます。

このプログラムの解釈は少し難しいかもしれませんが，何度も見ているうちに，次第に解釈ができるようになると思いますよ。少し踏ん張ってみませんか？

3.13 10進整数を8桁の2進数に変換する

例題

次のプログラム中の [a] と [b] に入れる正しい答えの組合せを，解答群の中から選べ。ここで，配列の要素番号は1から始まる。

関数decToBinは，引数で与えられた10進整数nを8桁の2進数に変換し，最上位の桁から順に，整数型の配列binの要素bin[1]からbin[8]に格納する。nは，0<n<100を満たす整数である。

例えば，関数decToBinをdecToBin(25)として呼び出すと，戻り値の配列binは，{0, 0, 0, 1, 1, 0, 0, 1}となる。

〔プログラム〕

```
○整数型の配列: decToBin(整数型: n)
  整数型の配列: bin ← {8個の未定義の値}
  整数型: j ← n
  整数型: k
  for (k を 8 から 1 まで 1 ずつ減らす)
     [    a    ]
     [    b    ]
  endfor
  return bin
```

解答群

	a	b
ア	j ← j ÷ 2 の商	bin[k] ← j ÷ 2 の余り
イ	j ← j ÷ 2 の余り	bin[k] ← j ÷ 2 の商
ウ	bin[k] ← j ÷ 2 の商	j ← j ÷ 2 の余り
エ	bin[k] ← j ÷ 2 の余り	j ← j ÷ 2 の商

解説　　　　解答：エ

関数decToBinは，10進整数を2進数へ変換する関数です。2進数への変換は，変換対象の10進整数を商が0になるまで2で割っていき，商が0になったら，最後に求められた余りから順に並べることで求められます。例えば，10進整数25に対してこの操作を行うと2進数11001が求められます。

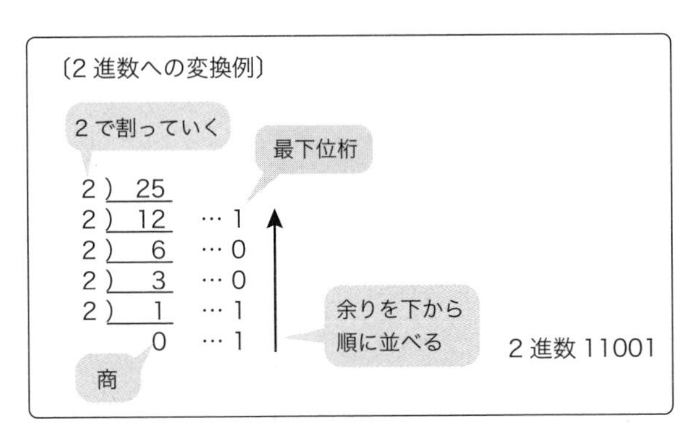

プログラムでは，変換した2進数の各桁の値を最上位桁から順に，要素数8の配列binに格納します。ここで，最上位桁の値をbin[1]に，最下位桁の値をbin[8]に格納しなければいけないことに注意します。つまり，上記の操作を行うと2進数の最下位桁から求められるため，変数kを使って，**kの値を8から1まで1ずつ減らしながら**，次に示す①，②の処理を行うことになります。

① 10進整数(以下，変換値という)を2で割った余りをbin[k]に格納する。

② 変換値を2で割った商を，新たな変換値に設定する。

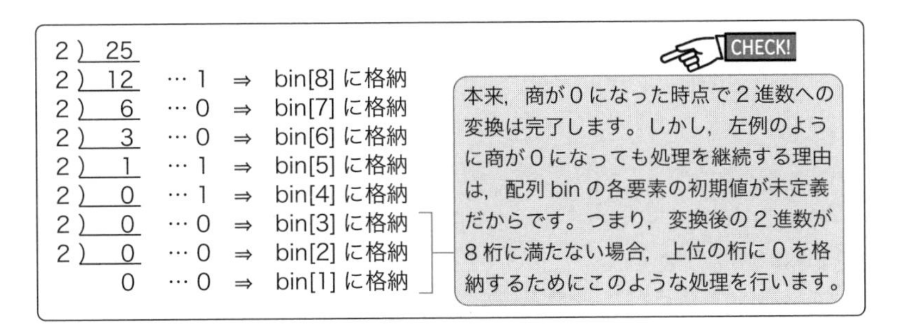

▶ 空欄a，b

引数で渡された10進整数nの値を変数jに設定しているので，変数jの値が変換値です。したがって，空欄aには上記①に対応する「bin[k] ← j ÷ 2 の余り」，空欄bには②に対応する「j ← j ÷ 2 の商」が入ります。

COLUMN 問題文にある条件「0 < n < 100を満たす整数」の意味

配列binの要素数が8なので，変換した2進数が8桁を超える場合は正しい変換ができません。0<n<100としたのは，「8桁に収まる数値を変換するプログラムだよ～」という意味です。

ちなみに，0<n<100を満たす最大の10進整数は99です。これを2進数で表現すると1100011(7桁)なので配列bin内に収まります。なお，本例題のプログラムで変換できる範囲は0～255です。

COLUMN 配列binの要素数を固定にしない方法

配列binの要素数を固定にしてしまうと，2進数に変換できる数値範囲が決まってしまうという問題が発生します。これを解決するため，配列binの要素数をあらかじめ決めるのではなく，要素を追加していくという方法が考えられます。次のプログラム(関数decToBin_v2)を見てください。

このプログラムでは，「j ÷ 2の余り」を配列binの末尾に追加していくので，変換できる数値範囲の縛りはなくなります。ただし，最初の余りをbin[1]，次の余りをbin[2]，…というように追加することになるため，2進数の最下位桁がbin[1]になります。例えば，10進整数nが25の場合，本例題のプログラムでは配列binに{0, 0, 0, 1, 1, 0, 0, 1}が求められますが，下記の関数decToBin_v2では{1, 0, 0, 1, 1}が求められます。桁の順番が逆順になることに注意してください。

本例題のプログラムで求めた配列bin

[1]	[2]	[3]	[4]	[5]	[6]	[7]	[8]
0	0	0	1	1	0	0	1

関数decToBin_v2で求めた配列bin

[1]	[2]	[3]	[4]	[5]
1	0	0	1	1

〔プログラム〕

```
○整数型の配列: decToBin_v2(整数型: n)
  整数型の配列: bin ← {}  /* 要素数0の配列 */
  整数型: j ← n
  while (j ≠ 0)    ← 商(jの値)が0になったら繰返し処理を終了する
    binの末尾 に (j ÷ 2 の余り) を追加する
    j ← j ÷ 2 の商
  endwhile
  return bin
```

MEMO

3.14 ビット演算の結果を表示する

例題

次のプログラム中の［ a ］と［ b ］に入れる正しい答えの組合せを，解答群の中から選べ。

手続bitORは8ビット型の引数aとbを受け取り，aとbの論理和演算の結果を，上位ビットから順にそのビット値(1, 0)を出力する。

例えば，手続bitORをbitOR(01001011, 10001010)として呼び出すと，“11001011”と出力される。なお，演算子∧はビット単位の論理積，演算子∨はビット単位の論理和，演算子>>は論理右シフト，演算子<<は論理左シフトを表す。例えば，「value >> n」はvalueの値をnビットだけ右に論理シフトし，「value << n」はvalueの値をnビットだけ左に論理シフトする。

〔プログラム〕

```
○bitOR(8ビット型: a, 8ビット型: b)
  8ビット型: c, mask ← 10000000
  整数型: i
  c ← a ∨ b
  for (i を 1 から 8 まで 1 ずつ増やす)
    if ((c ∧ mask) が [ a ] と等しい)
      0 を出力
    else
      1 を出力
    endif
    [ b ]
  endfor
```

解答群

	a	b
ア	00000000	mask ← mask << 1
イ	00000000	mask ← mask >> 1
ウ	00000001	mask ← mask << 1
エ	00000001	mask ← mask >> 1

解説　　解答：イ

8ビット型とは，サイズ（ビット数）が8ビットのデータ型です。擬似言語なのでデータ型の詳細までは決められていない（IPAからの提示がない）ため，擬似言語でビット演算を扱うときのデータ型と考えておけばよいでしょう。

さて手続bitORでは，8ビット型変数aとbの論理和演算で得られた結果を，上位のビットから順に調べて，そのビット値を出力します。

ビットの値を調べるには，ビット単位の**論理積演算**を使います。例えば，ある変数の，任意のビットの値を知りたい場合，そのビット位置のみを1としたビット列を作り，変数の値とビット列との論理積演算を行います。論理積演算の結果が00000000であればそのビットの値は0，結果が00000000でなければ1と分かります。

CHECK!

〔例〕

このビットの値を求めたい

変数の値：	1 1 0 0 1 0 1 1
ビット列：	0 0 0 0 1 0 0 0
論理積演算の結果 ⇒	0 0 0 0 1 0 0 0

結果が00000000ではないので，求めたいビットの値は1と判定できる

この方法を用いることで，aとbの論理和演算「a ∨ b」の結果（すなわち，変数c）のビットの値を求めることができます。

ここで着目すべきは変数maskです。初期値として先頭のビットのみを1とした，ビット列10000000を設定しています。そして，for文の中で「c ∧ mask」の結果を判定し，0あるいは1を出力しています。ということは，繰返し1回目のとき，変数cの値と10000000の論理積を求め，これにより変数cの上位1ビット目の値を判定していることになります。

〔繰返し1回目〕

c ：	1 1 0 0 1 0 1 1
mask ：	1 0 0 0 0 0 0 0
	1 0 0 0 0 0 0 0

〔変数cの値〕
a=01001011，**b**=10001010

	01001011
論理和演算（∨）	10001010
	11001011 ＝ **c**

▶ 空欄a

if文の条件式が真のとき0を出力しています。0を出力するのは，調べたいビットの値が0のときなので，条件式は「（c ∧ mask）が 00000000 と等しい」となります。

▶空欄b

繰返しの1回目で1ビット目を調べたら，次の繰返し(2回目)では2ビット目，次の繰返し(3回目)では3ビット目，…というように調べていけばよいわけです。

これを行うためには，2ビット目を調べるときのmaskの値を01000000，3ビット目のときは00100000，…としていけばよいので，空欄bにはmaskの値を1ビット右に論理シフトする「mask ← mask >> 1」が入ります。

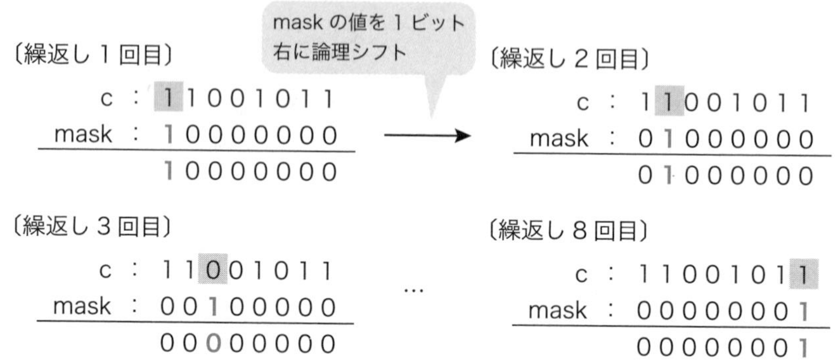

```
〔繰返し1回目〕                mask の値を 1 ビット    〔繰返し2回目〕
                              右に論理シフト
     c  : 11001011                                    c  : 11001011
  mask  : 10000000          ──────→             mask  : 01000000
          10000000                                          01000000

〔繰返し3回目〕                                        〔繰返し8回目〕
     c  : 11001011                                    c  : 11001011
  mask  : 00100000            …                  mask  : 00000001
          00000000                                          00000001
```

COLUMN maskの値を変えないで同じ処理を行う方法

本例題では，maskの値を1ビットずつ右に論理シフトすることで変数cの上位ビットから順にビットの値を判定していますが，maskの値はそのまま(固定)にして行うこともできます。この場合，**変数cの値を1ビット左に論理シフト**してmaskとの論理積演算を行います。プログラムは次のようになります。

〔プログラム〕

```
○bitOR(8ビット型: a, 8ビット型: b)
  8ビット型: c, mask ← 10000000
  整数型: i
  c ← a ∨ b
  for (i を 1 から 8 まで 1 ずつ増やす)
    if ((c ∧ mask) が 00000000 と等しい)
      0 を出力
    else
      1 を出力
    endif
    c ← c << 1        cの値を1ビット左に論理シフトする
  endfor
```

COLUMN シフト演算を確認しておこう！

シフト演算は，ビット列を左あるいは右にビット単位でずらす演算です。最上位ビット(最左端のビット)も含めてシフトを行う**論理シフト**と，最上位ビットを除いてシフトを行う**算術シフト**があります。算術シフトは，最上位ビットを符号とした「符号付きデータ」に対して用いられる演算です。論理／算術，どちらのシフト演算でも左にシフトした場合は，右側(下位)の空いたビットには0が埋め込まれます。

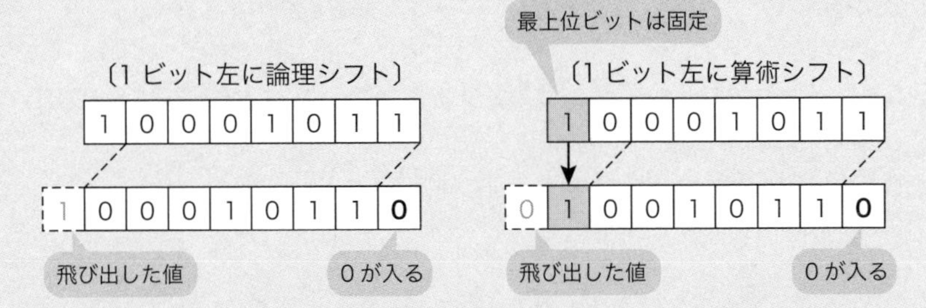

右にシフトした場合，論理シフトでは左側(上位)の空いたビットには0が埋め込まれますが，算術シフトでは最上位ビットと同じ値が埋め込まれます。

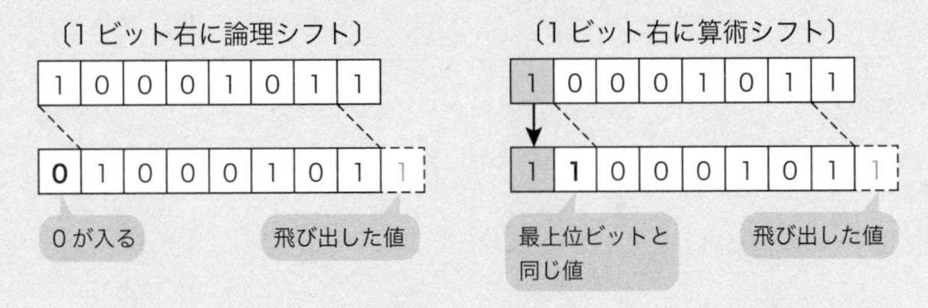

では，科目A試験対策として次の問題に挑戦してみましょう。

Q. 8ビット型の変数に16進表記でACが入っている。これを2ビット右に論理シフトしたときの値は［　　　］であり，2ビット右に算術シフトした値は［　　　］である。

A. 16進表記のACを2進表記にすると10101100です。これを2ビット右に論理シフトすると，右側の2ビットが飛び出し，左側の空いたビットに0が埋め込まれるので**00101011**になります。一方，2ビット右に算術シフトすると，左側の空いたビットには最上位ビットと同じ値1が埋め込まれるので**11101011**になります。

3.15 再帰関数の戻り値を求める

例題

次の記述中の [　　　] に入れる正しい答えを，解答群の中から選べ。

関数Fは，整数型の引数をとり，処理結果を整数型で返す関数である。引数として渡される値は0より大きな値である。

関数FをF(3)として呼び出したとき，戻り値は [　　　] となる。

〔プログラム〕

```
○整数型：F(整数型：n)
  if (n ≦ 1)
    return 1
  else
    return n ＋ F(n － 1)
  endif
```

解答群

ア　3　　イ　4　　ウ　5　　エ　6

解説

解答：エ

関数Fは，引数で渡されたnの値が1以下であれば1を返しますが，1よりも大きな値なら「n ＋ F(n－1)」を返します。この“F(n－1)”は，自分自身をF(n－1)として呼び出したときの戻り値です。したがって，nの値が1よりも大きい場合は，nの値にF(n－1)の戻り値を加算し，その結果を返すことになります。

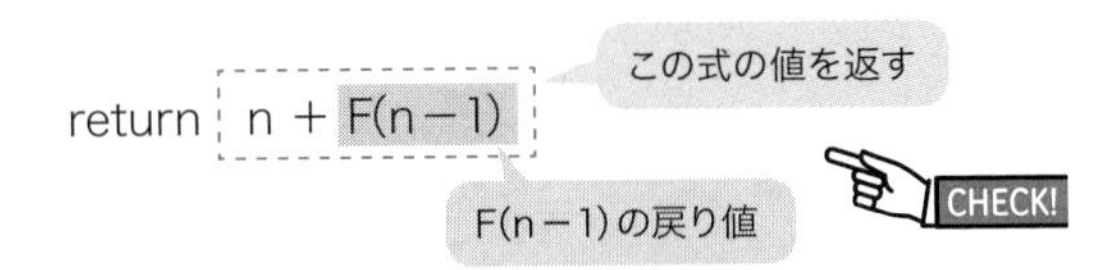

このように，関数の中で自分自身を呼び出すことを**再帰呼出し**といい，再帰呼出しができる関数を**再帰関数**といいます。再帰関数には，再帰呼出しを終了する条件(すなわち，自分自身をこれ以上呼び出さずに呼出し元に戻る条件)が必ずあります。これを**再帰の出口**といい，本例題のプログラムでは，「n ≦ 1」が該当します。

下図に，F(3)として呼び出したときの実行の様子を示します。「n ≦ 1」になるまでは自身を呼び出していきますが，「n ≦ 1」になったら今度は呼出し元に戻っていくことを確認してください。

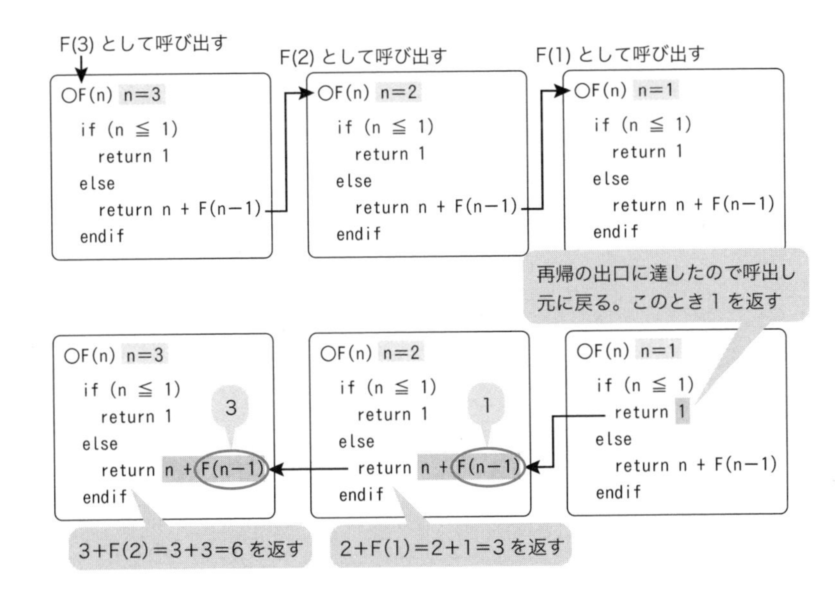

上図から，F(3)として呼び出したときの戻り値は6です。

COLUMN 試験によく出る再帰関数

科目A試験にもよく出題される再帰関数に，自然数nに対して，

$$n \times (n-1) \times (n-2) \times \cdots \times 2 \times 1$$

を求める**階乗関数**があります。nの階乗**n!**は，

$$n! = n \times (n-1)!$$
$$(n-1)! = (n-1) \times (n-2)!$$
$$(n-2)! = (n-2) \times (n-3)!$$
$$\vdots$$

と表せることから，階乗関数は次のように再帰的に定義できます。ここでは，関数名を「fact」とします。

$$\mathrm{fact}(n) = \begin{cases} 1 & (n = 0\text{のとき})^{※1} \\ n \times \mathrm{fact}(n-1) & (n > 0\text{のとき}) \end{cases}$$

これを擬似言語プログラムで記述すると次のようになります。プログラム1は，本例題のプログラムに合わせた記述です。プログラム2は，記述を少しコンパクトにしています。

〔プログラム1〕

```
○整数型: fact(整数型: n)
  if (n = 0)
    return 1
  else
    return n × fact(n − 1)
  endif
```

〔プログラム2〕

```
○整数型: fact(整数型: n)
  if (n = 0)
   return 1
  endif
  return n × fact(n−1)
```

本例題に倣って，上記の2つの関数，それぞれをfact(3)として呼び出したときの戻り値を求めてみましょう。どちらも戻り値6が求められればOKです。

さて，基本情報技術者試験では再帰関数の理解は必須! です。再帰関数は一見すると難しく見えますが，慣れてしまえば(慣れるまで，ある程度の学習は必要ですが)決して難しくはありません。

そこで，再帰関数に少しでも慣れるため，次の問題に挑戦してみませんか？ この問題は，過去に多く出題された問題です。今後も出題が予想されるので理解しておきましょう。

※1 「0! = 1」と定義されています。

Q. 再帰的に定義された手続procで，proc(5)を実行したとき，印字される数字を順番に並べたものはどれか。

〔プログラム〕

```
○proc(整数型：n)
  if (n = 0)
    return
  endif
  nを印字する
  proc(n − 1)
  nを印字する
```

解答群

ア　543212345

イ　5432112345

ウ　54321012345

エ　543210012345

A. proc(5)を実行したときの様子を下図に示します。

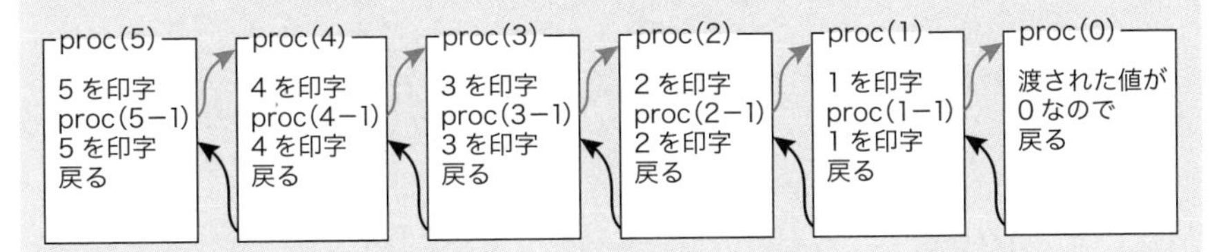

proc(5)を実行すると，proc(4)，proc(3)，…，proc(0)の順に自分自身を再帰的に呼び出すことになりますが，呼出しの前にproc(5)では「5」，proc(4)では「4」というように，procに渡された値を印字します。そして，proc(0)の呼出しを最後に，今度は呼出し元に戻っていきます。呼出し元に戻ったらproc(1)では「1」，proc(2)では「2」，…と印字します。したがって，「5432112345」の順に数字が印刷されるので正解は〔**イ**〕です。

COLUMN 二つの正の整数の最大公約数を再帰的に求める

「3.7 二つの正の整数の最大公約数を求める」(p.88)で学習したアルゴリズムとは別のアルゴリズムを使って最大公約数を求める方法があります。ここで紹介する方法は，二つの正の整数の差を求める代わりに，剰余を用いた**ユークリッド互除法**(単に，互除法ともいう)です。二つの正の整数の差が大きい場合，互除法を用いる方が効率よいとされています。

ユークリッド互除法は，「二つの正の整数m，n(m≧n)について，mをnで割ったときの余りをrとするとき，mとnの最大公約数は，nとrの最大公約数である」という性質を繰返し適用する方法です。では，具体例で説明しますね。

例えば，mが98，nが42であるとき，最大公約数は次のように求めます。余りが0となったときの除数が最大公約数です。

98 ÷ 42 = 2 余り 14

42 ÷ 14 = 3 余り **0**

└ 最大公約数

余りが0となったときの除数が最大公約数

最大公約数を求める関数をgcd(m, n)とし，これを再帰的に定義すると次のようになります。ここで，「m mod n」はmをnで割った余りです。

$$
\mathrm{gcd}(m, n) = \begin{cases} m & (n = 0\text{のとき}) \\ \mathrm{gcd}(n, m \bmod n) & (n \neq 0\text{のとき}) \end{cases}
$$

これを擬似言語プログラムで記述すると次のようになります。下図に，gcd(98, 42)として呼び出したときの実行の様子を示すので，プログラムの動きを確認してください。

〔プログラム〕

```
○整数型: gcd(整数型: m, 整数型: n)
  if (n = 0)
    return m
  endif
  return gcd(n, m mod n)
```

nが0でなければ，自分自身を呼び出す

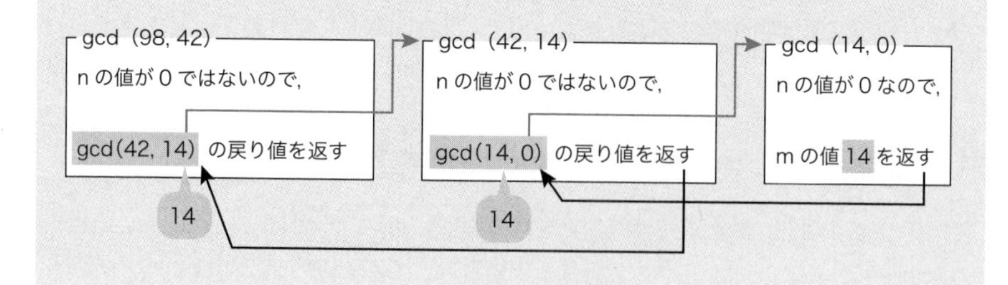

第4章

応用例題

この章では，応用的なアルゴリズム問題を解きながら**擬似言語プログラミングの応用能力の習得**を目指します。

第 3 章の「基本例題」に比べて難易度の高い例題を数多く掲載していますから，かなり苦しくなると思います。しかし，学習を終えれば，必ずや「擬似言語プログラムが読める，アルゴリズムの解釈ができる」ようになると思います。第 3 章での学習と同じように，考え方が身につくまで何度も何度もヒーヒー言いながら繰返し学習してくださいね。ただし，苦しくなったら途中で止まってお休みしても大丈夫ですよ。さぁ，あともう一息，頑張りましょう！

4.1 ゲームの得点を計算する

例題

次の記述中の［　　　］に入れる正しい答えを，解答群の中から選べ。ここで，配列の要素番号は1から始まる。

関数calcScoreは，ゲームの結果が格納された文字型の配列markを受け取り，それを基に計算した合計得点を返す関数である。ゲームは，複数のラウンドから成り，各ラウンドの結果は，次に示す文字で表される。

"1"，"2"，"3"，"4"，"5"，"6"，"7"，"8"，"9"，"＋"，"－"

配列markには，第1ラウンドから最終ラウンドまでの結果が，次の規則に従って順番に格納されている。

〔規則〕

① 第1ラウンドの結果は，"1"～"9"又は"＋"のいずれかである。

② 最終ラウンドの結果は，"1"～"9"のいずれかである。

③ 結果が"＋"になったラウンドの直後のラウンド，及び結果が"－"になったラウンドの直前のラウンドの結果は，"1"～"9"のいずれかである。

関数calcScoreをcalcScore({"1"，"＋"，"2"，"－"，"3"，"［　　　］"，"5"})として呼び出したとき，ゲームの得点，すなわち戻り値は41となる。

〔プログラム〕

```
○整数型: num(文字型: mc)
  文字型の配列: markCT ← {"1", "2", "3", "4", "5", "6", "7", "8", "9"}
  整数型: n ← 1
  while (mc ≠ markCT[n])
    n ← n + 1
  endwhile
  return n

○整数型: calcScore(文字型の配列: mark)
  整数型: i
  整数型: score ← 0
  for (i を 1 から markの要素数 まで 1 ずつ増やす)
    if (mark[i] = "+")
      score ← score + num(mark[i + 1]) + 10
    elseif (mark[i] = "−")
      score ← score + num(mark[i − 1]) + 10
    else
      score ← score + num(mark[i])
    endif
  endfor
  return score
```

解答群

ア 0	イ 1	ウ 2	エ 3	オ 4
カ 5	キ 6	ク 7	ケ 8	コ 9

解説　　解答：キ

関数calcScoreは，ゲームの得点を計算する関数です。各ラウンドの結果から，どのような計算を行うのかをプログラムから読み取ることがポイントになります。

まず，**関数num**を確認しましょう。関数numは，文字mcを受け取り，mcと一致する文字を配列markCTから探して，その要素番号を返します。例えば，mcが"3"なら要素番号3を，mcが"5"なら要素番号を5を返します。つまり関数numは，ラウンドの結果の文字"1"～"9"を数値(得点)に変換して返す関数です。

では，**関数calcScore**を見ていきましょう。関数calcScoreが引数として受け取るのは，第1ラウンドから最終ラウンドまでの結果が格納された文字型の配列markです。問題文にある呼出しが行われると，下図の配列を受け取ることになります。

呼出し：calcScore({"1", "+", "2", "−", "3", "　　", "5"})

	[1]	[2]	[3]	[4]	[5]	[6]	[7]
mark	"1"	"+"	"2"	"−"	"3"		"5"

for文の制御記述が，「i を 1 から markの要素数 まで 1 ずつ増やす」となっていることから，関数calcScoreでは，第1ラウンドの結果（mark[1]）から順に，各ラウンドの結果を得点に直し，その合計を変数scoreに求めることになります。

ここで，for文中の処理を確認すると次のようになっています。num(mark[i+1])は，第iラウンドの直後のラウンドの得点です。num（mark[i−1]）は第iラウンドの直前のラウンドの得点，num(mark[i])は第iラウンドの得点です。

```
if (mark[i] = "+")                      第iラウンドの直後のラウンドの得点
  score ← score + num(mark[i + 1]) + 10
elseif (mark[i] = "−")                  第iラウンドの直前のラウンドの得点
  score ← score + num(mark[i − 1]) + 10
else                                    第iラウンドの得点
  score ← score + num(mark[i]) ※1
endif
```

このことから，各ラウンドの結果を次のように得点に直していることが分かります。

※1　mark[i]が"+"でも"−"でもないということは，"1"～"9"のいずれかということです。

CHECK!

〔各ラウンドの得点〕

- ラウンドの結果が"＋"のとき，「直後のラウンドの得点＋10」
- ラウンドの結果が"－"のとき，「直前のラウンドの得点＋10」
- それ以外（すなわち，"1"～"9"のいずれか）のとき，「当該ラウンドの得点」

では，関数calcScoreが前ページの配列markを受け取ったとき，変数scoreの値(すなわち，ゲームの得点)が41になるmark[6]の値を考えます。

まずmark[1]～mark[5]とmark[7]の得点の合計を求めると，次のようになります。ここで，変数scoreの初期値は0です。

	変数 score
mark[1] ＝"1"なので，1をscoreに加算	0 + **1** = 1
mark[2] ＝"+"なので，(mark[3]の得点 2) + 10 を score に加算	1 + **2 + 10** = 13
mark[3] ＝"2"なので，2をscoreに加算	13 + **2** = 15
mark[4] ＝"－"なので，(mark[3]の得点 2) + 10 を score に加算	15 + **2 + 10** = 27
mark[5] ＝"3"なので，3をscoreに加算	27 + **3** = 30
mark[7] ＝"5"なので，5をscoreに加算	30 + **5** = **35**

mark[1]～mark[5]とmark[7]の得点の合計は35です。これにmark[6]の得点を加えた合計が41になるわけですから，mark[6]の得点は6(＝41－35)です。したがって，mark[6]の値は"6"ということになります。

COLUMN 関数numを使うと効率が悪い？

関数を使用することでプログラムがスッキリ明確になります。また保守性も向上します。しかし一方で，関数の呼出しには時間がかかります。

本例題のプログラムにおいては，関数calcScore内で文字型の配列markCTを宣言し，各ラウンドの得点を求める際に配列markCTを探索する方が時間効率はよくなります。

〔例：mark[i]が"＋"のときの処理〕

```
n ← 1
while (mark[i + 1] ≠ markCT[n])
  n ← n + 1
endwhile
score ← score + n + 10
```

関数numと同等な処理（破線部）

n×nの奇数魔方陣を作成する

例題

次のプログラム中の[a]～[c]に入れる正しい答えの組合せを，解答群の中から選べ。ここで，配列の要素番号は1から始まる。

手続magicSquareは，引数nを受け取り，n次の魔方陣を作る手続である。n次の魔方陣とは，n×nの正方形のマス（方陣）に数を重複のないように配置し，縦・横・対角線のいずれにおいても，それぞれの合計値が全て等しくなるようにしたものである。nが奇数のときは奇数魔方陣という。

本問では，n×nのマスに1からn^2までの数を過不足なく配置した奇数魔方陣を考える。ここで，手続magicSquareが受け取る引数nは３以上９以下の奇数とする。

〔奇数魔方陣の作り方〕

(1) 最初の数1を，1行目の中央のマスに配置する。

(2) 数を一つ増やす。

(3) 配置マス(数を配置するマス)を次の規則で移動する。

　配置する数を方陣の大きさnで割った余りが1であればすぐ下のマスへ移動し，そうでなければ斜め右上のマスに移動する。ただし，この移動によって，配置マスが上にはみ出した場合は同じ列の一番下のマスに移動し，右にはみ出した場合は同じ行の一番左のマスに移動する。

(4) 配置マスに数を配置する。

(5) 全てのマスが埋まるまで，(2)～(4)を繰り返す。

図は，手続magicSquareをmagicSquare(3)として呼び出したとき，大域の二次元配列squareに作成される３×３の奇数魔方陣である。

8	1	6
3	5	7
4	9	2

図　3×3(3次)の奇数魔方陣

〔プログラム〕

```
/* squareは，9行9列の二次元配列で，全ての要素は0で初期化されている */
大域: 整数型の二次元配列: square ← {9行9列の 0}

○magicSquare(整数型: n)
  整数型: i, j, k
  i ← 1
  j ← (n + 1) ÷ 2
  square[i, j] ← 1
  for (k を [ a ] から n × n まで 1 ずつ増やす)
    if ((k mod n) = 1)
      i ← i + 1
    else
      i ← i − 1
      j ← j + 1
    endif
    if (i < 1)
      [ b ]
    endif
    if (j > n)
      [ c ]
    endif
    square[i, j] ← k
  endfor
```

解答群

	a	b	c
ア	1	i ← 1	j ← 1
イ	1	i ← n	j ← n
ウ	1	i ← n	j ← 1
エ	2	i ← 1	j ← 1
オ	2	i ← n	j ← n
カ	2	i ← n	j ← 1

4

解説　　解答：カ

手続magicSquareは，n次の奇数魔方陣を作る手続です。問題文に示された〔奇数魔方陣の作り方〕の解釈がポイントになります。空欄を考える前に，図に示された3×3の奇数魔方陣をどのように作成するのか，下図を基に確認しておきましょう。

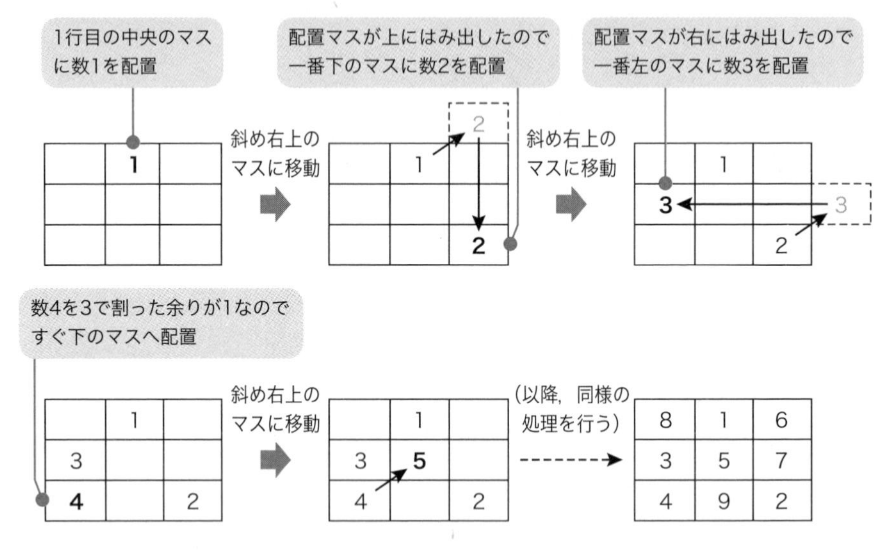

では，空欄a，b，cを見ていきます。

▶ 空欄a

空欄aは，for文の制御記述における変数k[※1]の初期値です。1行目の中央のマスに1を配置した後，このfor文によって配置マスを移動しながら，2からn×nまでを配置します。for文内の最後の処理「square[i, j] ← k」に着目すると，変数kが配置する数です。したがって，kの初期値は2であり空欄aには**2**が入ります。

```
i ← 1
j ← (n + 1) ÷ 2          } 1行目の中央のマスに1を配置
square[i, j] ← 1
for (k を 2 から n × n まで 1 ずつ増やす)
  配置マスを移動する処理（次ページに記載）
  square[i, j] ← k
endfor
```

※1　繰返しの制御に用いられる変数を制御変数といいます。

▶ 空欄b

空欄bは，条件式「i ＜ 1」が真のときの処理です。変数iの値が1よりも小さいということは，斜め右上にマスがなく**配置マスが上にはみ出した**ということです（前ページ上2番目の図）。この場合，一番下のマス（すなわち，n行目のマス）に配置すればよいので，空欄bには，「i ← n」が入ります。

▶ 空欄c

空欄cは，条件式「j ＞ n」が真のときの処理です。変数jの値がnよりも大きいということは，斜め右上にマスがなく**配置マスが右にはみ出した**ということです（前ページ上3番目の図）。この場合，一番左のマス（すなわち，1列目）に配置すればよいので，空欄cには，「j ← 1」が入ります。

```
if ((k mod n) = 1)※2
  i ← i + 1     } 配置する数kをnで割った余りが1ならすぐ下のマスに移動
else
  i ← i − 1     } そうでなければ，斜め右へ移動
  j ← j + 1
endif
if (i < 1)
  i ← n         配置マスが上にはみ出したので
endif           一番下のマス(n行目のマス)に移動
if (j > n)
  j ← 1         配置マスが右にはみ出したので
endif           一番左のマス(1列目のマス)に移動
```

COLUMN 魔方陣の縦・横・対角線に並んだ数の合計値

n次の魔方陣において，n×nのマスに1からn^2までの数を過不足なく配置した場合，全てのマスの合計値は，$1+2+\cdots+n^2=n^2\times(n^2+1)\div 2$※3です。そして，列数も行数もnなので，縦・横に並んだマスのそれぞれの合計値は上記の式をnで割った値，つまり，$\{n^2\times(n^2+1)\div 2\}\div n=$ **$n\times(n^2+1)\div 2$**です（当然，対角線に並んだマスの合計値も同じです）。図の3×3の奇数魔方陣であれば，$3\times(3^2+1)\div 2=15$ですね。余計な知識かもしれませんが，過去に応用情報技術者試験で問われたことがあるので知っておいて損はないと思います。

※2　演算子modは，「=」よりも優先度が高いので「k mod n = 1」と記述できます。

※3　**1からnまでの和**は，「**n×(n+1)÷2**」で求められます。この式の「n」を「n^2」に置き換えた式が，1からn^2までの和の式になります。

4.3 1月1日からの経過日数を求める

例題

次のプログラム中の [a] と [b] に入れる正しい答えの組合せを，解答群の中から選べ。ここで，配列の要素番号は1から始まる。

関数elapsedDaysは，西暦で表された年（以下，西暦年という）と，月及び日の三つの整数値を引数として受け取り，その年内での経過日数を返す関数である。本問でいう"年内での経過日数"とは，その年の1月1日から何日目であるかを意味する。

例えば，4月10日であれば，次の式で経過日数を求める。

1月の日数 ＋ 2月の日数 ＋ 3月の日数 ＋ 10

ここで，2月の日数は平年なら28日，うるう年なら29日である。関数isLeapYearは，西暦年を受け取り，平年なら1，うるう年なら2を返す。うるう年であるかどうかの判定は，次のように行う。

〔うるう年判定のルール〕

(1) 西暦年が4で割り切れる年をうるう年とする。

(2) (1)の例外として，西暦年が100で割り切れて400で割り切れない年は平年とする。

〔プログラム〕

```
大域: 整数型の二次元配列: mdays ←
                    {{31, 28, 31, 30, 31, 30, 31, 31, 30, 31, 30, 31},
                     {31, 29, 31, 30, 31, 30, 31, 31, 30, 31, 30, 31}}

/* 平年なら1, うるう年なら2を返す */
○整数型: isLeapYear(整数型: year)
  整数型: leapyear ← 1
  if ((year mod 4 = 0) and (    a    ))
    leapyear ← 2
  endif
  return leapyear

○整数型: elapsedDays(整数型: y, 整数型: m, 整数型: d)
  整数型: i
  整数型: days ← d
  for (i を 1 から m − 1 まで 1 ずつ増やす)
    days ← days + mdays[  b  ]
  endfor
  return days
```

解答群

	a	b
ア	(year mod 100 = 0) and (year mod 400 ≠ 0)	i, isLeapYear(y)
イ	(year mod 100 = 0) and (year mod 400 ≠ 0)	isLeapYear(y), i
ウ	(year mod 100 ≠ 0) or (year mod 400 = 0)	i, isLeapYear(y)
エ	(year mod 100 ≠ 0) or (year mod 400 = 0)	isLeapYear(y), i

解説　解答：エ

本例題では，関数isLeapYear中の空欄aと関数elapsedDays中の空欄bが問われていますが，主となるのは関数elapsedDaysなので空欄bから考えていきます[※1]。

▶空欄b

関数elapsedDaysは，引数y(年)，m(月)，d(日)を受け取り，その年内での経過日数を変数daysに求める関数です。elapsedDays (2024, 4, 10) として呼び出された場合，2024年の4月10日までの経過日数を次のように求めます。ここで，2024年はうるう年なので2月の日数は29日です。

　1月の日数 ＋ 2月の日数 ＋ 3月の日数 ＋ 10
＝31 ＋ 29 ＋ 31 ＋ 10
＝101

つまり，y年m月d日までの経過日数は，1月からm月の前月（すなわち，m－1月）までの日数の和にdを加えれば求められます。関数elapsedDaysでは，この処理を行うため，変数daysに引数dの値を設定した後，変数iの値を1からm－1まで1ずつ増やす繰返し処理の中で,「days ← days ＋ mdays[　b　]」を行っています。

```
整数型: days ← d
for (i を 1 から m − 1 まで 1 ずつ増やす)
  days ← days + mdays[ b ]
endfor
```

- 引数d(日)の値を変数daysに設定する
- 1月からm月の前月(m－1月)までの日数を変数daysに加算する

問われているのは，配列mdaysの何行何列目の要素を変数daysに加算すればよいかです。ここでmdaysの初期値を見ると，1行目が平年，2行目がうるう年，そして列が月(1月から12月)に対応していることが分かります。

配列 mdays	1	2	3	4	5	6	7	8	9	10	11	12
平年→1	31	28	31	30	31	30	31	31	30	31	30	31
うるう年→2	31	29	31	30	31	30	31	31	30	31	30	31

したがって，次ページに示すように，行番号にはyが平年なら1，うるう年なら2を指定し，列番号にはiを指定すればよいでしょう。

※1　複数の関数や手続で構成されるプログラムを解釈する場合，どの関数(手続)が主となるのか，つまり最初に呼び出される関数(手続)はどれかをしっかり把握しましょう。

CHECK!

〔変数daysへの加算処理〕
- yが平年なら　　：days ← days + mdays [1, i]
- yがうるう年なら：days ← days + mdays [2, i]

行番号に平年なら1，うるう年なら2を指定するためには，関数isLeapYearを使います。つまり，次のように行えば上記に示した変数daysへの加算処理ができます。したがって，空欄bには，「isLeapYear(y), i」が入ります。

days ← days + mdays[**isLeapYear(y), i**]

関数isLeapYearは，yが平年なら1，うるう年なら2を返す

4

▶ **空欄a**

うるう年を判定する条件式が問われています。条件式「year mod 4 ＝ 0」が，問題文に示された〔うるう年判定のルール〕(1)「西暦年が4で割り切れる年をうるう年とする」に対応するので，空欄aは(2)に対応するだろうことは推測できます。

(year mod 4 ＝ 0) and (　　　a　　　)

西暦年が4で割り切れる年をうるう年とする

ここで(2)は，「(1)の例外として，**西暦年が100で割り切れて400で割り切れない年は平年**とする」というルールであることに注意します。つまり，「4で割り切れる年でも，100で割り切れて400で割り切れない年は平年とする」ということなので，空欄aには，「100で割り切れて400で割り切れない」の否定，すなわち「100で割り切れないか，又は400で割り切れる」に該当する条件式を入れる必要があります。したがって，空欄aには，「(year mod 100 ≠ 0) or (year mod 400 ＝ 0)」が入ります。

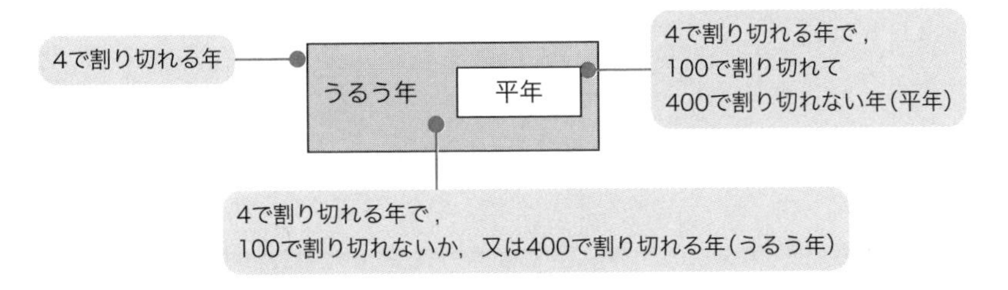

4.4 自然数nまでの素数を求める

例題

次の記述中の［　　　］に入れる正しい答えを，解答群の中から選べ。ここで，配列の要素番号は1から始まる。

手続primeNumberは，整数型の引数n（n≧2）を受け取り，2からnまでの整数の中から，素数を全て求める手続である。素数とは，2以上の自然数で，1と自分自身以外では割り切れない数のことである。素数を求める手順を次のように考える。

〔素数を求める手順〕

(1) 2以外の2の倍数全てに印を付ける。
(2) 3以外の3の倍数全てに印を付ける。
(3) 印が付いているかどうかにかかわらず，4以降，1ずつ増やしながら同様の処理を必要な回数だけ繰り返す。
(4) 以上の操作後，印が付いていない数が素数である。

上記の手順を基に作成したプログラムを図1に示す。このプログラムでは，変数iの値が素数の場合は，配列primeの要素prime[i]が0に，素数でなければ1に設定される。なお，手続primeNumberが使う関数sqrtは，引数として受け取った正の実数の平方根の値を実数型で返す。

手続primeNumberをprimeNumber(25)として呼び出したとき，αで示された行番号08の実行回数は27回となる。

図1における行番号08の実行回数を減らすために，for文の中で行われる処理（行番号06～10）を，図2のプログラムの行番号06～12に書き換えた。書換後，βで示された行番号09の実行回数は［　　　］回となる。

行番号　〔プログラム〕

```
01  ○primeNumber(整数型: n)
02    整数型の配列: prime ← {n個の0}
03    整数型: m ← sqrt(n) の小数点以下を切り捨てた値
04    整数型: i, j
05    for (i を 2 から m まで 1 ずつ増やす)
06     ┌────────────────────────────┐
06     │j ← 2 × i
07     │while (j ≦ n)
08     │  prime[j] ← 1  ⬅ α
09     │  j ← j + i
10     │endwhile
       └────────────────────────────┘
11    endfor
12    for (i を 2 から n まで 1 ずつ増やす)
13      if (prime[i] = 0)
14        i の値を出力
15      endif
16    endfor
```

図1　素数を求めるプログラム

行番号

```
05    for (i を 2 から m まで 1 ずつ増やす)
06     │if (prime[i] = 0)
07     │  j ← 2 × i
08     │  while (j ≦ n)
09     │    prime[j] ← 1  ⬅ β
10     │    j ← j + i
11     │  endwhile
12     │endif
13    endfor
```

図2　図1の行番号06～10の書換後

解答群

ア　5	イ　6	ウ　9	エ　11	オ　13
カ　15	キ　17	ク　22	ケ　23	コ　25

解説

解答：ク

本例題は，素数を求めるプログラムを題材にした「**プログラムの効率性**※1」に関する問題です。問われている実行回数を考える前に，問題文に示された〔素数を求める手順〕と図1のプログラムを対応させる必要があります。

示された手順では，最初に2以外の2の倍数全てに印を付け，次に3以外の3の倍数全てに印を付け，4以降についても同様な操作を行うとしています。この操作は，2～nまでの数のうち合成数（1と自分自身以外にも約数をもつ数，すなわち素数ではない数）に印を付けるという操作です。

問題文に，「変数iの値が素数の場合は，配列primeの要素prime[i]が0に，**素数でなければ1に設定される**」とあるので，素数ではない数（合成数）に印を付ける代わりに，合成数を要素番号とする**prime[合成数]に1を設定する**ことになります。

配列 prime

[1]※2	[2]	[3]	[4]	[5]	[6]	[7]	[8]	[9]	[10]	[11]	[12]	…	[n]
			合成数		合成数		合成数	合成数	合成数		合成数		
0	0	0	1	0	1	0	1	1	1	0	1	…	…

では，図1のプログラムを見ていきます。行番号02を見ると，配列primeの全ての要素は0で初期化されていることが分かります※3。次に，行番号05のfor文の制御記述を見ると，「i を 2 から m※4 まで 1 ずつ増やす」とあるので，このfor文は，変数iの値が2のときは2の倍数，iの値が3のときは3の倍数，…と順に処理するための繰返しです。ということは，内側にあるwhile文によって，変数iの値の倍数を要素番号とする配列primeの要素に1（すなわち，印）を設定していることになります。

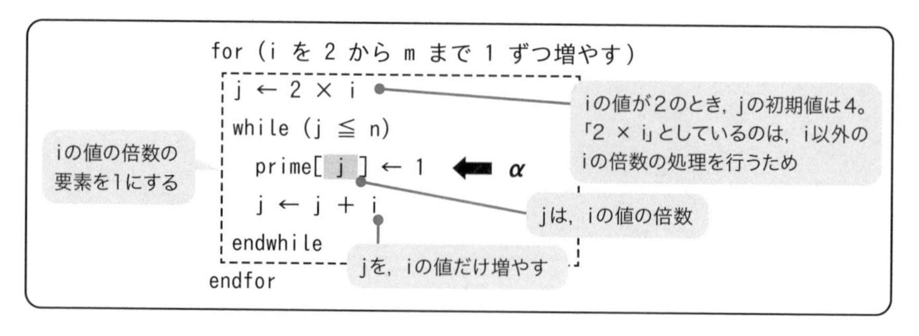

※1　効率性とは，「計算回数や比較回数が少なく処理効率がよいこと」をいいます。

※2　1は素数でも合成数でもないため処理の対象外です。

※3　行番号02の「prime ← {n個の 0}」は，配列primeのn個の要素を全て0で初期化するという意味です。

図1のプログラムをもう少し具体的に見ていきながら，αで示された行の実行回数を確認してみます。

引数nの値が25の場合，mの値は $\sqrt{25} = 5$ です。このとき，for文の中(　　　　で囲まれた部分)で行われる処理を表にまとめました。αで示された行の実行回数は，while文の繰返し回数と一致するので確かに27回であることが確認できます。

<table>
<tr><th>iの値</th><th>for 文の中 (　　　　で囲まれた部分) の処理</th><th colspan="2">while 文の繰返し回数</th></tr>
<tr><td>2</td><td>・jの初期値は4 (= 2 × 2)，増分値は2
・j = 4，6，8，…，24のときwhile文が繰り返され，prime[j]のj = 4，6，8，…，24の要素に1を設定</td><td>(24 − 4) ÷ 2 + 1
= 11回</td><td rowspan="4">合計
27回</td></tr>
<tr><td>3</td><td>・jの初期値は6 (= 2 × 3)，増分値は3
・j = 6，9，12，…，24のときwhile文が繰り返され，prime[j]のj = 6，9，12，…，24の要素に1を設定</td><td>(24 − 6) ÷ 3 + 1
= 7回</td></tr>
<tr><td>4</td><td>・jの初期値は8 (= 2 × 4)，増分値は4
・j = 8，12，16，20，24のときwhile文が繰り返され，prime[j]のj = 8，12，16，20，24の要素に1を設定</td><td>(24 − 8) ÷ 4 + 1
= 5回</td></tr>
<tr><td>5</td><td>・jの初期値は10 (= 2 × 5)，増分値は5
・j = 10，15，20，25のときwhile文が繰り返され，prime[j]のj = 10，15，20，25の要素に1を設定</td><td>(25 − 10) ÷ 5 + 1
= 4回</td></tr>
</table>

では，空欄を考えましょう。問題文に示された手順(3)には，「印が付いているかどうかにかかわらず，4以降も同様の処理を行う」とありますが，iの値が2のときに2の倍数の処理を行うと，配列primeは下図のようになるので，4以降については印が付いていない数，つまりprime[i]が0のときにだけ行えば処理効率はよくなります。

	[1]	[2]	[3]	[4]	[5]	[6]	[7]	[8]	[9]	[10]	[11]	[12]	[13]
prime	0	0	0	1	0	1	0	1	0	1	0	1	0

[14]	[15]	[16]	[17]	[18]	[19]	[20]	[21]	[22]	[23]	[24]	[25]
1	0	1	0	1	0	1	0	1	0	1	0

これを実現するため，図2のプログラムでは「prime[i] = 0」のときにだけ，図1のプログラムの　　　　で囲まれた部分を実行します。そのため，iの値が2，3のときは，上の表と同じ処理が行われますが，iの値が4のときは，既にprime[4]が1なので処理は行われません。iの値が5のときは上の表と同じ処理が行われます。したがって，βで示された行の実行回数は，iの値が4のときの処理を除いた27 − 5 = 22回です。

※4　「どうしてmまでなの?」と気になると思います。実は本例題のプログラムは，「エラトステネスのふるい」によって素数を求めるプログラムです。この方法では，2〜nまでの数の中から素数を求める場合，$\sqrt{n}$まで操作すればよいことが知られています。

4.5 ハフマン符号化を使ってデータを圧縮する

例題

次の記述中の［ a ］と［ b ］に入れる正しい答えの組合せを，解答群の中から選べ。

複数の記号から成る記号列を，ハフマン符号化の手法を用いて圧縮する。ここで，記号列に現れる各記号は互いにまったく独立に出現するものとする。

ハフマン符号化とは，記号列の中で，よく出てくる記号に対しては短い符号語長の符号を与え，あまり出てこない記号に対しては長い符号語長の符号を与える方法である。これにより，記号列の圧縮が可能になる。

ハフマン符号を作り出すには，次の手順でハフマン木を作成する。

〔ハフマン木の作成手順〕

(1) 各記号を出現回数の降順に並べる。同じ出現回数をもつ記号はどちらが先でもかまわない。

(2) 出現回数の最も少ない記号とその次に少ない記号を葉として，新たな節を設ける。その節にそれら二つの記号の出現回数の合計を与える。その節から出現回数が少ない記号に向かう枝に1というラベルを，もう片方の枝に0というラベルを与える。

(3) (2)で作成した節を新たな記号と見なして，新たに節を作ることができなくなるまで(2)を繰り返す。

作成されたハフマン木の最上位の節(根)から各記号に至る各枝に与えられたラベルの系列が，その記号のハフマン符号である。

例えば，記号列が「AAAABBC」である場合，ハフマン木は図のようになり，記号A，B，Cのハフマン符号は，それぞれ0，10，11となる。ここで，図中の節の横にある括弧内の数値は各記号の出現回数である。

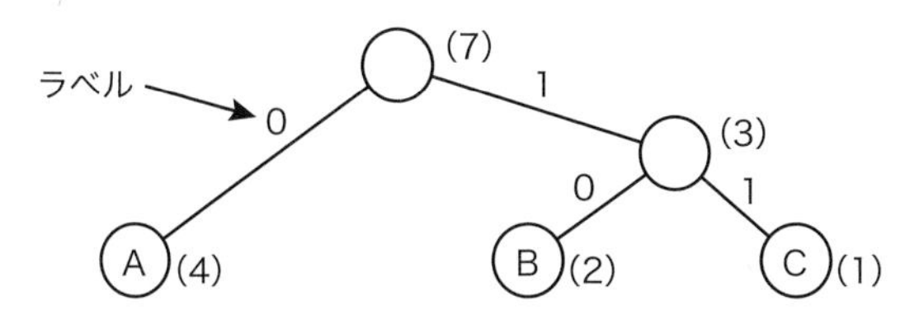

図　記号列AAAABBCに対応するハフマン木

記号列「AAAABBCDCDDACCAAAAA」をハフマン符号化したとき，記号A，B，C，Dのハフマン符号は，それぞれ0，[a]，[b]，100となる。

解答群

	a	b
ア	001	00
イ	010	01
ウ	100	10
エ	101	11

解説　　解答：エ

本例題は，ハフマン符号化を用いた記号列圧縮の問題です。問題文に示された，ハフマン符号化の手順に従って，落ち着いて解答することがポイントです。

問われているのは，記号列「AAAABBCDCDDACCAAAAA」をハフマン符号化したときの，記号BとCのハフマン符号です。各記号の出現回数は，次のようになります。

記号	A	B	C	D
出現回数	10	2	4	3

（全記号数：19）

では，問題文に示された手順に従って，ハフマン木を作成していきます。

(1) 各記号を出現回数の降順に並べる。

A(10)，C(4)，D(3)，B(2)　　＊()内の数字は出現回数

(2) 出現回数の最も少ない記号とその次に少ない記号を葉として，新たな節を設ける。その節にそれら二つの記号の出現回数の合計を与える。その節から出現回数が少ない記号に向かう枝に1というラベルを，もう片方の枝に0というラベルを与える。

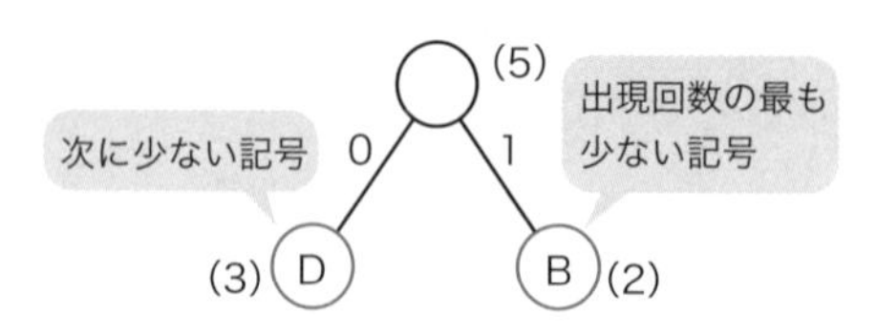

(3) (2)で作成した節を新たな記号と見なして，新たに節を作ることができなくなるまで(2)を繰り返す。

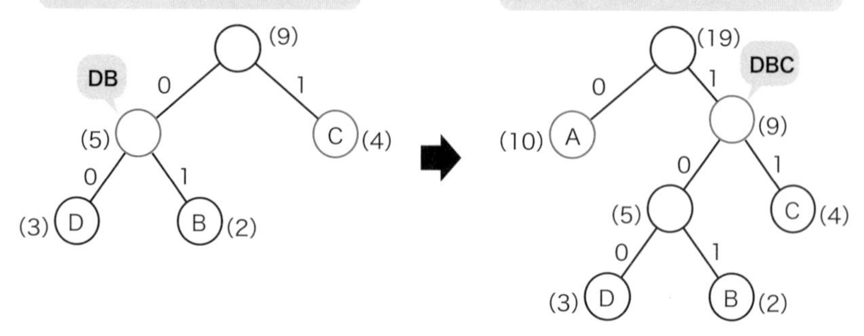

以上，ハフマン木(図右)が完成できました。では，このハフマン木から各記号のハフ

マン符号を求めてみます。

ハフマン木の最上位の節(根)から当該記号に至る各枝に与えられたラベルを順に並べればよいので,

- 記号Aのハフマン符号は「0」
- 記号Bのハフマン符号は「**101**」
- 記号Cのハフマン符号は「**11**」
- 記号Dのハフマン符号は「100」

となります。したがって,空欄aには101,空欄bには11が入ります。

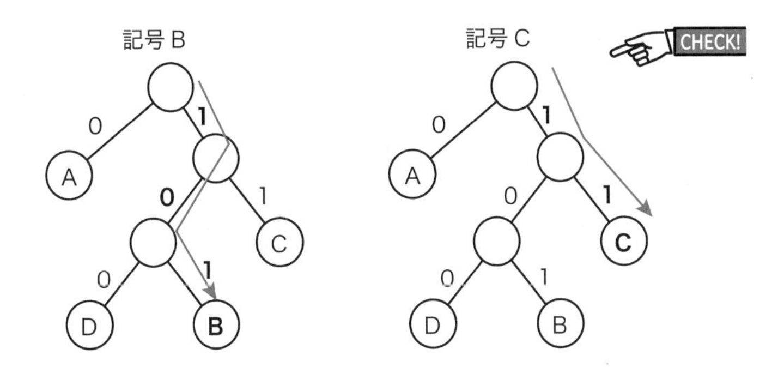

COLUMN ハフマン符号の問題では圧縮率が問われる?

ハフマン符号を題材とした問題では,圧縮率が問われることがあります。ここでは,記号列「AAAABBCDCDDACCAAAAA」(19記号)の圧縮率を求めてみましょう。**圧縮率**の計算式は,次のとおりです。

$$圧縮率 = \frac{ハフマン符号化によって圧縮したときの総ビット長}{Nビットの固定長で表現したときの総ビット長}$$

固定長で表現するとき,記号列に現れる記号の種類は4種類なので,各記号はそれぞれ2ビットの固定長で表現できます[※1]。2ビット固定長で表現した場合,記号列の総ビット長は,2ビット×19記号=38ビットです。これに対して,ハフマン符号化によって圧縮したときの総ビット長は,

　Aの総ビット長+Bの総ビット長+Cの総ビット長+Dの総ビット長
= (1ビット×10) + (3ビット×2) + (2ビット×4) + (3ビット×3)
= 33ビット

となり,圧縮率は「33÷38≒0.87」となります。

※1　2ビットで表現できる符号は,「00, 01, 10, 11」の4種類です。

4.6 整列済の二つの配列を併合する

例題

次の記述中の [a] と [b] に入れる正しい答えの組合せを，解答群の中から選べ。ここで，配列の要素番号は1から始まる。

関数mergeは，引数で与えられた整列済の二つの配列slist1とslist2を併合し，整列した一つの配列listを返す関数である。

このプログラムは，α及びβで示すwhile文の条件式に誤りがあり，正しく動作しない。例えば，関数mergeをmerge（{2, 4, 6, 10, 15},{6, 11, 17, 25}）として呼び出したとき，配列 [a] の要素番号 [b] の値が配列listに格納されない。

〔プログラム〕

```
○整数型の配列: merge(整数型の配列: slist1, 整数型の配列: slist2)
  整数型: num1 ← slist1の要素数
  整数型: num2 ← slist2の要素数
  整数型の配列: list ← {(num1 ＋ num2)個の未定義の値}
  整数型: i ← 1, j ← 1, k ← 1
  while ((i ≦ num1) and (j ≦ num2))
    if (slist1[i] ＜ slist2[j])
      list[k] ← slist1[i]
      i ← i ＋ 1
    else
      list[k] ← slist2[j]
      j ← j ＋ 1
    endif
    k ← k ＋ 1
  endwhile
  while (i ＜ num1)   ⬅ α
    list[k] ← slist1[i]
    i ← i ＋ 1
    k ← k ＋ 1
  endwhile
  while (j ＜ num2)   ⬅ β
    list[k] ← slist2[j]
    j ← j ＋ 1
    k ← k ＋ 1
  endwhile
  return list
```

解答群

	a	b
ア	slist1	3
イ	slist1	5
ウ	slist2	1
エ	slist2	4

解説

解答：エ

本例題は，併合（マージ）処理の理解度を確認する問題です。併合とは，**二つのデータ列を合わせて一つにまとめること**をいいます。二つのデータ列をそれぞれ昇順に整列し，データの値の大小を比較しながら併合していくことで昇順に整列した一つのデータ列を作ることができます。

最初に，併合の処理手順を確認しておきましょう。ここでは，整列済みの二つのデータ列をA，Bとし，新しく作成するデータ列をCとした場合の処理手順を説明します。

CHECK!

〔併合の処理手順〕

(1) 二つのデータ列AとBから，それぞれデータを一つずつ取り出す。ここでは，Aから取り出したデータをaとし，Bから取り出したデータをbとする。

(2) データ列A，Bのどちらかが終わりに達するまで，次の処理を繰り返す。
　aとbを比較し，
　a<bなら，aをCに出力し，Aからデータを1つ取り出す。
　そうでなければ，bをCに出力し，Bからデータを1つ取り出す。

(3) 終わりに達していないデータ列のデータを，終わりに達するまで1つずつ取り出してCに出力する。

では，上記の処理手順と照らし合わせながらプログラムを見ていきましょう。なお，プログラムで使用している変数は次のとおりです。

num1	配列 slist1 の要素数
num2	配列 slist2 の要素数

i	配列 slist1 の要素番号
j	配列 slist2 の要素番号
k	配列 list の要素番号

まず，一つ目のwhile文は，「(i ≦ num1) and (j ≦ num2)」が真の間，繰り返されることになります。ということは，**「i > num1」又は「j > num2」**になったとき繰返しを終了する[※1]ことになり，これは，**配列slist1か配列slist2のどちらかが終わりに達したら繰返しを終了する**ことを意味します。

したがって，一つ目のwhile文は処理手順(2)に相当する処理です。while文の中の処理内容は，次のようになります。

※1　繰返し条件（反復条件）の否定条件が終了条件です。繰返し条件から終了条件を考えるときは，ド・モルガンの法則(p.52参照)を使いましょう。

```
                slist1かslist2のどちらかが終わりに達するまで繰り返す
while ((i ≦ num1) and (j ≦ num2))
  if (slist1[i] < slist2[j])
    list[k] ← slist1[i]          slist1[i] < slist2[j]なら
    i ← i+1                      slist1[i]をlist[k]に格納し，iの値を+1する
  else
    list[k] ← slist2[j]          slist1[i] < slist2[j]でなければ
    j ← j+1                      slist2[j]をlist[k]に格納し，jの値を+1する
  endif
  k ← k + 1    list[k]への格納が終わったので，kの値を+1する
endwhile
```


次に，αおよびβで示されたwhile文は処理手順(3)に相当する処理です。配列slist1が終わりに達していなければ，αで示されたwhile文で残りの要素を配列listに格納します。一方，配列slist2が終わりに達していない場合は，βで示されたwhile文で残りの要素を配列listに格納します。

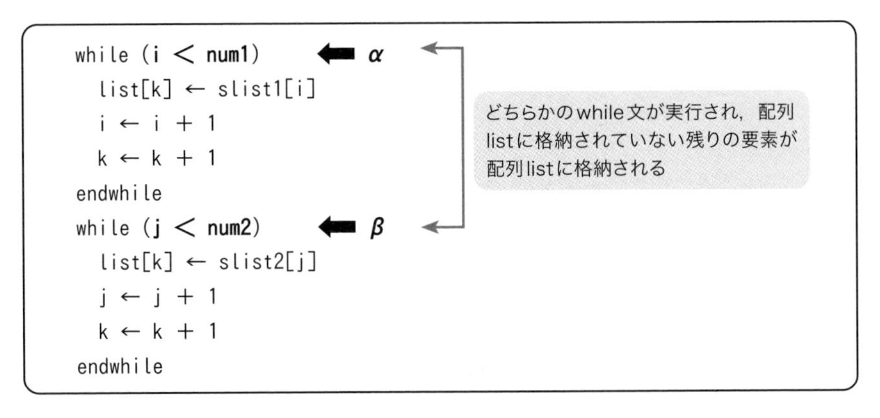

ここで，配列slist1の最後の要素の要素番号がnum1，配列slist2の最後の要素の要素番号がnum2であることに注意すると，αで示されたwhile文の条件式では，「i ＝ num1」のとき繰返しを終了してしまうため，最後の要素slist1 [num1]をlistに格納できません。同様に，βで示されたwhile文の条件式ではslist2 [num2]をlistに格納できません。このことから，本例題で問われている「配列listに格納されない要素」とは，**一つ目のwhile文で終わりに達しなかった配列の最後の要素**ということになります。では，具体的に見てみましょう。

関数mergeをmerge({2, 4, 6, 10, 15} , {6, 11, 17, 25})として呼び出すと，一つ目のwhile文で次の処理が行われます。

	[1]	[2]	[3]	[4]	[5]	
配列 slist1	2	4	6	10	15	num1＝5
配列 slist2	6	11	17	25		num2＝4

＊「k ← k ＋ 1」は省略

i	j	k	slist1[i]	:	slist2[j]	実行文
1	1	1	slist1[1]＝2	<	slist2[1]＝6	list[1] ← **slist1[1]**, i ← i+1
2	1	2	slist1[2]＝4	<	slist2[1]＝6	list[2] ← **slist1[2]**, i ← i+1
3	1	3	slist1[3]＝6	＝	slist2[1]＝6	list[3] ← slist2[1], j ← j+1
3	2	4	slist1[3]＝6	<	slist2[2]＝11	list[4] ← **slist1[3]**, i ← i+1
4	2	5	slist1[4]＝10	<	slist2[2]＝11	list[5] ← **slist1[4]**, i ← i+1
5	2	6	slist1[5]＝15	>	slist2[2]＝11	list[6] ← slist2[2], j ← j+1
5	3	7	slist1[5]＝15	<	slist2[3]＝17	list[7] ← **slist1[5]**, i ← i+1
6	(i ＞ num1）になったので繰返し処理を終了					

これを見ると，終わりに達しなかった配列はslist2です。したがって，配列listに格納されないのは，配列slist2の最後の要素slist2[4]（すなわち，配列slist2の４番目の要素）の値です。

なお，αおよびβで示されたwhile文の正しい条件式は，次のとおりです。

- αで示されたwhile文：**正しい条件式は「i ≦ num1」**
- βで示されたwhile文：**正しい条件式は「j ≦ num2」**

〔補足〕 CHECK!

一つ目のwhile文で終わりに達しなかった配列がslist1であるかslist2であるかの判断を行うために上記のような実行表を書いていると時間がかかります。そこで，次の点に着目します。

slist1[i]とslist2[j]を比較し，小さい方の値をlistに格納する処理を繰り返すわけですから，slist1の最後の要素slist1[5]よりも小さな値であるslist2[1]とslist2[2]はlistに格納されるはずです。また，slist2の最後の要素slist2[4]よりも小さな値であるslist1[1]～slist1[5]もlistに格納されるはずです。この点に気付けば，一つ目のwhile文で終わりに達しなかった配列はslist2であると判断できます。

COLUMN 番兵を用いた併合（マージ）

本例題のプログラムを，**番兵**を用いてシンプルな（短い）プログラムにしてみましょう。番兵を用いれば，一つのwhile文だけで併合処理が可能です。つまり，α及びβで示されたwhile文が不要になります。では，具体的に説明します。

二つの配列slist1とslist2のそれぞれの末尾（最後の要素の次の要素）に，いずれの配列の中にも存在しない大きな値（ここでは，これをmaxとする）を番兵として追加しておきます。

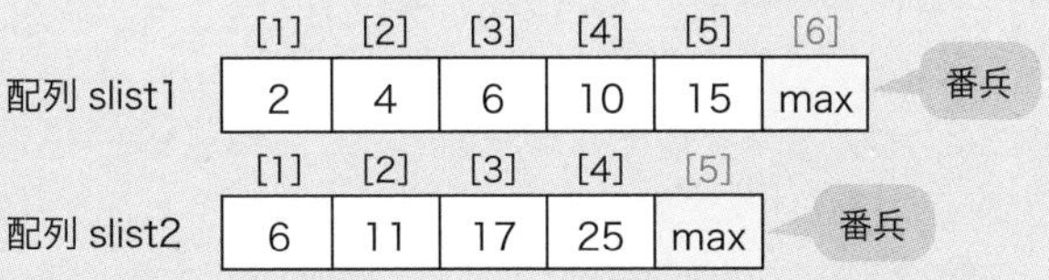

	[1]	[2]	[3]	[4]	[5]	[6]	
配列 slist1	2	4	6	10	15	max	番兵

	[1]	[2]	[3]	[4]	[5]	
配列 slist2	6	11	17	25	max	番兵

そして，while文の条件式を「slist1[i] ≠ max or slist2[j] ≠ max」に書き換えて，slist1[i]とslist2[j]が両方ともmaxになったとき繰返しを終了するようにします。これにより，slist1の最後の要素slist1[6]（すなわち，max）よりも小さな値であるslist2[1]～slist2[4]がlistに格納でき，またslist2の最後の要素slist2[5]（すなわち，max）よりも小さな値であるslist1[1]～slist1[5]もlistに格納できます。プログラムは次のようになります。

〔プログラム〕

```
整数型：i ← 1, j ← 1, k ← 1
while (slist1[i] ≠ max or slist2[j] ≠ max)
  if (slist1[i] < slist2[j])
    list[k] ← slist1[i]
    i ← i＋1
  else
    list[k] ← slist2[j]
    j ← j＋1
  endif
  k ← k ＋ 1
endwhile
```

本例題で学習した**併合**の処理手順は基本アルゴリズムの一つです。上記の番兵を用いた併合処理と合わせて理解しておきましょう。

4.7 文字列を圧縮する

例題

次の記述中の[a]と[b]に入れる正しい答えの組合せを，解答群の中から選べ。ここで，配列の要素番号は1から始まる。

関数compressionは，文字型の配列Sを受け取り，Sに格納された英数字及び空白からなる文字列を可逆圧縮する関数である。圧縮後の文字列は配列Pに格納し，戻り値として返す。可逆圧縮とは，圧縮後の文字列から圧縮前の文字列を復元することが可能な圧縮のことをいう。プログラムの前提条件を次に示す。

〔前提条件〕

(1) 圧縮対象の文字列中に同じ文字が16文字以上連続することはないものとする。

(2) 圧縮前及び圧縮後の文字列の終端を識別するために，配列S及びPの末尾の要素には終端文字"#"が格納されている。終端文字は圧縮の対象とはならない。

(3) 配列Pに格納する"*"は圧縮マーク文字であり，圧縮の開始を示す。

関数compressionが使う関数decToHexは，引数で指定された整数値を16進文字にして返す。例えば，decToHex(5)として呼び出したときの戻り値は"5"，decToHex(10)として呼び出したときの戻り値は"a"となる。

関数compressionをcompression({"I", "E", "E", "E", "#"})として呼び出したとき，戻り値の配列Pの要素番号3の値は[a]となる。

また，compression({"A", "B", "C", "D", "D", "D", "D", "D", "D", "D", "A", "B", "C", "#"})として呼び出したとき，圧縮後の文字列の長さは，圧縮前の文字列の長さに比べて[b]文字短くなる。

〔プログラム〕

```
○文字型の配列: compression(文字型の配列: S)
  文字型の配列: P ← {}  // 要素数0の配列
  整数型: i ← 1
  整数型: c ← 1
  do
    i ← i + 1
    if (S[i − 1] = S[i])
      c ← c + 1
    else
      if (c > 2)
        Pの末尾 に "*" を追加する
        Pの末尾 に decToHex(c)の戻り値 を追加する
        Pの末尾 に S[i − 1]の値 を追加する
      else
        do
          Pの末尾 に S[i − c]の値 を追加する
          c ← c − 1
        while (c ≠ 0)
      endif
      c ← 1
    endif
  while (S[i] ≠ "#")
  Pの末尾 に "#" を追加する
  return P
```

解答群

	a	b
ア	"3"	3
イ	"3"	4
ウ	"E"	3
エ	"E"	4

4

解説　　解答：イ

関数compressionは，ランレングス符号を用いて文字列を圧縮する関数です。ランレングス符号とは，**同じ文字が連続している部分をその反復回数と文字の組みに置き換えて文字列を短くする方法**のことです。連長圧縮法とも呼ばれます。科目Ａ試験では「ランレングス符号とは？」と問われることがあるので覚えておきましょう。

さて本例題で問われているのは，関数compressionの戻り値，すなわち圧縮後の配列Ｐの状態と短縮文字数です。プログラムの実行文を一つ一つトレースして正解を求める方法もありますが，時間がかかります。そこで，本解説では「どの場合に，何を行っているのか」といった視点でプログラムを見ていきます。なお，プログラムの解読法については，解説の後の「コラム」にも記載してますので参考にしてください。

(1) do-while文の中の処理内容から変数cの用途を確認する　CHECK!

プログラムの中で特に重要な変数はcです。まず，変数cの用途を確認します。

do-while文の中の処理を見ると，初期値が1である変数iの値を＋1した後，Ｓ[i－1]とＳ[i]を比較しています。そして，等しければ変数cの値を＋1して，次の文字を比較し，さらに等しければcの値を＋1します。これは，最初に比較した文字と同じ文字が連続して現れる間，cの値を＋1するという操作です。したがって，変数cは，最初に比較した文字が連続して現れた回数（以下，連続回数という）ということになります。

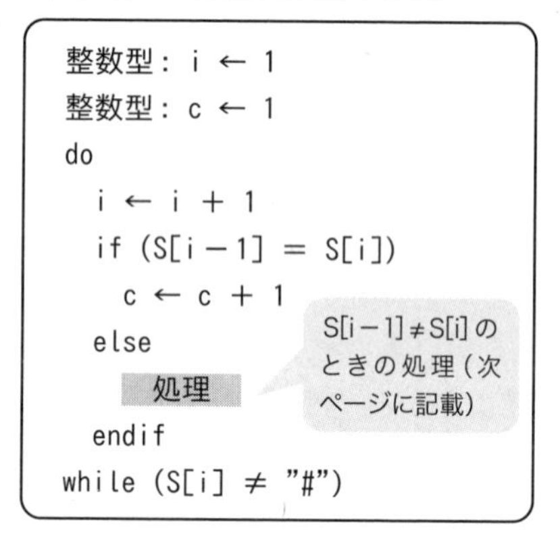

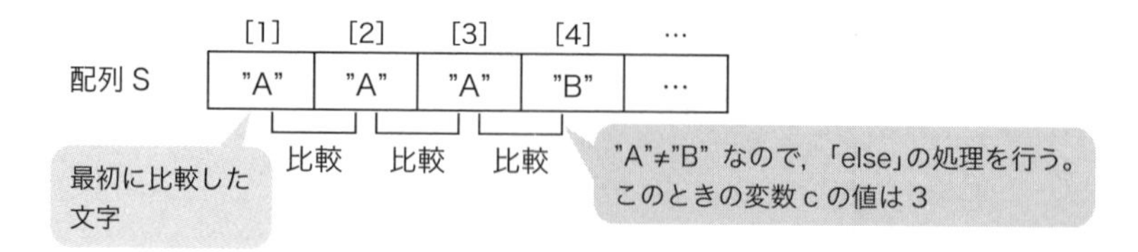

(2) S[i－1]≠S[i]のときの処理を確認する

Ｓ[i－1]がＳ[i]と等しくないとき（すなわち，同じ文字ではなくなったとき）の処理は，変数cの値によって次の①と②分かれます。

```
if (c > 2)
    Pの末尾 に "*" を追加する※1
①  Pの末尾 に decToHex(c)の戻り値 を追加する
    Pの末尾 に S[i − 1]の値 を追加する
else
    do
      Pの末尾 に S[i − c]の値 を追加する
②     c ← c − 1
    while (c ≠ 0)
endif
c ← 1        変数cの再設定
```

① 変数cの値が2より大きいとき(連続回数が3以上のとき)

配列Pの末尾に“*”を追加しています。“*”は圧縮マーク文字なので，①の処理で圧縮を行っていることになります。

では，具体例を基に処理内容を確認しておきましょう。例えば，配列Sが下図左の場合，S[i−1]が“A”，S[i]が“B”のとき①の処理に入ります。このときの変数cの値は3なので，配列Pには下図右の値が追加されます。

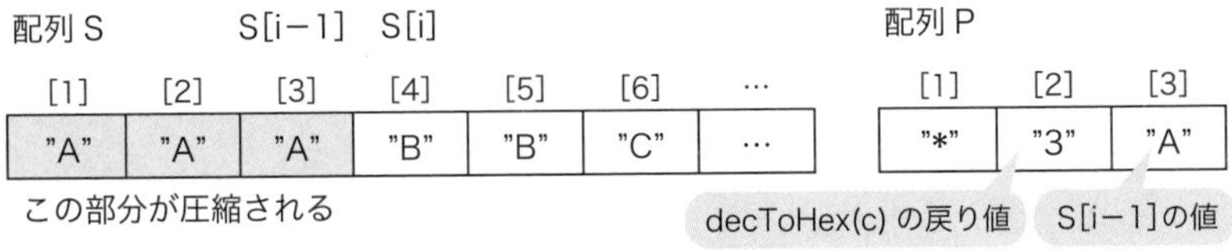

配列S　　S[i−1]　S[i]

[1]	[2]	[3]	[4]	[5]	[6]	…
"A"	"A"	"A"	"B"	"B"	"C"	…

この部分が圧縮される

配列P

[1]	[2]	[3]
"*"	"3"	"A"

decToHex(c) の戻り値　S[i−1]の値

② 変数cの値が2以下のとき(連続回数が2以下のとき)

①の処理で圧縮を行っているということは，②の処理では圧縮なしの処理，つまり，配列Sの文字をそのまま配列Pに追加しているはずです。プログラムで確認してみましょう。上図でS [1] ～S [3] の圧縮が行われた後，変数cが1に再設定されます。そして，iの値が6のとき②の処理に入ります。このとき変数cの値は2なのでdo-while文は次の2回繰り返され，S[4]とS[5]がそのまま配列Pに追加されることが分かります(次ページの図も参照）。

- cの値が2のとき：S [i − c] ＝S [6 − 2] ＝S [4] ＝"B"を配列Pの末尾に追加
- cの値が1のとき：S [i − c] ＝S [6 − 1] ＝S [5] ＝"B"を配列Pの末尾に追加

※1　要素数が0として宣言された配列Pに値を格納する場合，「配列Pの末尾 に ○○ を追加する」という処理を行います(p.23参照)。「追加」を「格納」と読み替えても構いません。

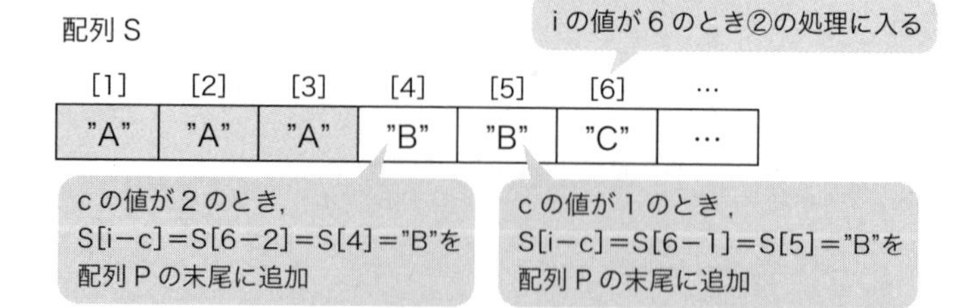

以上，変数cの用途，及びcの値によって分岐される「圧縮を行う処理」と「圧縮せずにそのまま配列Pに追加する処理」の確認ができました。処理概要をまとめると下記のようになります。

〔処理概要〕

連続回数(連続して現れた回数)が,

- 2文字以下なら，そのまま配列Pの末尾に追加
- 3文字以上なら，「"*"，連続回数，文字」を配列Pの末尾に追加

圧縮マーク文字

では，この処理概要を基に空欄a，bを考えます。

▶空欄a

関数compressionをcompression({"I", "E", "E", "E", "#"})として呼び出したとき，戻り値の配列Pの要素番号3の値が問われています。

最初の文字"I"は，連続回数が1なのでそのまま配列Pの末尾に追加されます。"E"は，連続回数が3なので圧縮処理され，「"*", "3", "E"」が配列Pの末尾に追加されます。そして，処理終了後に終端文字"#"が追加されるので，戻り値の配列Pは次のようになります。したがって，要素番号3の値は"3"です。

配列S

[1]	[2]	[3]	[4]	[5]
"I"	"E"	"E"	"E"	"#"

➡

配列P

[1]	[2]	[3]	[4]	[5]
"I"	"*"	"3"	"E"	"#"

▶空欄b

関数compressionをcompression({"A", "B", "C", "D", "D", "D", "D", "D", "D", "D", "A", "B", "C", "#"})として呼び出したとき，圧縮後の文字列の長さは，圧縮前の文字列の長さに比べて何文字短くなるか問われています。

同様に考えると，配列Pは次のようになります。圧縮前の文字数は14，圧縮後の文字数は10なので**4**文字短くなります。

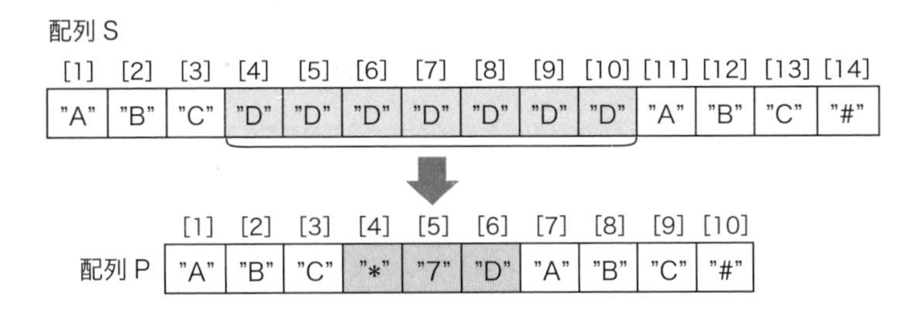

COLUMN プログラムの解読法

CHECK!

プログラムの解読で重要なのは，まず**プログラム全体を把握する**ことです。細かな処理はとりあえず気にせず，選択処理や繰返し処理のブロックでプログラムを見ます。その後，各ブロックの処理をさらにブレイクダウンしていき，必要であれば具体例を基に確認していきます。

本例題の場合，プログラム全体を下図のように把握できれば，その後の細かな部分の解読もスムーズにいくと思います。

S[i]が終端文字"#"になるまで繰り返す

```
do
  i ← i + 1
  if (S[i − 1] = S[i])
    c ← c + 1
  else
    if (c > 2)
      圧縮して「"*"，連続回数，文字」を追加する処理
    else
      圧縮せずにそのまま追加する処理
    endif
    c ← 1
  endif
while (S[i] ≠ "#")
Pの末尾 に "#" を追加する
return P
```

同じ文字が連続する間，cを+1する

同じ文字ではなくなったら，この処理を行う

cの再設定

全体の流れを把握する時点では，ブラックボックス化しておく

4.8 ハッシュ法でデータを登録する

例題

次のプログラム中の [a] と [b] に入れる正しい答えの組合せを，解答群の中から選べ。ここで，配列の要素番号は1から始まる。

手続hashは，引数として与えられた整数型の配列dataに格納されている正の整数データを，ハッシュ法を用いてテーブルに登録する手続である。ハッシュ法では，ハッシュ関数と呼ぶ計算式を用いて，対象データを限定された範囲の値（ハッシュ値）に変換し，この値を利用してテーブル上の格納位置を決定する。ここではハッシュ関数として，次の式を用いる。

ハッシュ値 ＝ 整数データ値を5で割った余り ＋ 1

また，異なるデータのハッシュ値が等しくなる場合の解決方法として，ハッシュ値が等しいデータ同士をチェーンで繋ぐ方式を用いる。

テーブルは，大域にある整数型の二次元配列hashTbl（以下，単にhashTblという）で構成される。各行の1列目の要素に整数データを，2列目の要素にチェーン（後続データを格納した場所の行番号）を格納する。hashTblの1行目から5行目までは，ハッシュ値が等しい最初の整数データを格納する。ハッシュ値が等しい2個目以降の後続データは，その発生順に6行目以降に格納する。なお，hashTblは初期値として，全ての要素に0が格納されている。

図は，手続hashをhash({4, 12, 17, 18, 22})として呼び出し，五つの整数データを順にhashTblへ登録した状態を示したものである。

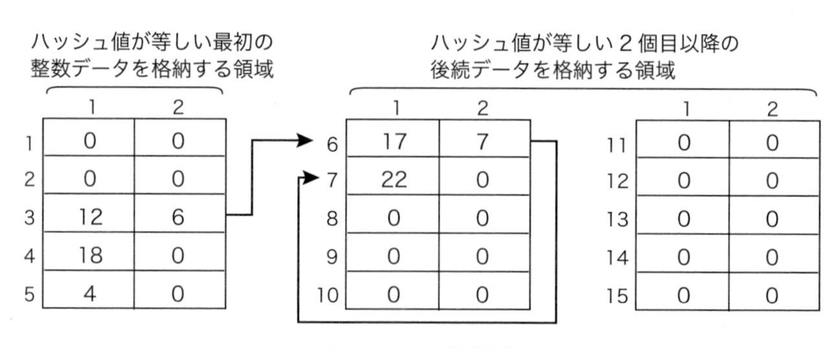

	1	2
1	0	0
2	0	0
3	12	6
4	18	0
5	4	0

	1	2
6	17	7
7	22	0
8	0	0
9	0	0
10	0	0

	1	2
11	0	0
12	0	0
13	0	0
14	0	0
15	0	0

図　hashTbl登録例

〔プログラム〕

```
/* hashTblは，15行2列の二次元配列で，全ての要素は0で初期化されている */
大域：整数型の二次元配列：hashTbl ← {15行2列の 0}
大域：整数型：idx ← 6

○hash(整数型の配列：data)
  整数型：i, h, k
  for (i を 1 から dataの要素数 まで 1 ずつ増やす)
    h ← (data[i] ÷ 5 の余り) + 1
    if (hashTbl[h, 1] = 0)
      [   a   ] ← data[i]
    else
      while (h ≠ 0)
        k ← h
        h ← hashTbl[h, 2]
      endwhile
      hashTbl[idx, 1] ← data[i]
      [   b   ]
      idx ← idx + 1
    endif
  endfor
```

解答群

	a	b
ア	hashTbl[h, 1]	hashTbl[idx, 2] ← k
イ	hashTbl[h, 1]	hashTbl[idx, 2] ← h
ウ	hashTbl[h, 1]	hashTbl[k, 2] ← idx
エ	hashTbl[idx, 1]	hashTbl[k, 2] ← h
オ	hashTbl[idx, 1]	hashTbl[h, 2] ← k
カ	hashTbl[idx, 1]	hashTbl[h, 2] ← idx

解説

解答：ウ

手続hashは，ハッシュ法を用いて整数データをテーブルに登録する手続きです。ハッシュ法では，データをハッシュ関数によって変換した値（ハッシュ値という）を，そのデータの格納位置として用います。そのため，異なるデータのハッシュ値が等しい場合，後続データを登録することができません。この問題を解決するため本例題では，ハッシュ値が等しいデータ同士をチェーンで繋ぐ方式を用いています。本例題の処理条件を下記にまとめます。

CHECK!

〔処理条件〕

(1) 次の式をハッシュ関数として用いる。

ハッシュ値 ＝ 整数データ値を5で割った余り ＋ 1

(2) hashTblの，各行の1列目の要素に整数データを，2列目の要素にチェーン（後続データを格納した場所の行番号）を格納する。

(3) hashTblの1行目から5行目までは，ハッシュ値が等しい最初の整数データを格納する。ハッシュ値が等しい2個目以降の後続データは，その発生順に6行目以降に格納する。

最初に，問題文に示された例を確認しておきましょう。

配列data {4, 12, 17, 18, 22} の中でハッシュ値が等しいデータは，12，17，22の三つです（いずれもハッシュ値が3）。最初のデータ12は**hashTbl[3，1]**に格納され，データ17と22は，6行目以降の**hashTbl[6，1]**，**hashTbl[7，1]**に格納されています。そして，**hashTbl[3，2]に6**を，**hashTbl[6，2]に7**を格納することで，この三つのデータを「12→17→22」の順に繋いでいることが分かります。

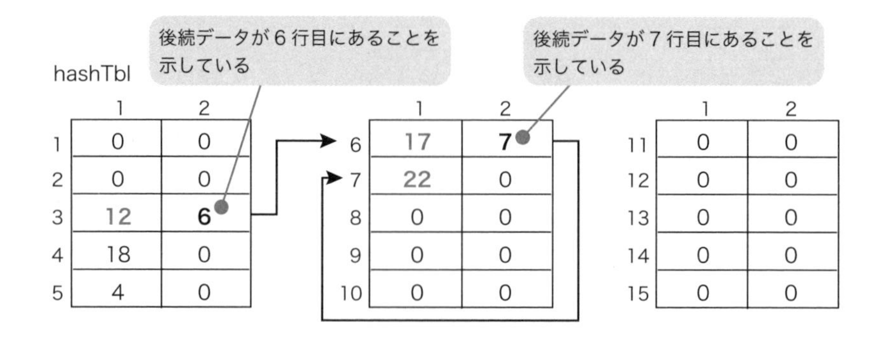

	1	2
1	0	0
2	0	0
3	12	6
4	18	0
5	4	0
6	17	7
7	22	0
8	0	0
9	0	0
10	0	0
11	0	0
12	0	0
13	0	0
14	0	0
15	0	0

では，空欄a，bを見ていきましょう。

▶空欄a

変数hに，data[i]のハッシュ値（すなわち，data[i]を格納すべきhashTblの行番号）を求めています。hashTbl[h, 1]が0であれば，data[i]が，同じハッシュ値をもつ最初のデータです。この場合，hashTbl[h, 1]に格納すればよいので，空欄aには，hashTbl[h, 1]が入ります。

```
h ← (data[i] ÷ 5 の余り) + 1
if (hashTbl[h, 1] = 0)
  [   a   ] ← data[i]
else
  処理
endif
```

hashTbl[h, 1]が0でないときの処理(下記に記載)

4

▶空欄b

空欄bが含まれるのは，hashTbl[h, 1]が0でないときの処理です。hashTbl[h, 1]が0でないということは，同じハッシュ値のデータが既にhashTbl [h, 1]に格納されていて，data[i]はその後続データということです。この場合，6行目以降に格納します。

ここで，変数idxの役割（用途）を確認しておきます。idxの初期値は6です。そして，data[i]をidx行目に格納した後，idxの値を＋1しています。このことから，**idxは，ハッシュ値が等しい2個目以降の後続データを格納する行番号**です。

さて，空欄bには何を入れればよいでしょう？ プログラムを確認してみましょう。

while文では，変数hの値をkに代入し，hにhashTbl [h, 2]の値を代入するという操作を，変数hの値が0でない間，繰り返しています。hashTbl [h, 2]に格納されている値は，hashTbl [h, 1]のデータの，後続データが格納されている行番号です。したがって，後続データがなくなったとき，hの値が0になりwhile文が終了します。

```
while (h ≠ 0)
  k ← h
  h ← hashTbl[h, 2]
endwhile
hashTbl[idx, 1] ← data[i]
[   b   ]
idx ← idx + 1
```

ハッシュ値が等しい2個目以降の後続データを格納する行番号

例えばhashTblが前ページの状態のとき，さらに同じハッシュ値をもつデータ27を登録する場合，変数hの値が「3，6，7，0」と変化してwhile文が終了します。このときの変数**kの値は7**であり，「**7**」はデータ22が格納されている行番号です。

while文の終了後，データ27をhashTbl [idx, 1]に格納したら，これをデータ22の次に繋げるためにidxの値を，データ22の行のhashTbl [**7**, 2]に格納する必要があります。データ22の行番号**7**は変数kに求められているので，空欄bで「hashTbl[k, 2] ← idx」を行えばよいことになります。

COLUMN チェーン方式の処理は「リスト処理」！

ハッシュ法における**チェーン方式**の処理は，一種のリスト処理です。同じハッシュ値をもつデータ12，17，22を順に登録した下図のhashTblから，行番号3，6，7の行だけを抜き出すとリスト構造になっていることが分かると思います。

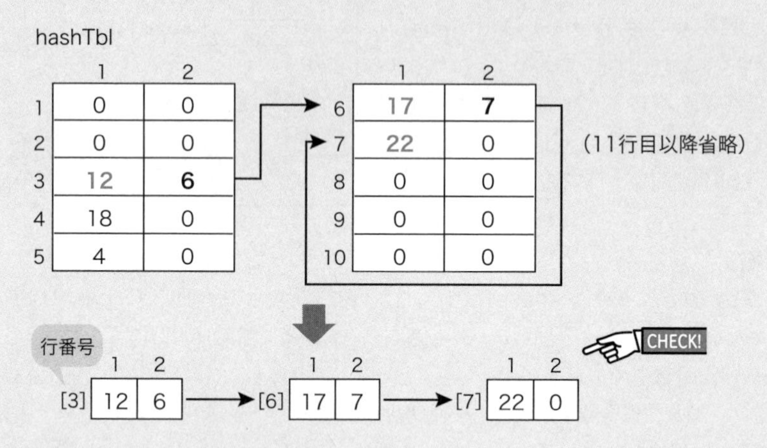

上図のhashTblに，データ12，17，22と同じハッシュ値をもつ新たなデータ（例えば，データ27）を登録する処理は，リストの末尾に新たな要素27を追加することと同じです。では，上図のリストを見ながら，本例題のプログラム（右記）を確認してみましょう。ここで，while文に入る前の変数hの値は3です。またidxの値は8，data[i]は27です。なお，④の実行文が空欄bです。

h	idx	data[i]
3	8	27

```
  while (h ≠ 0)
①   k ← h
②   h ← hashTbl[h, 2]
  endwhile
③ hashTbl[idx, 1] ← data[i]
④ hashTbl[k, 2] ← idx
  idx ← idx + 1
```

(1) while文の処理

- 繰返し1回目

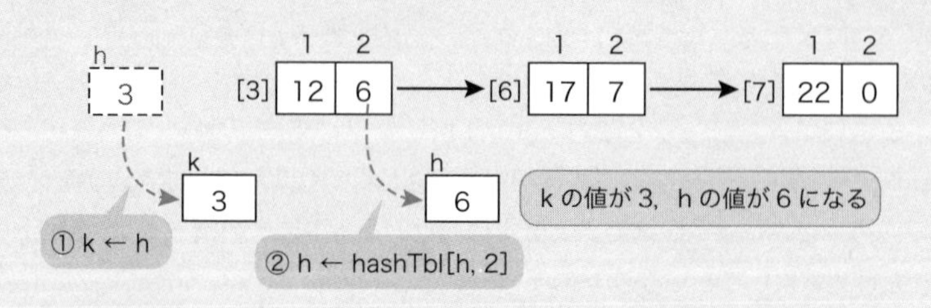

● 繰返し2回目

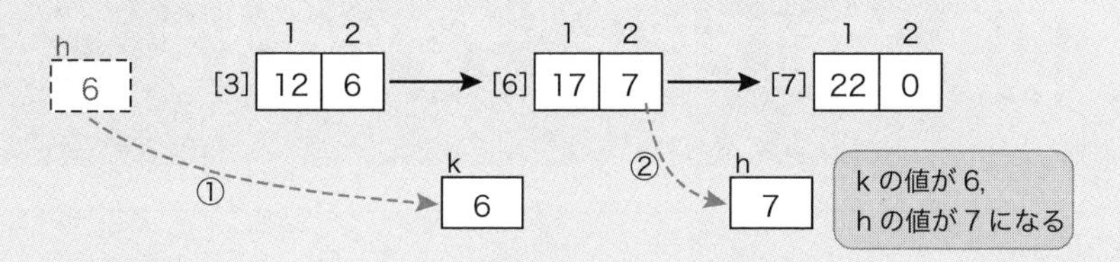

● 繰返し3回目

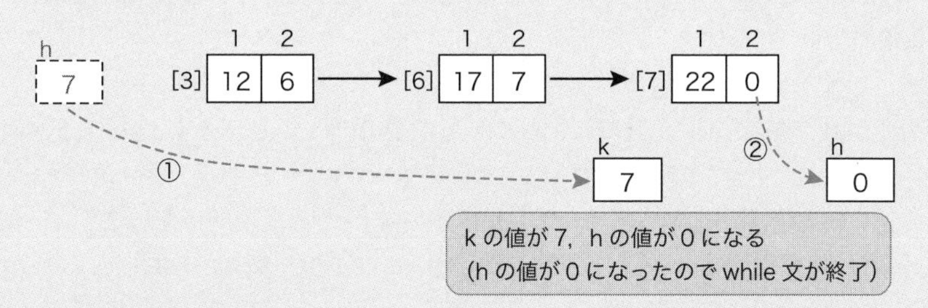

(2) while文が終了した後の処理

③の実行文でデータ27がhashTbl[8，1]に格納されます。そして，while文が終了したときのkの値は**7**なので，④の実行文でhashTbl[**7**，2]に8が格納されます。これにより，データ22の後続データとしてデータ27が追加できました。

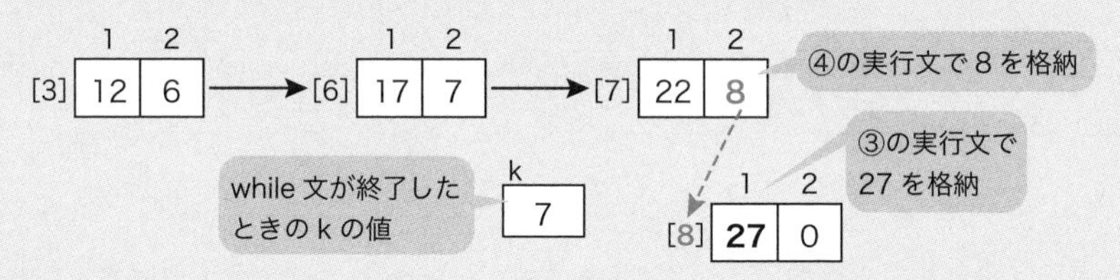

〔補足〕

本例題のプログラムは，hashTbl[h，1]が0でないときの処理を，変数kを使わず下記プログラムのようにシンプルに記述することができます。本例題で変数kを使ったのは，プログラムの解読を難しくするためです。本試験でも，わざと解読を難しくした問題が出題されると思いますが，プログラムの基本事項を理解し応用できるようにしておけば，どんな問題が出題されても大丈夫です！ 頑張りましょう！

```
while (hashTbl[h, 2] ≠ 0)
  h ← hashTbl[h, 2]
endwhile
hashTbl[idx, 1] ← data[i]
hashTbl[h, 2] ← idx
idx ← idx + 1
```

なお，右記のプログラムと第2章で学習した「リストの末尾に要素を追加する処理」のプログラム(p.71)を比べてみてください。同じロジックになっています。

4.9 配列上にヒープを作成する

例題

次の記述中の[　　　　]に入れる正しい答えを，解答群の中から選べ。ここで，配列の要素番号は1から始まる。

手続makeHeapは，引数で与えられた整数型のデータをヒープに追加する手続である。ヒープとは，全ての親が一つ又は二つの子をもつ2分木であり，どの親と子をとっても,「親の値 ≦ 子の値」あるいは「親の値 ≧ 子の値」という大小関係が成り立つ。本問では,「親の値 ≦ 子の値」であるヒープを考える。ヒープの例を図1に示す。

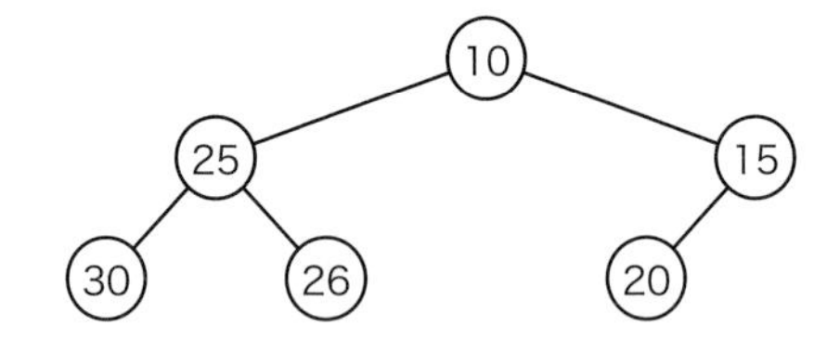

注記１　○の中の値は各節が保持する値である。
注記２　最後の親(値 15 の節)は，左の子だけでもよい。

図1　ヒープの例

プログラムでは配列を用いてヒープを実現する。具体的には，木の根の値を配列の先頭要素に格納し，i番目の要素に格納した節の左の子の値を2×i番目の要素に，右の子の値を2×i+1番目の要素に格納する。図2は，図1のヒープを配列で実現したものである。

	[1]	[2]	[3]	[4]	[5]	[6]
配列 heap	10	25	15	30	26	20

図2　図1のヒープを配列で実現したもの

ここで，左の子の要素番号をchとすると，右の子の要素番号はch ＋ 1となる。このとき，この二つの子の親の要素番号pはch ÷ 2で求められる。

新しいデータをヒープに追加する手順を次に示す。

〔追加手順〕

(1) ヒープの末尾に新しいデータを追加する。

(2) 追加した位置(要素番号)をrとする。

(3) rが1になるか,「要素番号rを子とする親の値 ≦ 要素番号rに格納されている値」になるまで次の操作を繰り返す。

・親の値と子の値を交換する。

・rに, 要素番号rの親の要素番号を設定する。

手続makeHeapをmakeHeap(5), makeHeap(8), makeHeap(3)の順に呼出し, 処理が終了した直後のheapの内容は, [　　　　] である。

〔プログラム〕

```
大域: 整数型の配列: heap ← {}      /* 空のヒープ(要素数0) */
大域: 整数型: n ← 0                /* 要素数              */

○swap(整数型: i, 整数型: j)
  整数型: tmp
  tmp ← heap[i]
  heap[i] ← heap[j]
  heap[j] ← tmp

○makeHeap(整数型: num)      /* numの値をヒープに追加する */
  整数型: r, p
  heapの末尾 に numの値 を追加する
  n ← n + 1
  r ← n
  p ← r ÷ 2
  while ((r ≧ 2) and (heap[p] > heap[r]))
    swap(p, r)
    r ← p
    p ← r ÷ 2
  endwhile
```

解答群

ア	{3, 5, 8}	イ	{3, 8, 5}	ウ	{5, 3, 8}
エ	{5, 8, 3}	オ	{8, 3, 5}	カ	{8, 5, 3}

解説　　解答：イ

手続makeHeapは，新しいデータをヒープに追加する手続です。問われているのは，手続makeHeapをmakeHeap(5)，makeHeap(8)，makeHeap(3)の順に呼出した後の配列heapの内容です。したがって，この順に手続makeHeapを呼び出し，プログラムをトレースしていけば正解を求めることができます。しかし，配列上でヒープを操作するためには，親の要素番号や子の要素番号を把握しなければならず少々ゴチャゴチャしますし大変です。そこで本解説では，2分木（以下，2分木ヒープという）で考えていくことにします。まず，本例題のポイントを三つ確認しておきましょう。

(1) 2分木ヒープと配列heapの関係　CHECK!

図2の配列heapは，図1の2分木ヒープを配列で実現したものです。配列heapの要素の並びを見ると，図1の2分木ヒープを幅優先で探索[※1]した順になっています。ここで，配列heap（下図左）の矢印 ●⟶ は，始点，終点の二つの配列要素に対応する節が，親子関係にあることを表しています。また，下図右の ⟶ は探索順です。

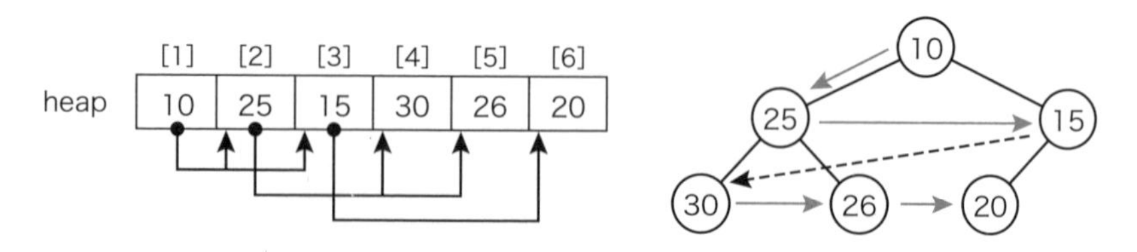

ここでのポイントは，2分木ヒープを幅優先で探索し，探索した節の値を順に格納したものが配列heapということです。このことは，科目Ａ試験対策としても重要なので覚えておきましょう。

(2) データの追加は2分木ヒープの最後の節[※2]

新たなデータは，2分木ヒープの最後の節として追加します。

例えば，図1の2分木ヒープにデータ8を追加する場合，その追加位置は値15の節（以下，節⑮という）の右の子です（右図参照）。

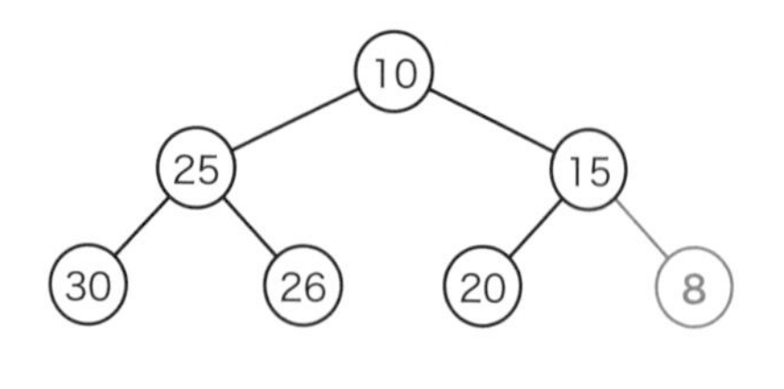

※1　幅優先探索については，「1.6.2 2分木の走査」(p.36)を参照してください。
※2　問題文の〔追加手順〕(1)に該当します。

(3) 追加後は,「親の値 ≦ 子の値」関係を再構築する※3

新たな節⑧を追加したら, 親を順に辿りながら「親の値 ≦ 子の値」になるように再構築していきます。具体的には下図の操作を行います。ここで, 図中の吹き出しは, プログラム中の変数rとpの値を表しています。トレースする際に役立ててください。

① 追加した節⑧とその親の節⑮の値を比較する。
「親の値 ＞ 子の値」なので, 親と子の値を交換する。

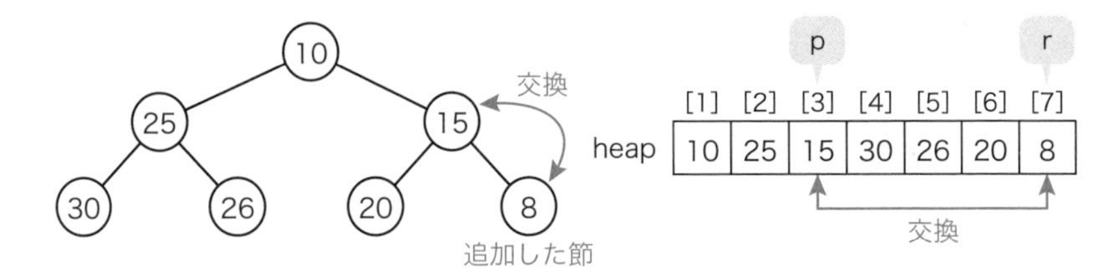

② ①の操作で親になった節⑧を子とし, 節⑧とその親の節⑩の値を比較する。
「親の値 ＞ 子の値」なので, 親と子の値を交換する。

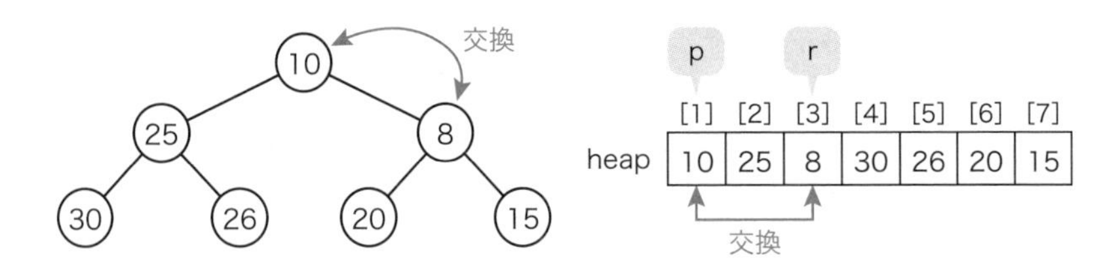

③ ②の操作で親になった節⑧が根になったので再構築を終了する。

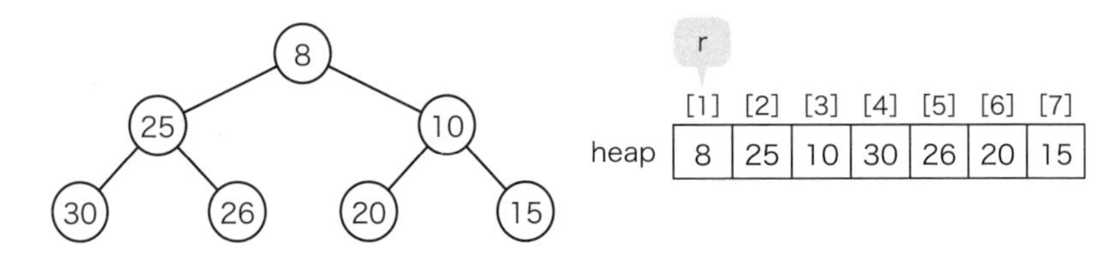

以上, 三つのポイント事項が確認できたら空欄を考えましょう。問われているのは, データを5, 8, 3の順に追加したときの配列heapの内容です。各データ(5, 8, 3)に対して先述の(2), (3)の操作を行えば解答が得られます。次のようになります。

※3 問題文の〔追加手順〕(3)に該当します。

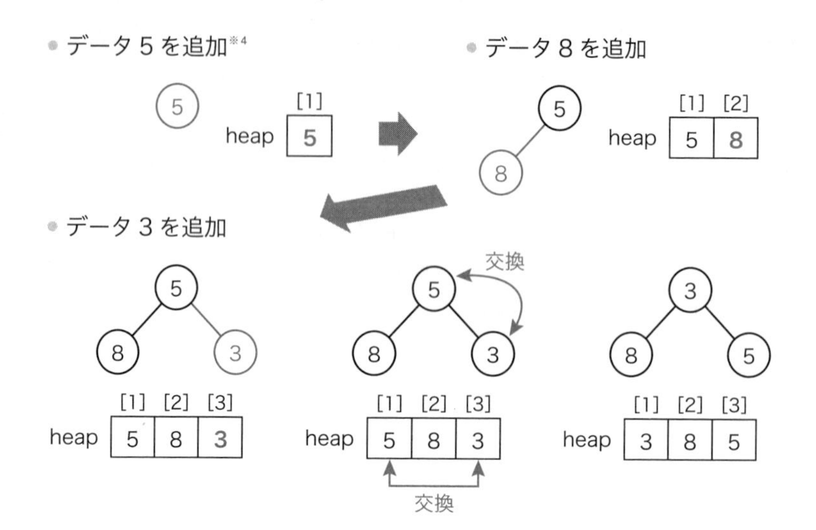

以上で操作終了です。このときの配列heapの内容は，{3, 8, 5}です。

〔補足〕

本例題のプログラムを下記に示しておきます。データを5，8，3の順に追加したときの処理を，上図を参考にトレースしてみてください。

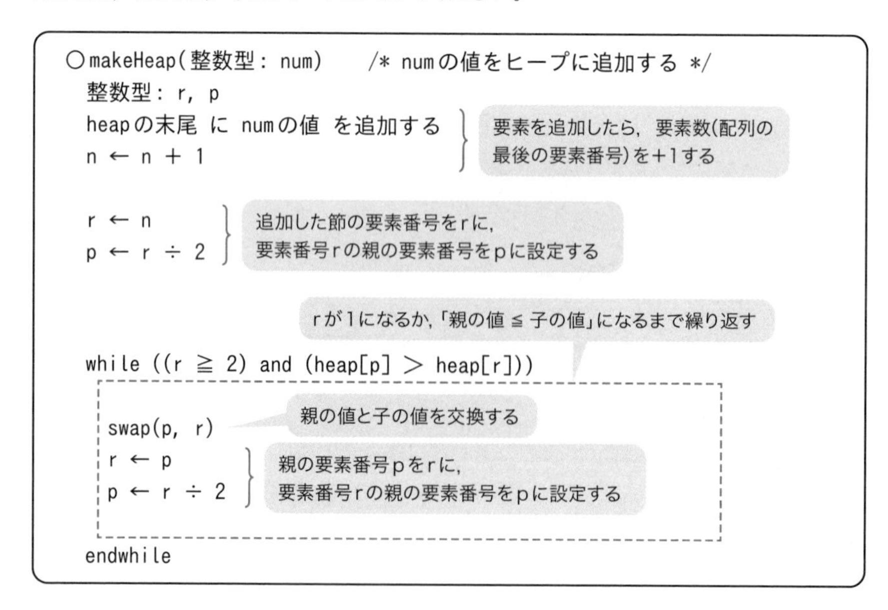

```
○makeHeap(整数型: num)    /* numの値をヒープに追加する */
  整数型: r, p
  heapの末尾 に numの値 を追加する
  n ← n + 1

  r ← n
  p ← r ÷ 2

  while ((r ≧ 2) and (heap[p] > heap[r]))
    swap(p, r)
    r ← p
    p ← r ÷ 2
  endwhile
```


※4 最初，配列heapの要素数は0なので，データ5は空のヒープへの追加になります。

COLUMN ヒープの性質を使った整列法がヒープソートだ！

「親の値 ≦ 子の値」の関係が成り立つ**ヒープ**の場合，常に根の値が最小値です。**ヒープソート**は，この性質を利用してデータを整列する方法です。

具体的には，「ヒープから根の値（最小値）を取り出し」，「ヒープの最後の節を根に移動してヒープを再構成する」という操作をヒープの節がなくなるまで繰り返します。そして，取り出した根の値を，取り出した順に並べると整列が完成するという仕組みです。下図は，本例題の図1を使ったヒープソートの例です。説明は省略していますが，処理のイメージは分かると思います。ヒープソートの概要を押さえてください。

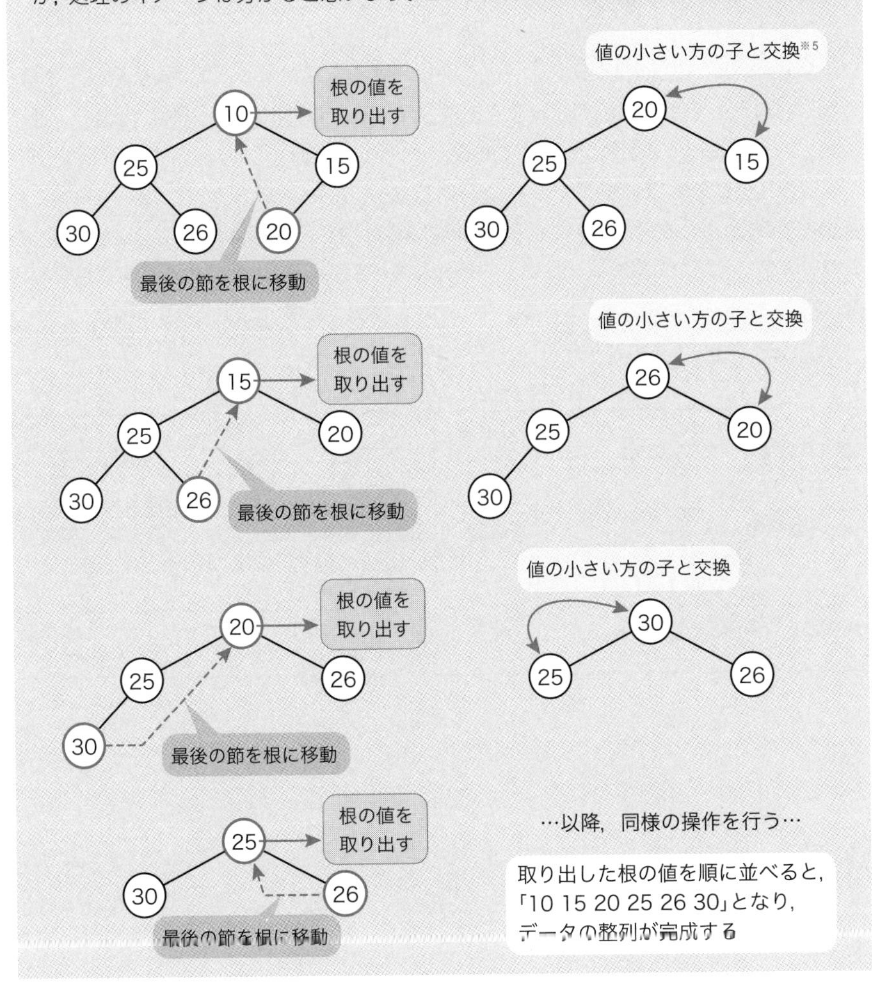

※5　交換した子に子が存在する場合は，葉に向かって同様の操作を行っていきます。

スタックを再帰的な手続で操作する

例題

次の記述中の □ に入れる正しい答えを，解答群の中から選べ。ここで，配列の要素番号は1から始まる。

手続procは，三つのスタックA，B，Cを操作する手続である。スタックA，B，Cは，大域にある整数型配列の配列stackで実現され，stack[1]がスタックA，stack[2]がスタックB，stack[3]がスタックCである。

三つのスタックA，B，Cのいずれの初期状態も{1，2，3}であるとき，再帰的に定義された手続procを呼び出して終了した後のスタックBの状態は □ となる。ここで，スタックが，$\{a_1, a_2, \cdots, a_{n-1}\}$ の状態のときにa_nをpushした後のスタックの状態は$\{a_1, a_2, \cdots, a_{n-1}, a_n\}$となる。手続procが使う関数の説明を表に示す。

表　手続procが使う関数の説明

関数	戻り値	説明
push (整数型 : n，整数型 : val)	なし	第 1 引数 n で指定されたスタックの末尾に，第 2 引数 val で指定された数値を追加する
pop (整数型 : n)	整数型	引数 n で指定されたスタックの末尾の要素を取り出して返す。なお，取り出された要素はスタックから削除される
empty (整数型 : n)	整数型	引数 n で指定されたスタックが空かどうかを調べ，空なら 0，空でなければ 1 を返す

〔プログラム〕

```
大域: 整数型配列の配列 : stack ← {{1, 2, 3},  /* スタックAの初期状態 */
                                  {1, 2, 3},  /* スタックBの初期状態 */
                                  {1, 2, 3}}  /* スタックCの初期状態 */

○proc()
  if (empty(1)の戻り値 が 0 と等しい)
    /* 何もしない */
  else
    push(3, pop(1))
    proc()
    push(2, pop(3))
  endif
```

解答群

ア {1, 2, 3, 1, 2, 3}　　イ {1, 2, 3, 3, 2, 1}

ウ {3, 2, 1, 1, 2, 3}　　エ {3, 2, 1, 3, 2, 1}

4

解説　　解答：ア

手続procは，**スタック**を操作する再帰的な手続です。「3.15 再帰関数の戻り値を求める」（p.116）で学習した内容を思い出しながら，再帰的なプログラムの特徴を確認しておきましょう。

CHECK!

〔再帰的なプログラムの特徴〕

- 再帰的なプログラムには，再帰呼出しを終了する条件（すなわち，自分自身をこれ以上呼び出さずに呼出し元に戻る条件）が必ずある。これを**再帰の出口**という。
- 再帰的なプログラムは，再帰の出口に達するまでは自身を呼び出していき，再帰の出口に達したら呼出し元に戻っていく。

手続procでは，条件式「**empty(1)の戻り値 が 0 と等しい**」が再帰の出口の条件になります。関数emptyは，引数で指定されたスタックが空かどうかを調べ，空なら0，空でなければ1を返す関数です。引数で指定される値は，スタックを識別する値で，1ならスタックA，2ならスタックB，3ならスタックCです。したがって，**スタックAが空でなければ自身を呼び出し，空であれば呼出し元に戻っていく**ことになります。この点に着目してプログラムを見ていきます。

その前に，push(3, pop(1))とpush(2, pop(3))の動作を確認しておきましょう。

- push (3, pop (1))：スタックAからpopした値を，スタックCにpushする
- push (2, pop (3))：スタックCからpopした値を，スタックBにpushする

さて手続procでは，スタックAからpopした値をスタックCにpushした後，自分自身であるproc()を呼び出す処理を，スタックAが空になるまで行うことになります。

スタックAの初期状態は{1, 2, 3}なので，手続procの3回目の呼出しで空になり，4回目の呼出しで再帰の出口に達します。

スタックAが空ならば何も処理をせずにif文が終了し，呼出し元に戻る

```
○proc()
  if (empty(1)の戻り値 が 0 と等しい)
    /* 何もしない */
  else
    push(3, pop(1))
    proc()
    push(2, pop(3))
  endif
```

このときのスタックCの状態は{1, 2, 3, 3, 2, 1}です(網部分がpushされた値)。

スタックA, B, Cの初期状態
A:{1, 2, 3}　B:{1, 2, 3}　C:{1, 2, 3}

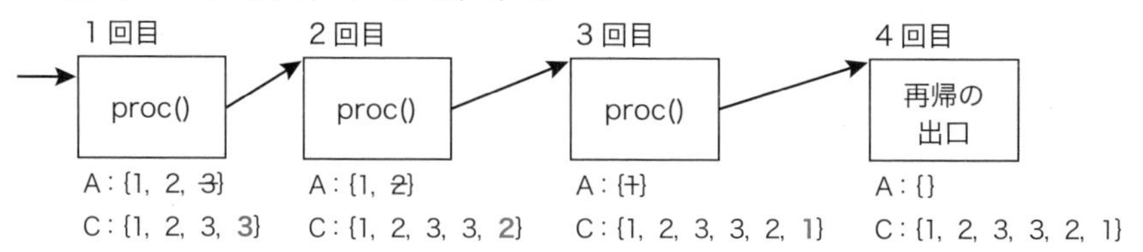

再帰の出口に達したら(すなわち,スタックAが空ならば),今度は呼出し元に戻り,スタックCからpopした値をスタックBにpushする処理(以下,処理αという)を行います。つまり,4回目の呼出しから戻ったら処理αを行い,3回目の呼出しから戻ったら処理αを行い,2回目の呼出しから戻ったら処理αを行うことになります。スタックBの初期状態は{1, 2, 3}なので,処理α(すなわち,スタックCからpopした値をスタックBにpushする処理)を3回行うと,スタックBの状態は,{1, 2, 3, 1, 2, 3}となります(網部分がpushされた値)。

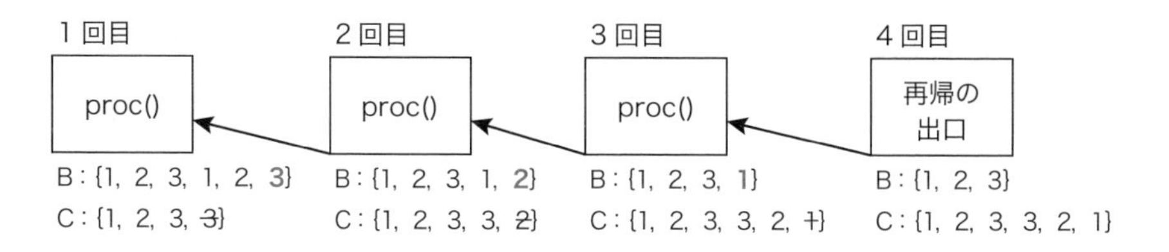

COLUMN 条件式が真のときの処理を記述しなくていいの?

実は,if文の条件式に対応する処理は,**0以上の文の集まり**であればよいことになっています。0以上ということは何も記述しなくてもOKということです。少し妙な感じがしますが,プログラムによっては「何もしない」ことを明示した方が分かりやすくなります。

本例題の場合,右のようにも記述できますが,これだと「再帰の出口」が分かりにくいと思います。

```
○proc()
  if (empty(1)の戻り値 が 0 と等しくない)
    push(3, pop(1))
    proc()
    push(2, pop(3))
  endif
```

4.11 再帰的な手続を用いて n 桁の2進数を全て出力する

例題

次の記述中の ______ に入れる正しい答えを，解答群の中から選べ。ここで，配列の要素番号は1から始まる。

n 桁の2進数を全て出力するプログラムである。手続 binaryNumber は，n 桁の2進数の左端から k 番目のビットの値（0, 1）を設定し，手続 printBin を呼び出して n 桁の2進数を出力する。手続 printBin で使用している“改行コード”は，改行を表す制御文字である。改行コードを出力することによって，出力行を次行に送ることができる。

手続 test は，1以上32以下の整数値を受け取り，これを大域の変数 n に設定した後，手続 binaryNumber を呼び出して n 桁の2進数を全て出力する。図は，手続 test を test(4)として呼び出したときの出力結果である。ここで，出力されるのは2進数のみであり，行番号は出力されない。

```
 1行目：   0000
 2行目：   0001
 3行目：   0010
 4行目：   0011
 5行目：   0100
 6行目：   0101
 7行目：   0110
 8行目：   0111
 9行目：   1000
10行目：   1001
11行目：   1010
12行目：   1011
13行目：   1100
14行目：   1101
15行目：   1110
16行目：   1111
```

図　出力結果

手続binaryNumberのαで示す行を「bin[k] ← 1」に，又βで示す行を「bin[k] ← 0」に書き換えた場合を考える。

この書換を行った後，手続testをtest(4)として呼び出したとき，3行目に出力される2進数は [　　　] である。

〔プログラム〕

```
大域: 整数型の配列: bin ← {32個の未定義の値}
大域: 整数型: n                // 2進数の桁数

○printBin()
  整数型: i
  for (i を 1 から n まで 1 ずつ増やす)
    bin[i]の値 を出力する
  endfor
  改行コード を出力する

○binaryNumber(整数型: k)
  if (k > n)
    printBin()
  else
    bin[k] ← 0               ⬅ α
    binaryNumber(k + 1)
    bin[k] ← 1               ⬅ β
    binaryNumber(k + 1)
  endif

○test(整数型: numberOfDigits)
  n ← numberOfDigits
  binaryNumber(1)
```

解答群

ア	1000	イ	1001	ウ	1010	エ	1011
オ	1100	カ	1101	キ	1110	ク	1111

解説

解答：カ

本例題は，n桁の2進数を全て出力するプログラムです。三つの手続から構成されていますが，最初に呼び出されるのは手続testです。手続testは，引数で指定された値を大域の変数nに設定した後，手続binaryNumberをbinaryNumber(1)として呼び出します。変数nは，2進数の桁数を表す変数です。したがって，手続testをtest(4)として呼び出すことで4桁の2進数を全て出力します。

さて本例題でポイントとなるのは，なんといっても手続binaryNumberの解釈です。手続binaryNumberは，n桁の2進数の左端からk番目のビット（以下，kビット目という）の値を設定する手続です。手続testからbinaryNumber(**1**)として呼び出されると，**1**ビット目から順に，自分自身を呼び出しながら配列binにビット値を設定していきます。そして再帰の出口に達したら，手続printBinにより配列binの内容を出力します。

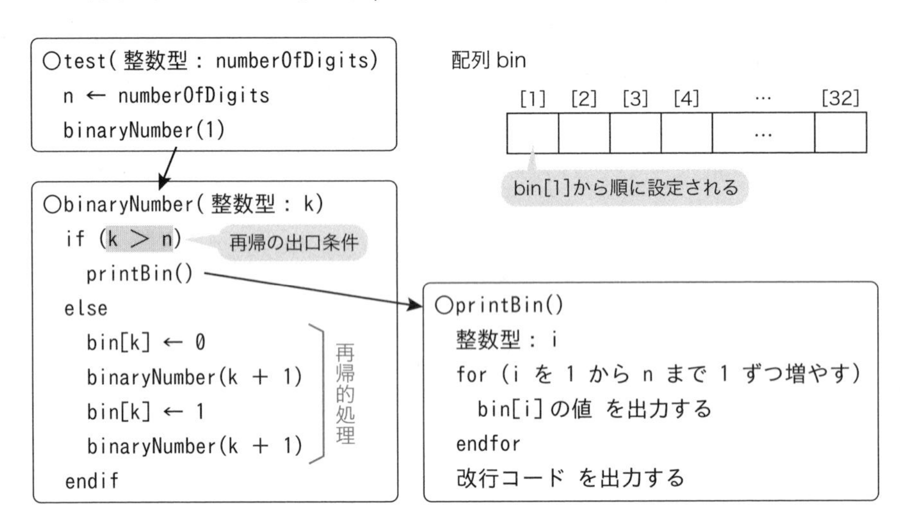

では，どのような仕組みでn桁の2進数を全て出力するのでしょう？ この仕組みが推測できれば，問われている空欄に何を入れればよいのかすぐに分かるはずです。そこでまず，1桁の2進数(変数nの値が1)のときの処理を見てみます。

次ページの図に示しましたが，手続testからbinaryNumber(1)として呼び出されると，**bin[1]に0を設定**した後，自分自身をbinaryNumber(2)として呼び出します(図①)。このとき再帰の出口に達し，手続printBinにより配列binの内容{0}が出力されます。呼出しから戻ったら，今度は**bin[1]を1に設定**して，再び自分自身をbinaryNumber(2)として呼び出すと(図②)，再帰の出口に達し，配列binの内容{1}が出力されます。そして，呼出しから戻ったら処理終了となり手続testに戻ります。

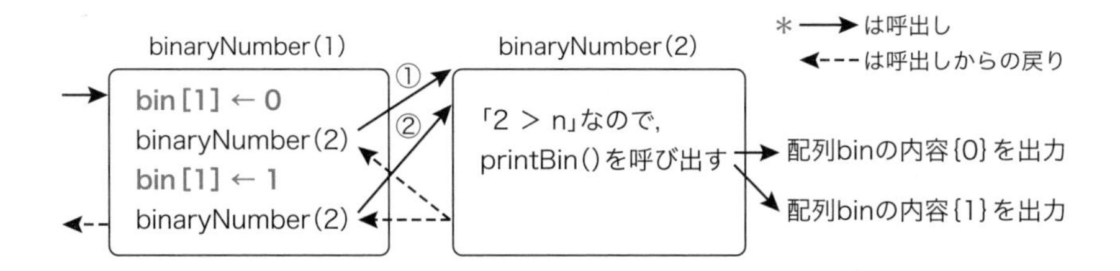

このことから，1桁の2進数の出力順は「**0，1**」となることが分かります。では，2桁(変数nの値が2)の場合は，どのような処理になるでしょう。ここでは，配列binの内容がどのように変わるのかを図にしました。色字がその時点で設定された値です。空白は未定義の値を表しています。また①～⑥は呼出しの順です。

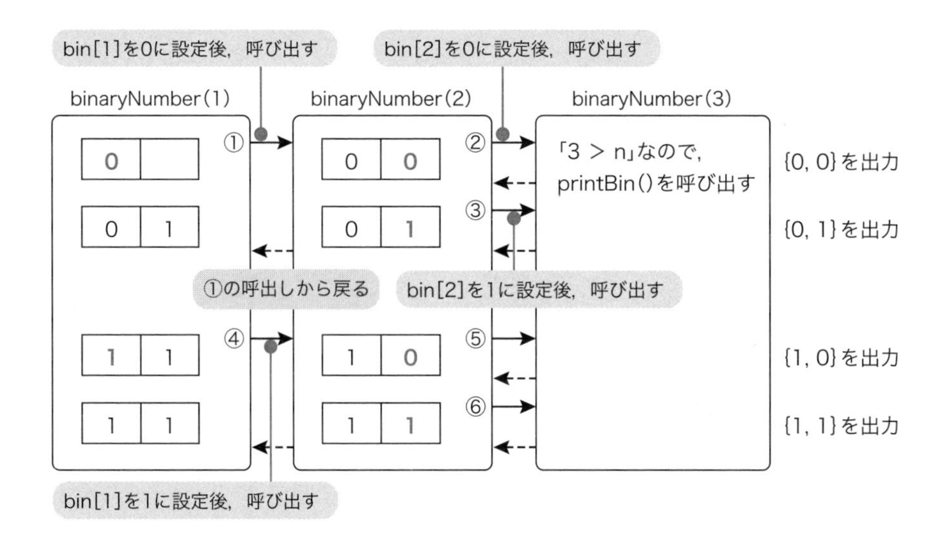

少しゴチャゴチャした図ですが，再帰の出口に達したときの配列binの内容が{0, 0}，{0, 1}，{1, 0}，{1, 1}と変化し，出力順が「00，01，10，11」となることが確認できると思います。

手続binaryNumberは，1ビット目を0に設定したら，2ビット目を0，次に1と設定するために自分自身をbinaryNumber(2)として呼び出します。そして呼出しから戻ったら，今度は1ビット目を1に設定して，再び自分自身をbinaryNumber(2)として呼び出します。これにより2桁の2進数を「00，01，10，11」の順に全て出力するわけです。仕組みが少し見えてきたでしょうか？ では上図を参考に，4桁の2進数の場合を考えましょう。配列binの内容は，次のように変化するはずです。

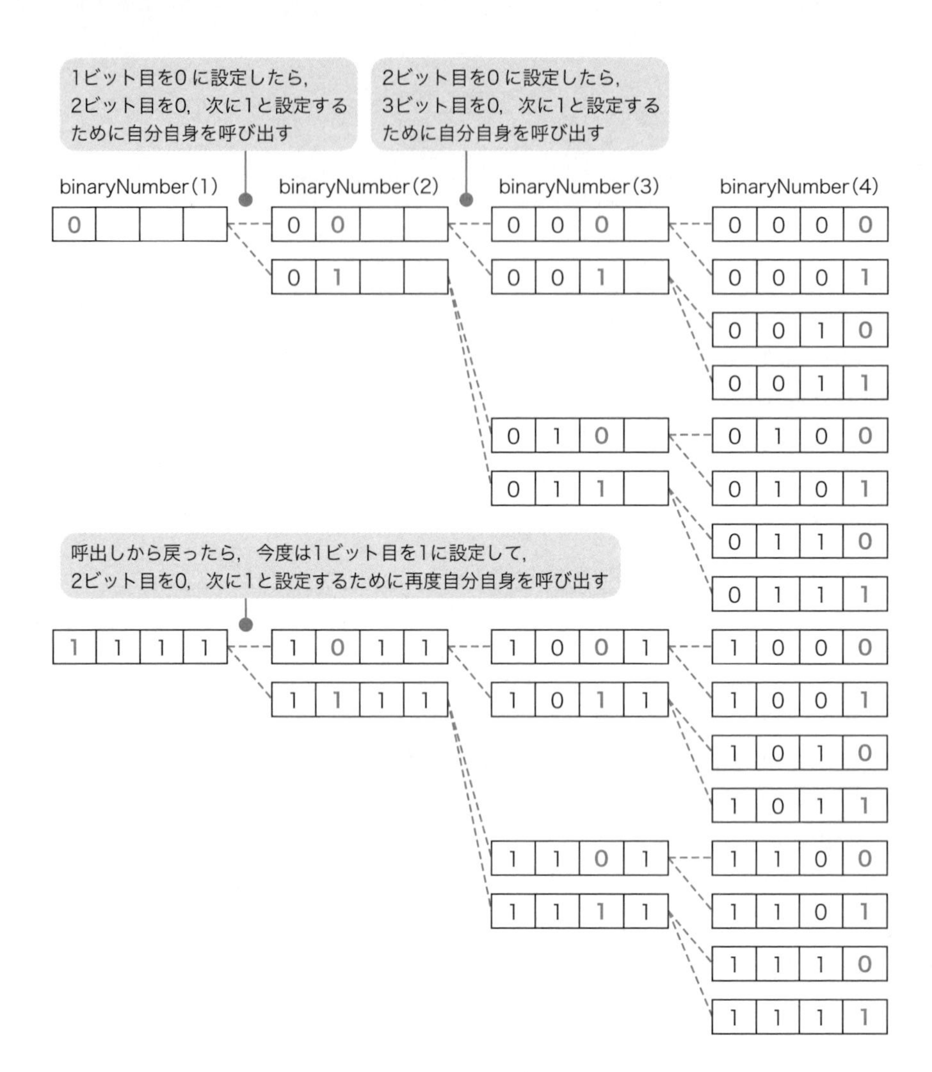

上図において，binaryNumber(4)として呼び出されたとき，4ビット目を設定した後，binaryNumber(5)として呼び出すと，配列binの内容が出力されます。したがって，最初に「0000」が出力され，次に「0001」，次に「0010」，…と出力されることになり，これは問題文の出力結果と一致します。

さて，問われているのは，αで示す行を「bin[k] ← 1」に，βで示す行を「bin[k] ← 0」に書き換えたときの，3行目に出力される2進数です。この書換を行うと，**bin[k]に設定する順番が1，0の順になります**。ということは，2桁の場合であれば出力順は「11，10，01，00」となり，これは書換前の出力順「00，01，10，11」の逆順です。

このことから考えると，４桁の場合の出力順は問題文の出力結果の逆順になるはずです。したがって，３行目に出力される２進数は「1101」です。

書換前の出力結果		書換後の出力結果	
1行目：	0000	1行目：	1111
2行目：	0001	2行目：	1110
3行目：	0010	3行目：	1101
4行目：	0011	4行目：	1100
5行目：	0100	5行目：	1011
6行目：	0101	6行目：	1010
7行目：	0110	7行目：	1001
8行目：	0111	8行目：	1000
9行目：	1000	9行目：	0111
10行目：	1001	10行目：	0110
11行目：	1010	11行目：	0101
12行目：	1011	12行目：	0100
13行目：	1100	13行目：	0011
14行目：	1101	14行目：	0010
15行目：	1110	15行目：	0001
16行目：	1111	16行目：	0000

COLUMN 手続testからbinaryNumber(2)として呼び出したらどうなる？

本例題では，手続testから手続binaryNumberをbinaryNumber(1)として呼び出していますが，これは「1ビット目から配列binに設定してください」という意味です。

では，手続testからbinaryNumber(2)として呼び出したらどうなるでしょうか？この場合，2ビット目からの処理になります。つまり，手続testをtest(4)として呼び出しても1ビット目の処理は行われないため，結果的には3桁の2進数のパターンが全て出力されることになります。ただし，本例題のプログラムでは，配列binの初期化を「bin ← {32個の未定義の値}」で行っているため，1ビット目に何が出力されるか分かりません。配列binを「bin ← {32個の0}」で初期化しておけば，1ビット目は必ず0なので，「0000，0001，0010，0011，0100，0101，0110，0111」の順に出力されます（網部分が3桁の2進数です）。

本試験では，処理の誤りや初期値設定の誤りを問う問題も出題されます。アルゴリズム問題を単に解くだけでなく，「こうしたらどうなる？」「初期値を○○にしたらどうなる？」とか，いろんな角度からアルゴリズムを考えることは，実力UPに繋がりますよ。

4.12 2分探索木からデータを探索する

例題

次のプログラム中の［ a ］と［ b ］に入れる正しい答えの組合せを，解答群の中から選べ。ここで，配列の要素番号は1から始まる。

関数lookupは，図の2分探索木から，引数で指定された値を探索する関数である。探索値が見つかればtrueを返し，見つからなかった場合はfalseを返す。true及びfalseは，論理型の定数である。

プログラムが扱う2分探索木を大域の配列btreeで表す。配列btreeの要素は，節の値と，その節の子の要素番号を，左の子，右の子の順に格納した配列である。例えば，配列btreeの要素番号1の要素{13，2，3}は，「節の値が13，左の子の要素番号が2，右の子の要素番号が3」であることを表している。なお，節が子をもたないときは−1が格納されている。

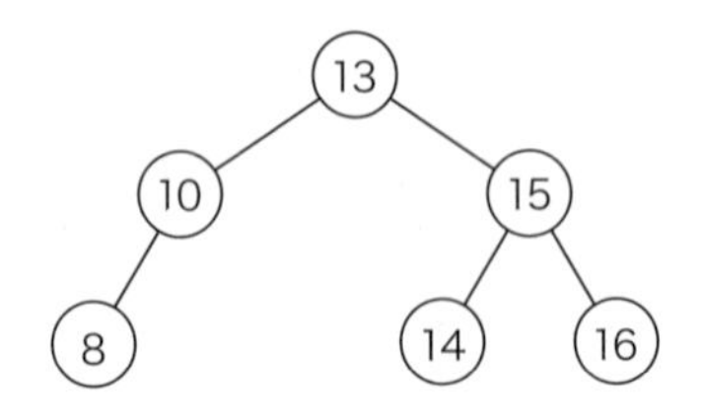

図　プログラムが扱う2分探索木

〔プログラム〕

```
大域: 整数型配列の配列: btree ← {{13, 2, 3}, {10, 5, −1}, {15, 4, 6},
                                 {14, −1, −1}, {8, −1, −1}, {16, −1, −1}}

○論理型: lookup(整数型: val)
  整数型: t ← 1
  while (t が −1 と等しくない)
    if (val が btree[t][1] と等しい)
      return true
    elseif (val が btree[t][1] より小さい)
      [    a    ]
    else
      [    b    ]
    endif
  endwhile
  return false
```

解答群

	a	b
ア	t ← btree[t][1]	t ← btree[t][2]
イ	t ← btree[t][1]	t ← btree[t][3]
ウ	t ← btree[t][2]	t ← btree[t][1]
エ	t ← btree[t][2]	t ← btree[t][3]
オ	t ← btree[t][3]	t ← btree[t][1]
カ	t ← btree[t][3]	t ← btree[t][2]

4

解説　　解答：エ

関数lookupは，配列btreeで表された2分探索木から，引数で指定された値（以下，探索値という）を見つける関数です。2分探索木とは，どの節から見ても「**左の子の値 < 節の値 < 右の子の値**」という関係が成り立つ2分木のことです。探索値を探すときは，根から葉の方向へ順次たどりながら探索を行います[※1]。

CHECK!

〔探索の手順〕

まず，探索値と木の根がもつ値とを比べて，等しければ探索は終了する。探索値の方が小さければ左の子の節に，大きければ右の子の節に移動する。移動した先の節でも同様に値を比較し，探索値が見つかるか，あるいは進む節がなくなるまで繰り返します。

空欄a，bを考える前に，図の2分探索木と配列btreeの対応を見ておきましょう。配列btreeは，整数型配列の配列です。具体的には下図左のようなイメージだと考えてください。図の2分探索木との対応は，下図のようになります。2分探索木の節の横に記した[ ]内の数値が，配列btreeの要素番号です[※2]。

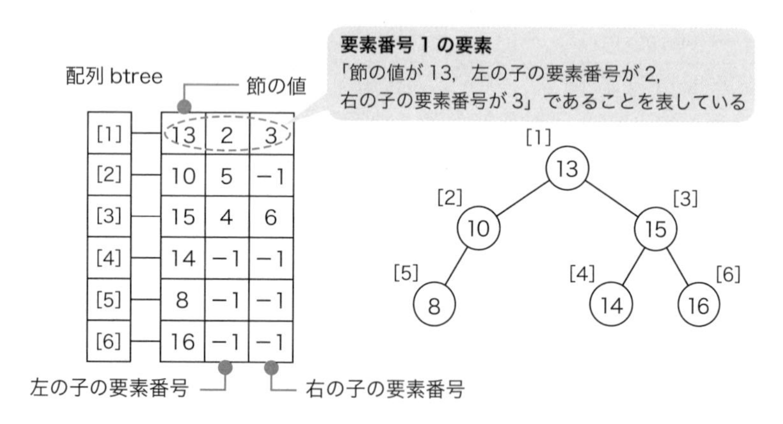

ここで，要素番号nの節の値はbtree[n][1]，左の子の要素番号はbtree[n][2]，右の子の要素番号はbtree[n][3]で表すことに注意してください。

※1　2分探索木については「1.6.3　2分探索木」（p.38）を参照してください。また本例題のプログラムと同等なプログラムを「2.6.3　2分探索木の実現」（p.74）で紹介していますので，そちらも参考にしてください。

※2　図の2分探索木は，「13，10，15，14，8，16」の順に要素を追加して作成したものです。

では，プログラムを見ていきましょう。引数で渡されたvalが探索値です。変数tは，探索する節の要素番号です。初期値として1が設定されているので，根から探索することになります。

if文の最初の条件式「val が btree[t][1] と等しい」が真，すなわち探索値と要素番号tの節の値が等しければ探索終了です。

次の条件式「val が btree[t][1] より小さい」が真，すなわち探索値が要素番号tの節の値より**小さければ左の子の節に移動**する必要があるため，変数tに移動先の左の子の節の要素番号(btree[t][2])を代入します。つまり，空欄aは「t ← btree[t][2]」です。一方，条件式「val が btree[t][1] より小さい」が偽なら，すなわち探索値が要素番号tの節の値より**大きければ右の子の節に移動**する必要があるため，変数tには右の子の節の要素番号(btree[t][3])を代入します。つまり，空欄bは「t ← btree[t][3]」です。

4

```
○論理型： lookup(整数型： val)
  整数型： t ← 1
  while (t が －1 と等しくない)
    if (val が btree[t][1] と等しい)
      return true          ← 探索値が見つかったのでtrueを返す
    elseif (val が btree[t][1] より小さい)
     a：t ← btree[t][2]    ← 左の子の節に移動
    else
     b：t ← btree[t][3]    ← 右の子の節に移動
    endif
  endwhile
  return false             ← 探索値がみつからなかったのでfalseを返す
```

〔補足〕

本例題ではif文の中の空欄a及びbを考えればよいので，while文の動作は気にする必要ありません。「進む節がなくなるまで繰り返しているんだなぁ～」程度に考えておけばよいと思います。しかし，何となく気持ちが悪いので具体例を基に確認しておきましょう。ここでは，探索値11を探索してみます。

- t＝1（繰返し1回目）：要素番号1の節の値(13)より小さいので，「t ← btree[1][2]」を行う。btree[1][2]の値は2なので，tに2が代入される（要素番号2の節に移動）。
- t＝2（繰返し2回目）：要素番号2の節の値(10)より大きいので，「t ← btree[2][3]」を行う。btree[2][3]の値は－1なので，tに－1が代入される。
- t＝ －1：条件式「t が －1 と等しくない」が偽になり，繰返しを終了する。

COLUMN 関数lookupを再帰版に書き換えてみる

本例題のプログラム(関数lookup)ではwhile文を用いて探索を行っていますが，2分探索木をはじめとした2分木は再帰的な構造をもつため，再帰呼出しを使った方法でも探索ができます。

ここでは，関数lookupを再帰版に書き換えたプログラム(関数lookup_v2)を紹介します。関数lookup_v2の第1引数valは探索値，第2引数tは探索対象となる2分探索木の根の要素番号です。条件式「tが−1と等しい」が再帰の出口条件です。

```
○論理型: lookup_v2(整数型: val, 整数型: t)
  if (t が −1 と等しい)   /* 再帰の出口 */
    return false
  endif
  if (val が btree[t][1] と等しい)
    return true
  elseif (val が btree[t][1] より小さい)
    return lookup_v2(val, btree[t][2])
  else
    return lookup_v2(val, btree[t][3])
  endif
```

関数lookup_v2の特徴は，探索値と探索対象となる2分探索木の根の値を比較して，探索値の方が小さいときは根の左部分木を，大きいときは右部分木を，次の探索対象の2分探索木とするところにあります。

例えば，lookup_v2(11, 1)として呼び出されたときの探索対象は，要素番号1の節を根とした2分探索木(下図左)になります。そして，探索値11は根の値13より小さいので，次の探索対象を要素番号1の節の左部分木，すなわち要素番号2を根とした下図右の2分探索木にします。つまり，このタイミングで自分自身をlookup_v2(val, btree[t][2])として呼び出すわけです。このときのvalは11，tは1なので，呼出しは**lookup_v2 (11, 2)**となります。

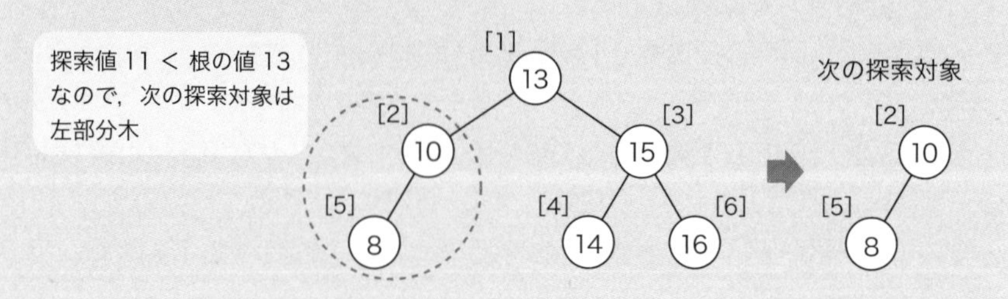

要素番号2の節を根とした2分探索木(下図左)の処理では，探索値11が根の値10より大きいので，次の探索対象を，要素番号2の節の右部分木にするため自分自身をlookup_v2(val, btree[t][3])として呼び出します。このときのvalは11，tは2なので，呼出しは**lookup_v2(11, −1)**となります。そして，この呼出しが行われると，tの値が−1なので再帰の出口に達します。

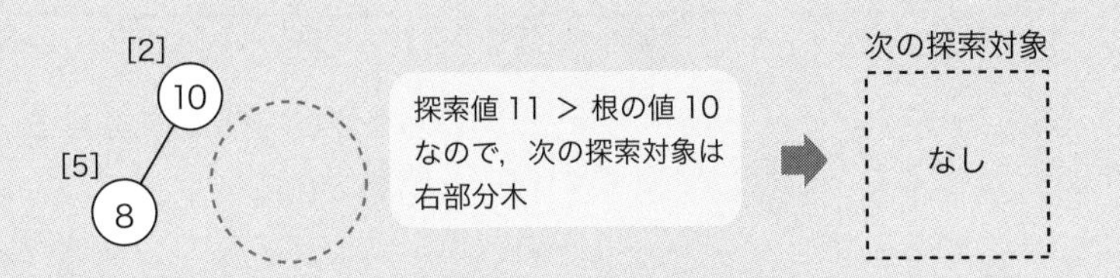

再帰の出口に達したら，今度は呼出し元に順番に戻っていきます。このときの戻り値はfalseです。下図に，関数lookup_v2をlookup_v2(11, 1)として呼び出したときの処理の流れを示します。プログラムを見ながら確認してみてください。また，探索値が見つかるケース，例えばlookup_v2(14, 1)として呼び出したときの処理の流れも確認しておきましょう。

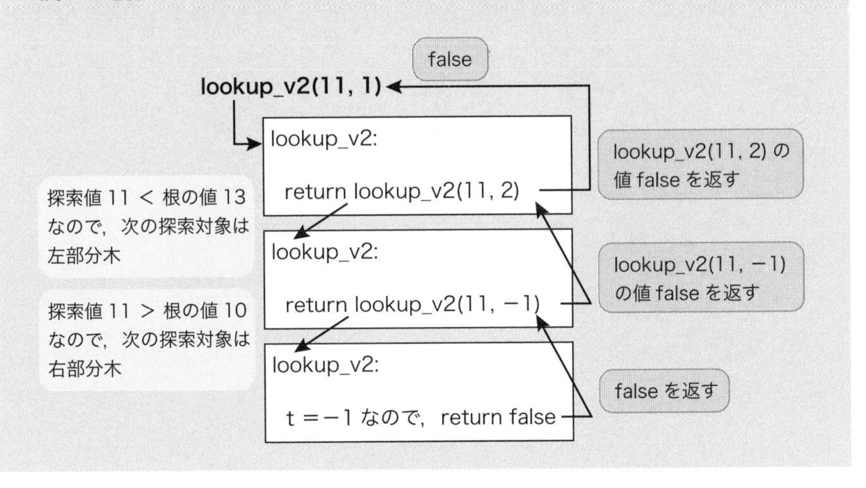

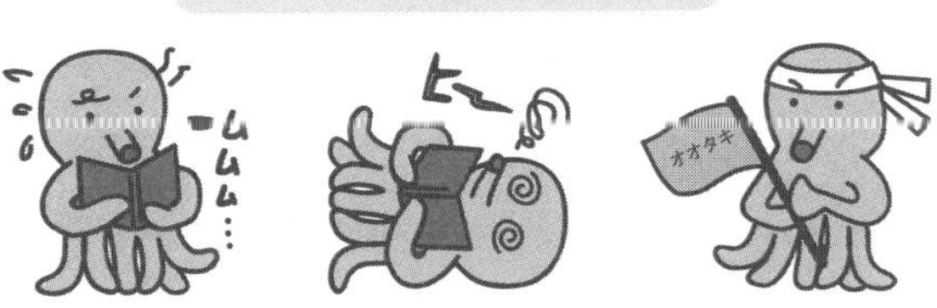

4.13 逆ポーランド表記法で表された式を計算する

例題

次のプログラム中の［ a ］～［ c ］に入れる正しい答えの組合せを，解答群の中から選べ。ここで，配列の要素番号は0から始まる。

関数rpnCalcは，逆ポーランド表記法で表された式（以下，逆ポーランド表記式という）の値を求める関数である。式は，文字型の配列rpnに格納され，引数として関数rpnCalcに渡される。

逆ポーランド表記式は，1桁の数値と加減乗除演算子"＋"，"－"，"×"，"÷"から構成され，数値0～9はそれぞれ数字文字"0"～"9"で表されている。

プログラムでは正しく計算できる(誤りのない)式のみを扱うものとする。関数rpnCalcに与えるrpn及び戻り値の例を表に示す。

表　関数rpnCalcに与えるrpn及び戻り値の例

rpn	戻り値
{"1", "2", "＋"}	3
{"1", "2", "3", "×", "＋"}	7
{"1", "2", "×", "3", "＋"}	5

クラスRpnCalcStackはスタックを表すクラスである。クラスRpnCalcStackの説明を図に示す。

コンストラクタ	説明
RpnCalcStack()	スタックを初期化する

メソッド	戻り値	説明
push(整数型：n)	なし	引数nで与えられた整数値を，要素としてスタックに格納する
pop()	整数型	スタックから要素を取り出して返す

図　クラスRpnCalcStackの説明

〔プログラム〕

```
○整数型: rpnCalc(文字型の配列: rpn)
  文字型の配列: tbl ← {"0", "1", "2", "3", "4", "5", "6", "7", "8", "9",
                      "+", "−", "×", "÷"}
  整数型: i, k, x, y
  RpnCalcStack: rpnStack ← RpnCalcStack()
  for (i を 0 から rpnの要素数−1 まで 1 ずつ増やす)
    k ← 0
    while (tbl[k] ≠ rpn[i])
      k ← k + 1
    endwhile
    if (k ≧ 0 and k ≦ 9)
      rpnStack.push(k)
    else
      [    a    ] ← rpnStack.pop()
      [    b    ] ← rpnStack.pop()
      if (k = 10)
        rpnStack.push(x + y)
      elseif (k = 11)
        rpnStack.push(x − y)
      elseif (k = 12)
        rpnStack.push(x × y)
      else
        rpnStack.push(x ÷ y)
      endif
    endif
  endfor
  return [    c    ]
```

解答群

	a	b	c
ア	x	y	k
イ	x	y	rpnStack.pop()
ウ	y	x	k
エ	y	x	rpnStack.pop()

解説　　解答：エ

関数rpnCalcは，逆ポーランド表記法で表された式を処理し，その式の値を求める関数です。逆ポーランド表記法とは，演算子を，演算の対象である演算数(これをオペランドという)の後に記述する表記法です。このため後置表記法とも呼ばれます。

例えば，「1 + 2」は「1 2 +」と記述されます。また，「1 + 2 × 3」は，1と，2と3の乗算結果を加算する式なので「1 2 3 × +」と記述されます[※1]。

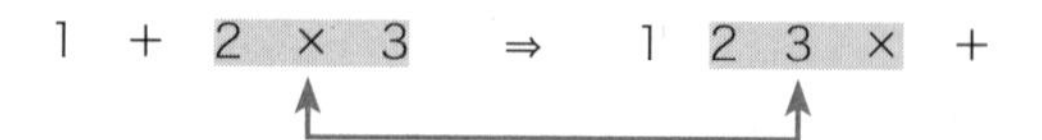

本例題のポイントは，なんといっても，逆ポーランド表記法で表された式をどのように処理するかです。ここで，「逆ポーランド表記法で表された式は，スタックを使って左から右に評価することができる」ことを覚えておいてください。下記に，逆ポーランド表記法で表された式の処理手順をまとめます。

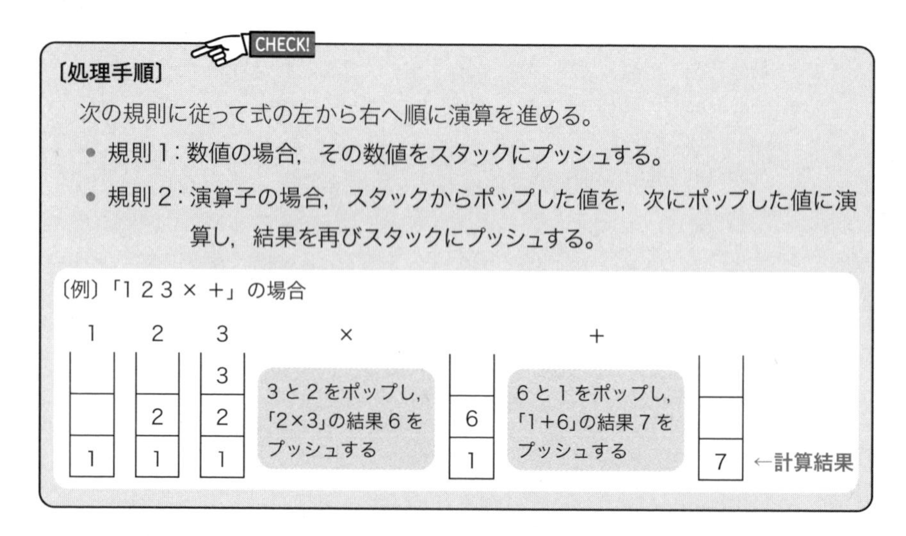

本例題のプログラムでは，**クラスRpnCalcStack**を使ってスタックを実現しています。しかし，クラスに惑わされずに上記の処理手順に照らし合わせながらプログラムを見ていくことが重要です。つまり，「rpnStack.push」を単にpush（プッシュ）と読み替え，「rpnStack.pop」をpop（ポップ）と読み替えればよいわけです。なおクラス

※1　計算式から逆ポーランド表記の式への変換については，解説の後の「コラム」(p.187)を参照してください。

RpnCalcStackについては，解説の後に説明していますのでそちらを参考にしてください。

では，プログラムを見ていきましょう。

本例題では，**配列の要素番号が0から始まる**ため，for文の制御記述が「i を 0 から rpnの要素数−1 まで 1 ずつ増やす」となっています。試験では，**配列の要素番号が1から始まる**ものが多いですが，中には0から始まる問題も出題されると思います。問題文に示される条件(0から始まるのか1から始まるのか)を見落とさないよう注意しましょう。

さて，「i を 0 から rpnの要素数−1 まで 1 ずつ増やす」ということは，配列rpnの先頭の要素rpn [0] から最後の要素rpn [rpnの要素数−1] までを順に処理していくことになります。ただし，配列rpnに格納されているのは数字文字であるため，これをfor文に入った直後のwhile文(下図)によって数値に変換します。rpn[i] が数字文字“0”～“9”であれば0～9が，また演算子“＋”，“−”，“×”，“÷”であれば，それぞれ10，11，12，13が変数kに求められることを確認してください。

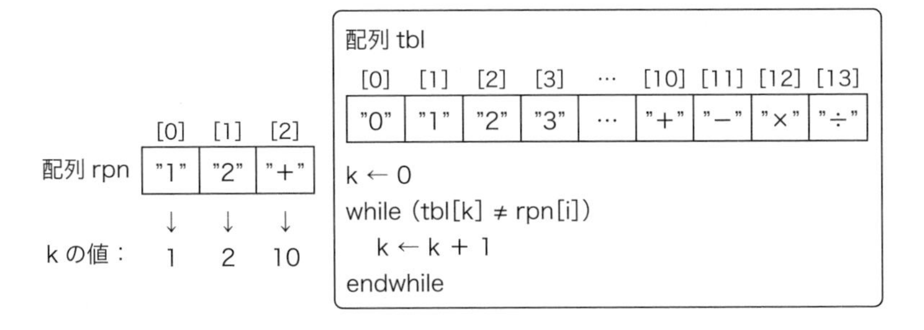

while文の後の下記に示す部分が，前ページに示した処理手順に該当します。

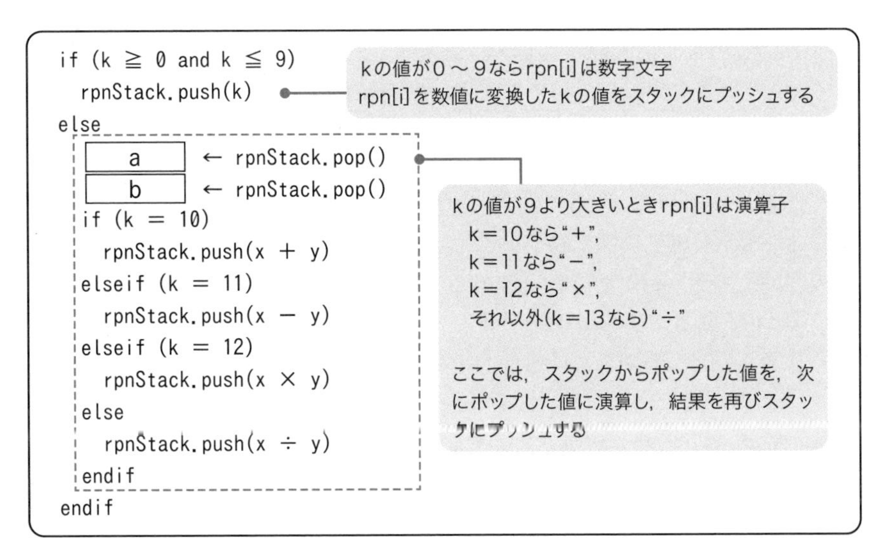

▶空欄a，b

変数kの値が9より大きいときrpn[i]は演算子なので，スタックからポップした値を，次にポップした値に演算し，結果を再びスタックにプッシュします。

プログラムを見ると，「x 演算子 y」の値をプッシュしているので，空欄a，bを含む実行文においてポップした値を変数x，yに代入することになります。ここでの注意点は，加算(＋)と乗算(×)は交換法則※2が成り立ち，減算(－)と除算(÷)は成り立たないことです。つまり，加算や乗算の場合，ポップした値を変数x，yのどちらに代入しても構いませんが，減算や除算の場合は，**最初にポップした値をy，次にポップした値をx**に代入しなければなりません。例えば，式「2 － 1」を逆ポーランド表記法で表した「2 1 －」の処理は，次のようになります。したがって，空欄aにはy，空欄bにはxが入ります。

2　1　－

1をポップして変数yに代入し，
2をポップして変数xに代入する。
「x－y」すなわち，「2－1」の値をプッシュする

←計算結果

▶空欄c

要素rpn [rpnの要素数－1] までの処理が終了したとき，スタックに残っている値が式の値です。したがって，この値を取り出して呼出し元に返せばよいので，空欄cにはrpnStack.pop()が入ります。

〔補足〕

クラスRpnCalcStackを使ってスタックを実現するには，クラスRpnCalcStackのインスタンス(実体)を生成します。

```
RpnCalcStack: rpnStack ← RpnCalcStack()
```

インスタンスの生成

上記の文は，クラスRpnCalcStack型の変数rpnStackを用意して，RpnCalcStack()で生成したインスタンスの「参照」※3を，変数rpnStackに代入するという意味です。この代入を行うことで，以降，変数rpnStackを

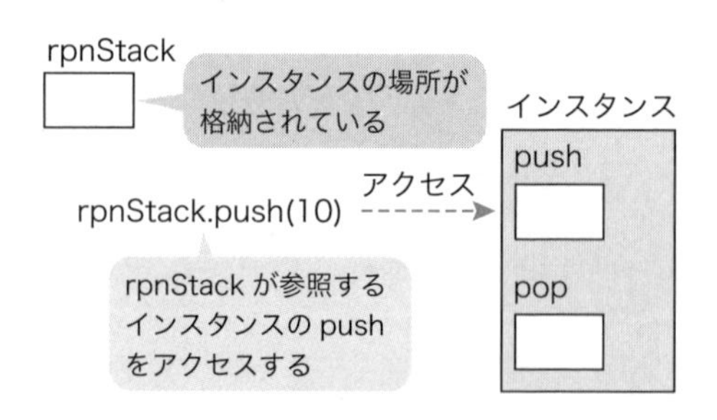

※2　交換法則とは，オペランドを互いに入れ替えても計算結果は変わらないという性質です。例えば，「1＋2＝2＋1」「3×4＝4×3」というように加算と乗算は交換法則が成り立ちます。

※3　本書では「～を参照する」と区別するため，カギ括弧を付けて「参照」と表現しています。「参照」ときたら，「場所」と読み替えてください。

使って，メソッド(push，pop)を呼び出すことができます。

なお，問題文に示されている**コンストラクタRpnCalcStack**は，インスタンスを生成するための特殊なメソッドです。新しく生成されたクラスRpnCalcStackのインスタンスを初期化して，空のスタックを作ります。

COLUMN 通常の式を逆ポーランド表記にしてみる

私たちが通常使用している式は，**算術木**と呼ばれる2分木で表現することができます。例えば「1＋2×3」は，「1と，2と3の乗算結果を加算する」という式なので下図の2分木になります。

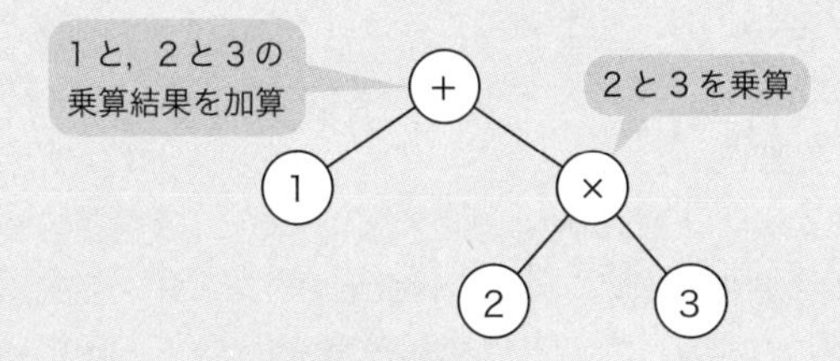

この2分木を右図に示すように**深さ優先**の**後行順**で探索すれば，逆ポーランド表記の式が得られます。下記に，この操作を行う簡易的なプログラムを示します。

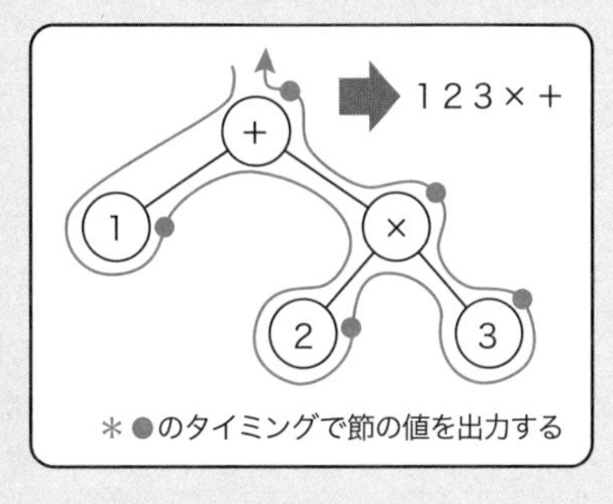

このプログラム(手続proc)の特徴は，左右の子の節に対して手続procを再帰的に呼び出した後，自身の処理(節の値を出力する)を行っていることです。これにより探索は後行順になり「1 2 3 × ＋」が出力されます。

ちなみに「節の値を出力する」を「節nに左の子Lがあればproc(L)を呼び出す」の後に記述すると**中間順**になり，私たちが通常使用している式「1 ＋ 2 × 3」が出力されます。また，「節の値を出力する」を「節nに左の子Lがあればproc(L)を呼び出す」の前に記述すると**先行順**になり，式「＋ 1 × 2 3」が出力されます。この式は，演算子を，演算の対象である演算数(オペランド)の前に記述した式でポーランド表記法(前置表記法)と呼ばれる式です。

```
○proc(節n)
  節nに左の子Lがあればproc(L)を呼び出す
  節nに右の子Rがあればproc(R)を呼び出す
  節nの値を出力する
```

この位置で節の値を出力すると**先行順**となる

この位置で節の値を出力すると**中間順**となる

後行順の場合，節の値をここで出力する

4.14 リストを自己再編成探索する

例題

次のプログラム中の［ a ］～［ c ］に入れる正しい答えの組合せを，解答群の中から選べ。

関数organizingSearchは，引数keyで与えられた文字を単方向リストから探索し，一致する要素が見つかれば，その要素をリストの先頭に移動して，要素の値を返す。見つからなければ−1を返す。

単方向リストの要素はクラスNodeを用いて表現する。クラスNodeのメンバ変数の説明を表に示す。Node型の変数は，クラスNodeのインスタンスの参照を格納するものとする。大域変数firstには，プログラムで扱う単方向リスト（以下，リストという）の先頭要素の参照があらかじめ格納されている。

表　クラスNodeのメンバ変数の説明

メンバ変数	型	説明
next	Node	次の要素の参照 次の要素がないときの状態は未定義
key	文字型	要素に格納する文字（探索のキー値）
value	整数型	要素に格納する正の整数値（要素の値）

リストの状態が図1のとき，関数organizingSearchをorganizingSearch("C")として呼び出すと，リストの状態は図2となり，戻り値は17である。

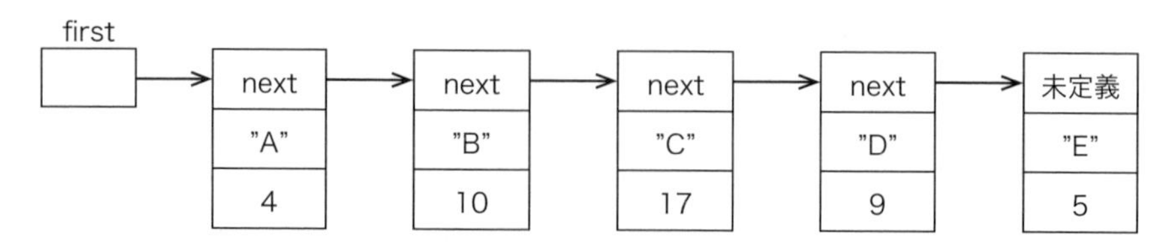

図1　リストの状態

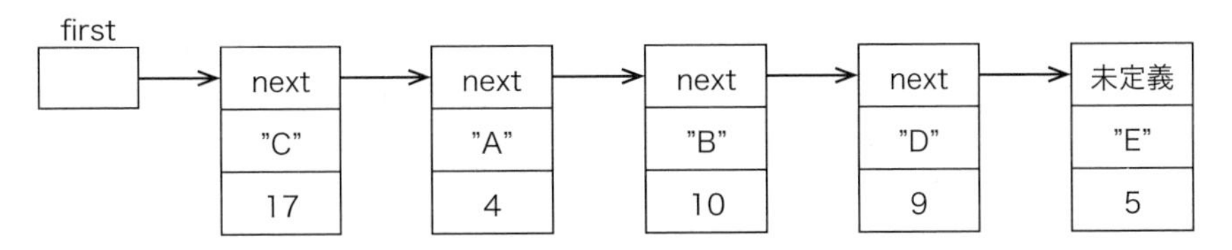

図2　呼出し後のリストの状態

〔プログラム〕

```
大域: Node: first      /* リストの先頭要素の参照が格納されている */

○整数型: organizingSearch(文字型: key)
  Node: current, temp
  current ← first
  while (current が 未定義でない)
    if (key が current.key と等しい)
      if (current が first と等しくない)
         [   a   ]  ← current.next
        current.next ← [   b   ]
        first ← [   c   ]
      endif
      return current.value
    else
      temp ← current
      current ← current.next
    endif
  endwhile
  return −1
```

解答群

	a	b	c
ア	temp	first	temp.next
イ	temp	first.next	current
ウ	temp	first.next	temp.next
エ	temp.next	first	current
オ	temp.next	first	temp.next
カ	temp.next	first.next	current

解説　　解答：エ

関数organizingSearchは，探索されたデータを先頭に移動させる自己再編成探索を行う関数です。自己再編成探索の目的は，探索効率の向上です。探索対象データの先頭から一つ一つ調べていく逐次探索は，後方にあるデータほど探索に時間がかかります。そこで，「一度探索されたデータは，再度探索される可能性が高い」ことに着目し，探索頻度が高いデータを前方に移動するという方法が自己再編成探索です。

さて関数organizingSearchでは，引数keyと一致するものを，大域変数firstが参照するリストの先頭要素から順に調べていくわけですが，このとき変数currentを使用します。つまり，変数firstの値をcurrentに代入し，keyとcurrent.keyが一致しなかったら，「current ← current.next」を行って次の要素を調べます※1。

keyとcurrent.keyが一致したときは，当該要素（すなわち，currentが参照している要素）をリストの先頭に移動します。ただし，このときのcurrentがfirstと等しい場合は，当該要素がリストの先頭要素であるため移動の必要はありません。したがって，currentがfirstと等しくないときにのみ当該要素をリストの先頭に移動します。この移動処理を行っている箇所が下図の処理A部分です。

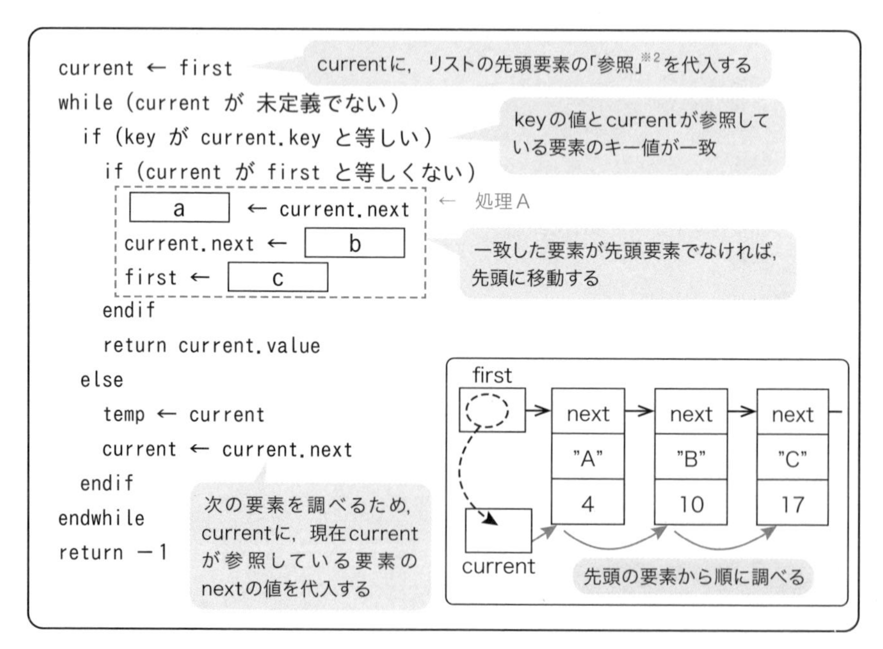

※1　リスト探索の定番処理なので覚えておきましょう。

※2　本書では「～を参照する」と区別するため，カギ括弧を付けて「参照」と表現しています。「参照」ときたら，「場所」と読み替えてください。

例えば，引数keyの値が“C”であった場合，先頭から3番目の要素と一致するので，この要素を前ページ図中の処理Aによってリストの先頭に移動するわけです。

リスト要素の移動を考えるときは，「どこをどのように繋げばよいのか」を，図に書いてみると分かりやすくなります。3番目の要素（以下，current要素という）をリストの先頭に移動するということは，次の図の状態にするということです。ここで，⟶は，current要素をリストの先頭に移動する前の参照を表しています。また，①，②，③は処理を行う順番です。

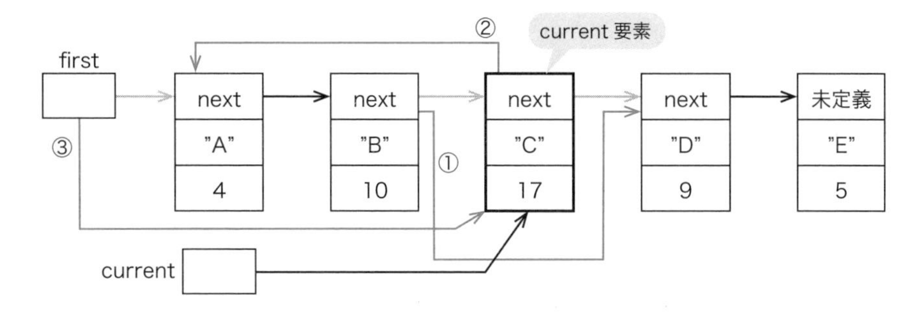

具体的な処理は次のようになります。

CHECK!

〔先頭への移動処理〕

- ①の状態にするためには，「current要素の一つ前の要素のnextに，current要素のnextの値を代入する」
- ②の状態にするためには，「current要素のnextに，firstの値を代入する」
- ③の状態にするためには，「firstに，currentの値を代入する」

▶空欄a

「[a] ← current.next」は①に該当する処理です。空欄aには「current要素の一つ前の要素のnext」に該当するものが入ります。ここでの着目点は，**currentを次の要素へ進める前に，currentの値をtempに代入している**ことです。つまり，変数tempにはcurrent要素の一つ前の要素の「参照」が格納されているわけです。

```
while (current が 未定義でない)
  if (key が current.key と等しい)
    keyとcurrent.keyが一致したときの処理
  else
    temp ← current
    current ← current.next
  endif
endwhile
```

したがって，「current要素の一つ前の要素のnext」は，temp.nextで表すことができるので，空欄aにはtemp.nextが入ります。

▶ 空欄b

「current.next ← [b]」は②に該当する処理です。空欄bにはfirstが入ります。

▶ 空欄c

「first ← [c]」は③に該当する処理です。空欄cにはcurrentが入ります。

COLUMN リストの自己再編成は二つの操作から成る！

リストの**自己再編成探索**は，探索した要素をリストの先頭に移動するという方法です。先頭に移動するということは，次の二つの操作を行うということです。

- 探索した要素をリストから外す
- リストから外した要素をリストの先頭に追加する

ここでは，探索値（すなわち，引数keyの値）が"C"であった場合を例に，この二つの操作を順に見ていきながら，リストの自己再編成の操作を確認しておきましょう。

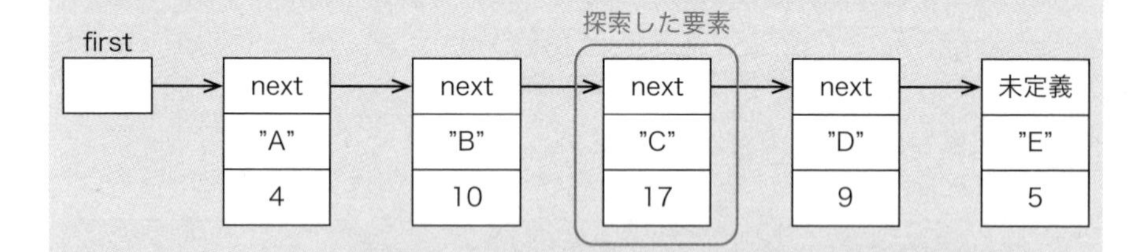

では最初に，「探索した要素をリストから外す」操作を見てみましょう。

探索値が"C"であった場合，3番目の要素（以下，"C"の要素という）をリストから外します。これは，"B"の要素の次に"D"の要素を繋げるということです。そして，これを行うためには，「**"B"の要素のnextに，"C"の要素のnextの値を代入**」します。

例えば，"D"の要素の「参照」※3が400であれば，"C"の要素のnextの値は400なので，これを"B"の要素のnextに代入すれば下図の状態が作れます。

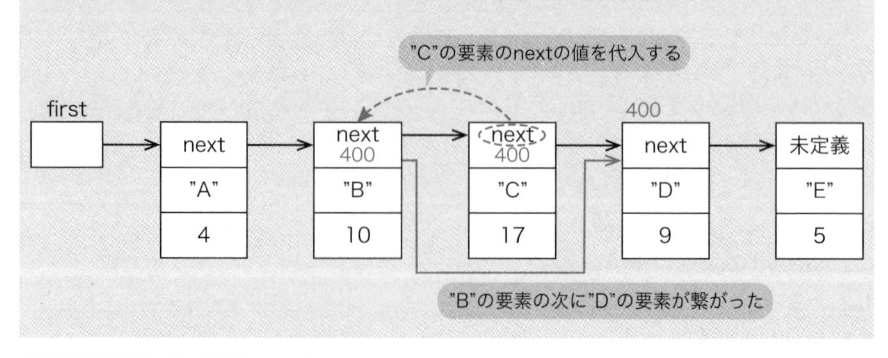

※3　本書では「～を参照する」と区別するため，カギ括弧を付けて「参照」と表現しています。「参照」ときたら，「場所」と読み替えてください。

次に,「リストから外した要素をリストの先頭に追加する」操作を見てみましょう。

ここでは,"A"の要素の「参照」を100,"C"の要素の「参照」を300とした,下図の状態で考えます。

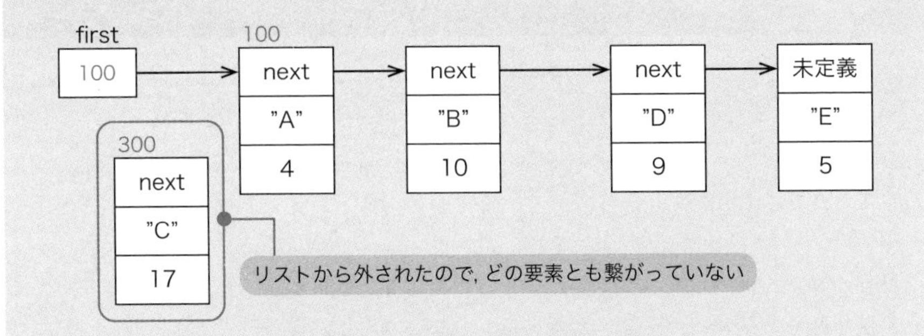

リストから外した"C"の要素をリストの先頭に追加するということは,変数firstが参照する要素を"C"の要素とし,"C"の要素の次に,現在の先頭要素である"A"の要素を繋げるということです。これを行うためには,最初に「**"C"の要素のnextに,変数firstの値を代入**」します。次に,「**変数firstに,"C"の要素の「参照」を代入**」します。

つまり上図の状態のとき,"C"の要素のnextに,変数firstの値(100)を代入すると,"C"の要素のnextの値が100になるので,"C"の要素の次に"A"の要素が繋がります。次に,変数firstに,"C"の要素の「参照」(300)を代入すると,変数firstの値が300になるので,"C"の要素が先頭要素になります。

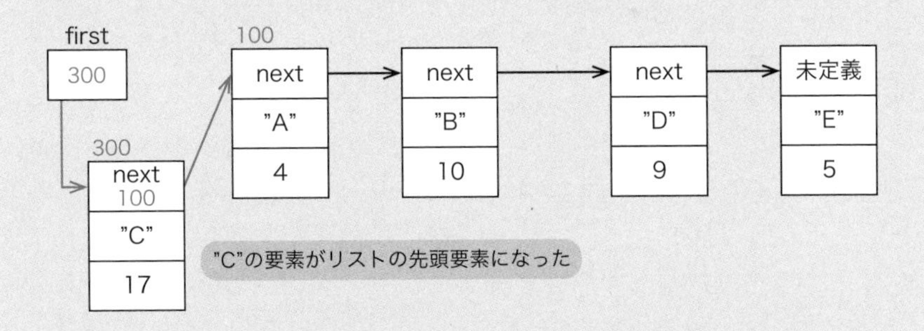

以上,リストの自己再編成の操作が確認できたでしょうか? ここで説明した内容は,本例題の解説で説明した〔先頭への移動処理〕と同じなので,本例題の解説を再度読んでみてください。さらに理解が深まると思いますよ。

リスト操作は難しい感じがしますが,馴れてくれば悩まずに操作できるようになります。それまで頑張りましょう!

4.15 隣接行列で表されたグラフを探索する

例題

次の記述中の [　　　] に入れる正しい答えを，解答群の中から選べ。 ここで，配列の要素番号は1から始まる。

手続graphSearchは，隣接行列で表されたグラフを探索し，全ての節番号を出力する手続である。隣接行列とは，n個の節から成るグラフの節 V_i と V_j を結ぶ枝が存在するときは第i行第j列と第j行第i列の要素が1となり，存在しないときは0となるn行n列の正方行列である。

プログラムで扱う隣接行列を大域の二次元配列matrixで表す。手続graphSearchをgraphSearch(1)として呼び出すと，[　　　] の順に出力される。

〔プログラム〕

```
                                         /* 6行6列の行列 */
大域: 整数型の二次元配列: matrix ← {{0, 1, 1, 0, 0, 0},
                                    {1, 0, 0, 1, 1, 0},
                                    {1, 0, 0, 0, 0, 1},
                                    {0, 1, 0, 0, 0, 0},
                                    {0, 1, 0, 0, 0, 0},
                                    {0, 0, 1, 0, 0, 0}}
大域: 整数型: n ← 6
大域: 整数型の配列: visit ← {0, 0, 0, 0, 0, 0}

○graphSearch(整数型: node)
  整数型: j
  visit[node] ← 1
  nodeの値を出力
  for (j を 1 から n まで 1 ずつ増やす)
    if (matrix[node, j] = 1 and visit[j] = 0)
      graphSearch(j)
    endif
  endfor
```

解答群

ア 1, 2, 3, 4, 5, 6　　イ 1, 2, 4, 5, 3, 6

ウ 4, 2, 5, 1, 3, 6　　エ 4, 5, 2, 6, 3, 1

解説

解答：イ

本例題は，グラフ探索の問題です。隣接行列(matrix)で表されたグラフを探索し，全ての節番号を出力します。プログラムは短くシンプルですが，再帰的処理を用いているため一つ一つトレースしながら出力される節番号を順に確認するのは大変は作業になります。解答ポイントは，次の二つです。

CHECK!

〔解答ポイント〕

① 隣接行列で表されたグラフを書いてみる。

② グラフの探索に，**深さ優先**と**幅優先**のどちらを用いているかを確認する。

では，隣接行列 (matrix) で表されるグラフを書いてみましょう。ここでの着目点は，**第i行第j列**と**第j行第i列**(以下，i行j列，j行i列という)の要素の値が同じ[※1]であることです。節 V_i と V_j を結ぶ枝が存在するときは，i行j列とj行i列の要素がともに1です。この点に着目すると，対角要素より右上 (あるいは左下) の要素で値が1になっている要素を調べてグラフを書けばよいことになります。

本例題の隣接行列(matrix)を見ると，対角要素より右上の要素で値が1になっているのは,「1行2列，1行3列，2行4列，2行5列，3行6列」の五つの要素です。このことから，枝が存在するのは節1と節2，3，節2と節4，5，そして節3と節6です。これをグラフで表すと下図右の2分木になります。なお，隣接行列の対角要素が全て0であることに注意してください。節から節自身への枝を自己ループといいますが，このグラフには自己ループは存在しません。

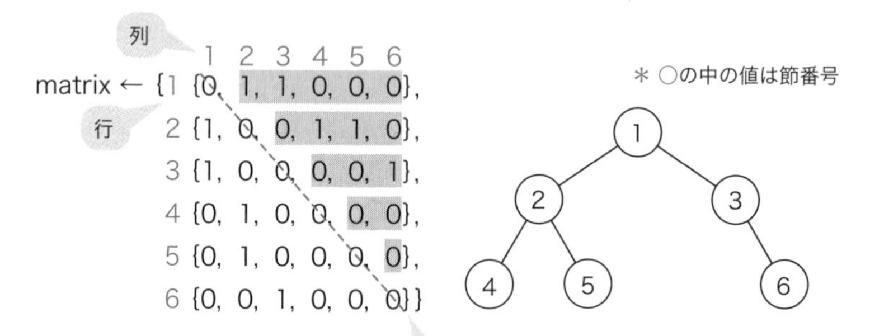

※1　このような行列を対称行列といいます。対称行列は，行と列を入れ替えても元の行列と等しい行列になります。なお，行と列を入れ替えた行列を転置行列といい，ある行列Aが自身の転置行列と等しいなら，行列Aは対称行列です。

次に，グラフの探索方法(深さ優先，幅優先)を調べましょう。

まず，引数nodeと配列visitの用途を確認します。「nodeの値を出力」とあるので，nodeは節番号です。また「visit [node] ← 1」を行っていることから，配列visitは処理済み(すなわち，出力済み)の節を識別するための配列であると推測できます※2。

さて着目すべきは，「j を 1 から n まで 1 ずつ増やす」繰返し処理の中で，条件式「matrix[node，j]＝1 and visit[j]＝0」が真のとき，自分自身をgraphSearch (j)として呼び出していることです。この条件式は，「節nodeと節jの間に枝が存在し，節jが未処理であれば」真，言い換えれば「節jが，節nodeに連結する節で未処理であれば」真となります。

例えば，graphSearch (1)として呼び出されたとき，節1に連結する節で未処理の節は2と3なので，for文を実行すると節2，節3の順に処理することになります。つまり，最初にgraphSearch (2)として自身を呼び出します。呼び出されたgraphSearchでは節4，節5の順に処理を行い，処理が終了したら呼出し元に戻ります。呼出し元に戻ったら，次にgraphSearch(3)として自身を呼び出します(次ページの〔補足〕を参照)。したがって，グラフの探索方法は**深さ優先**です。

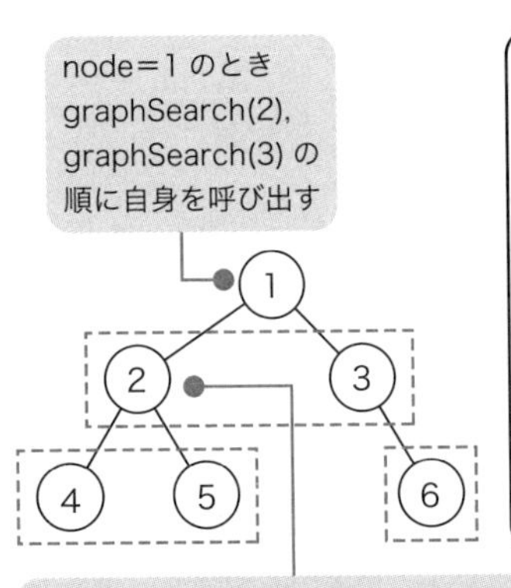


```
○graphSearch(整数型: node)※3
  整数型: j
  visit[node] ← 1
  nodeの値を出力
  for (j を 1 から n まで 1 ずつ増やす)
    if (matrix[node, j] = 1 and visit[j] = 0)
      graphSearch(j)
    endif
  endfor
```

2分木を深さ優先で探索するとき，節の処理 (本例題の場合，節番号の出力) をどのタイミングで行うかによって，先行順，中間順，後行順の三つがあります※4。手続graphSearchでは，最初に「nodeの値 (すなわち，節番号) を出力」し，その後で連結

※2　配列visitはグラフ探索処理でよく使われる配列です。覚えておきましょう。もちろん，配列名はvisitとは限りません。

※3　関数graphSearchには再帰の出口条件が明示されていませんが，for文が終了すると呼出し元に戻ります。

※4　「1.6.2　2分木の走査」(p.36)を参照してください。

する子の節に対して手続graphSearchを再帰的に呼び出しているので**先行順**です。ここまで分かれば，後は2分木を深さ優先の先行順で探索するだけです。

深さ優先の先行順で探索すると，下図のような探索が行われます。●印のタイミングで節番号が出力されるので，出力は「1，2，4，5，3，6」の順になります。

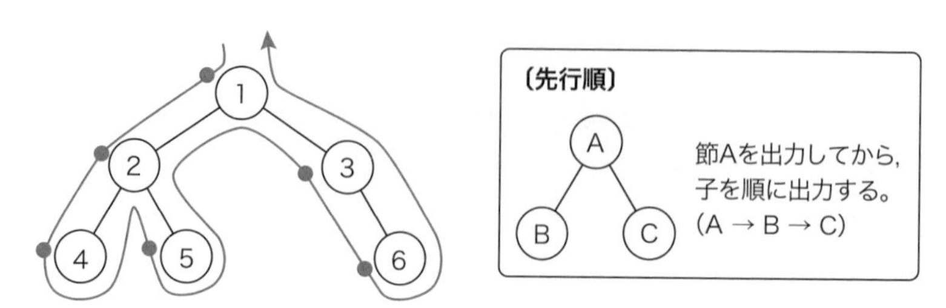

〔補足〕

手続graphSearchをgraphSearch(1)として呼び出したときの，実行の様子を図にしてみました。参考にしてください。

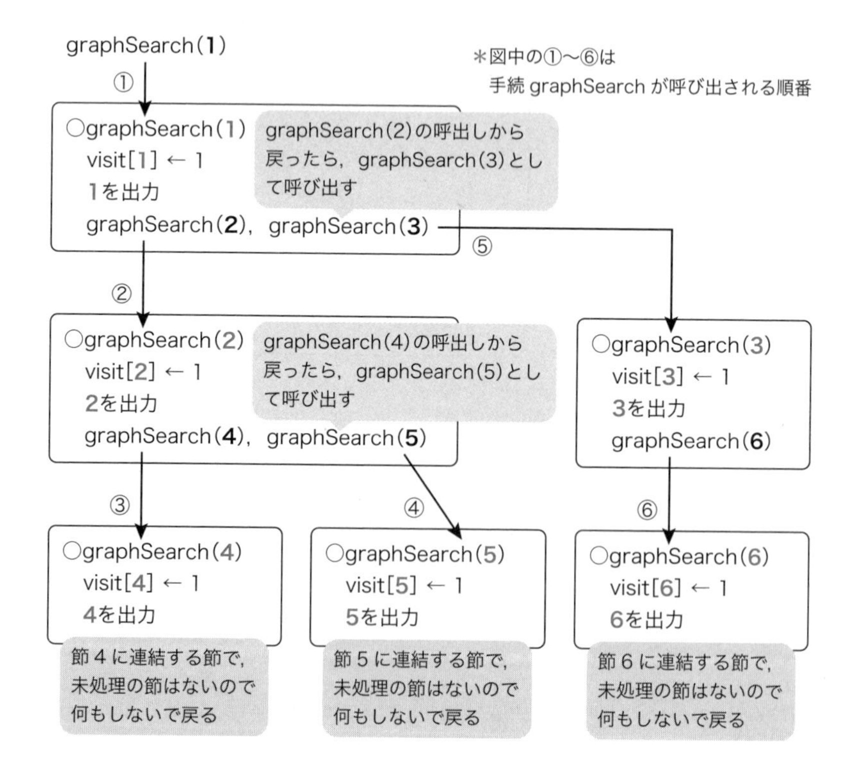

COLUMN 2分木を幅優先探索してみる

幅優先探索では，根に近い節から，また同じ深さの節は「左 → 右」の順に探索していきます。つまり，本例題の2分木を幅優先探索すると，「1，2，3，4，5，6」の順に節番号が出力されます。では，どのような手順で節番号を出力するのでしょう？実は，2分木の幅優先探索では**キュー**を使います。下記に探索手順を示します。

〔探索手順〕

(1) 探索を開始する節をキューに入れる。
(2) キューから節を一つ取り出し，その節に連結している未処理(未探索)の節を，節番号の順にキューに入れる。
(3) (2)の操作をキューが空になるまで繰り返す。

では，本例題の2分木を幅優先で探索してみます。キューから節を取り出したら，その節の節番号を出力します。

手順	キュー	出力
① 節1をキューに入れる。	→ 節1	
② キューから節1を取り出し，節1に連結している未処理の節2，3を順にキューに入れる。	→ 節3　節2	→ 1
③ キューから節2を取り出し，節2に連結している未処理の節4，5を順にキューに入れる。	→ 節5　節4　節3	→ 2
④ キューから節3を取り出し，節3に連結している未処理の節6をキューに入れる。	→ 節6　節5　節4	→ 3
⑤ キューから節4を取り出す。節4に連結している未処理の節なし。	節6　節5	→ 4
⑥ キューから節5を取り出す。節5に連結している未処理の節なし。	節6	→ 5
⑦ キューから節6を取り出す。節6に連結している未処理の節なし。		→ 6

⑧ キューが空になったので処理終了。

4.16 シフト演算と加算の繰返しで2進数の乗算を行う

例題

次のプログラム中の［　a　］と［　b　］に入れる正しい答えの組合せを，解答群の中から選べ。

関数binMultiplyは，8ビット型の引数mとnを受け取り，その積m × nの値を返す関数である。関数binMultiplyの処理条件は，次のとおりである。

（1）積は，シフト演算と加算の繰返しによって求める。
（2）引数として受け取るm及びnはいずれも符号なし整数値であり，下位4ビットに数値が格納されている。値の範囲は0 ～ 15である。

なお，演算子∧はビット単位の論理積，演算子∨はビット単位の論理和，演算子>>は論理右シフト，演算子<<は論理左シフトを表す。例えば，「value >> n」はvalueの値をnビットだけ右に論理シフトし，「value << n」はvalueの値をnビットだけ左に論理シフトする。

〔プログラム〕

```
○8ビット型: binMultiply(8ビット型: m, 8ビット型: n)
  8ビット型: x ← m
  8ビット型: y ← n
  8ビット型: z ← 00000000
  整数型: i ← 1
  do
    if ((     a     )が 00000001 と等しい)
      z ← z + x
    endif
    x ← x << 1
         b
    i ← i + 1
  while (i ≦ 4)
  return z
```

解答群

	a	b
ア	y ∧ 00000001	y ← y >> 1
イ	y ∧ 00000001	y ← y << 1
ウ	y ∨ 10000000	y ← y >> 7
エ	y ∨ 10000000	y ← y << 7

解説　　　解答：ア

関数binMultiplyは，シフト演算と加算の繰返しによって2進数の乗算を行う関数です。引数として受け取った変数m，nの値を，変数x，yにぞれぞれ代入しているので，関数内では「x × y」の乗算結果を変数zに求めることになります。

空欄を考える前に，**10進数の乗算**(筆算)の仕組みを確認しておきましょう。

例えば，10進数A＝123，B＝21の場合，積「A × B」は下図に示すように，①と②の和で求められます。①は「Aの値 × 1」，②は「Aを1桁左にずらした値 × 2」です。Aを1桁左にずらす理由は，Bの2桁目の数と乗算するからです。

```
    123   ← A
×    21   ← B
---------
    123   ①  「Aの値 × 1」つまり，「123 × 1」
   2460※1 ②  「Aを1桁左にずらした値 × 2」つまり，「1230 × 2」
---------
   2583   ← 結果
```

では，A＝123，B＝20の場合はどうでしょう？ 右図の①「123 × 0」は，乗数が0なのであえて計算する必要はありませんよね。

```
    123   ← A
×    20   ← B
---------
    000   ①  「123 × 0」乗数が0なので，計算は不要
   2460   ②
---------
   2460   ← 結果
```

実は，**2進数の乗算**も同じように計算ができます。例えば，2進数x＝0101，y＝0011の場合は下図のようになり，結果を変数zに求める手順は，次のようになります。

```
   0101   ← x
× 0011   ← y
---------
   0101   ①  「x × 1」つまり，「0101 × 1」
  01010   ②  「xを1桁左にずらした値 × 1」つまり，「01010 × 1」
---------
  01111   ← 結果z
```

- y(＝001**1**)の1ビット目(最下位ビット)が1なので，xの値をzに加算する
- y(＝00**1**1)の2ビット目が1なので，xを1ビット左にずらした値をzに加算する
- y(＝0**0**11)の3ビット目が0なので，何もしない
- y(＝**0**011)の4ビット目が0なので，何もしない

※1　通常，色文字になっている「0」は書きませんが，ここでは計算の仕組みを説明するためにあえて「0」を付けています。

つまり，2進数の乗算「x × y」は，次の手順で求めることができます。

CHECK!

〔2進数の乗算の処理手順〕

下記①～③の処理を4回※2繰り返す。

① yの最下位ビットの値が1であれば，zにxの値を加算する。

② xの値を1ビット左にずらす。

③ yの値を1ビット右にずらす。

では，空欄a，bを考えましょう。

4

▶ 空欄a

空欄aを含むif文は，上記①の処理に該当します。yの最下位ビットの値が1であるかを判定するためには，yの値と最下位ビットのみを1としたビット列との論理積演算を行います。結果が00000001であれば，最下位ビットの値は1です。

したがって，空欄aには「**y ∧ 最下位ビットのみを1としたビット列**」を入れればよいわけです。ここでyは8ビット型の変数なので，この場合のビット列は「00000001」です。つまり，空欄aには「y ∧ 00000001」が入ります。

▶ 空欄b

上記の③に該当する処理です。「yの値を1ビット右にずらす」には，論理右シフト「>>」を使います。したがって，空欄bには「y ← y >> 1」が入ります。

```
8ビット型: z ← 00000000
整数型: i ← 1
do
  if ( a:(y ∧ 00000001) が 00000001 と等しい)   ←①の処理
    z ← z + x
  endif
  x ← x << 1             ←②の処理
  b:y ← y >> 1           ←③の処理
  i ← i + 1
while (i ≦ 4)
```

※2　本例題におけるx及びyは8ビット型の変数ですが，値が格納されているのは下位4ビットなので4回繰り返せば結果を求められます。

4.17 base64を用いてバイナリデータをテキストに変換する

例題

次の記述中の［ a ］～［ c ］に入れる正しい答えの組合せを，解答群の中から選べ。ここで，配列の要素番号は1から始まる。

画像データなどのバイナリデータをテキストに変換するための規格にbase64がある。base64による変換（以下，エンコードという）では，バイナリデータを先頭から6ビットごとに区切り，各6ビットを，ビットパターンごとに定められた1文字に変換する。1文字は1バイトを占める。ビットパターンと文字の対応は，次の表のとおりである。

ビット列	64進数	文字	ビット列	64進数	文字	ビット列	64進数	文字	ビット列	64進数	文字
000000	0	A	010000	16	Q	100000	32	g	110000	48	w
000001	1	B	010001	17	R	100001	33	h	110001	49	x
000010	2	C	010010	18	S	100010	34	i	110010	50	y
000011	3	D	010011	19	T	100011	35	j	110011	51	z
000100	4	E	010100	20	U	100100	36	k	110100	52	0
000101	5	F	010101	21	V	100101	37	l	110101	53	1
000110	6	G	010110	22	W	100110	38	m	110110	54	2
000111	7	H	010111	23	X	100111	39	n	110111	55	3
001000	8	I	011000	24	Y	101000	40	o	111000	56	4
001001	9	J	011001	25	Z	101001	41	p	111001	57	5
001010	10	K	011010	26	a	101010	42	q	111010	58	6
001011	11	L	011011	27	b	101011	43	r	111011	59	7
001100	12	M	011100	28	c	101100	44	s	111100	60	8
001101	13	N	011101	29	d	101101	45	t	111101	61	9
001110	14	O	011110	30	e	101110	46	u	111110	62	+
001111	15	P	011111	31	f	101111	47	v	111111	63	/

エンコード処理は3バイト単位で行う。先頭から6ビットごとに切り出し，切り出したビットパターンを対応する文字コードに変換することにより，3バイトのデータが4文字に変換される。なお，最後の変換データが1バイトの場合は，後に2バイトの0を補って変換し，4文字の最後の2文字を"="で置き換える。同様に2バイトの場合は，1バイトの0を補って変換し，最後の1文字を"="で置き換える。

ここで，要素数3の配列dataに変換前の3バイトのデータが格納されているとき，要素数4の配列encodeに6ビットずつ切り出す処理を考える。

配列data及び配列encodeの各要素の大きさは1バイトである。切り出した6ビットを配列encodeの要素の下位6ビットに格納し，上位2ビットは0とする。なお，この処理で使用する演算(論理和，論理積，シフト)はビット単位の演算である。

〔処理手順〕

(1) encode[1]に，data[1]を[a]に論理シフトした値を格納する。

(2) encode[2]に，data[1]の下位2ビットを取り出しそれを[b]に論理シフトした値と，data[2]を[c]に論理シフトした値の論理和を格納する。

(3) encode[3]に，data[2]の下位4ビットを取り出しそれを2ビット左に論理シフトした値と，data[3]を6ビット右に論理シフトした値の論理和を格納する。

(4) encode[4]に，data[3]の下位6ビットを取り出した値を格納する。

解答群

	a	b	c
ア	2ビット右	4ビット左	6ビット右
イ	2ビット右	4ビット左	4ビット右
ウ	4ビット左	6ビット左	2ビット右
エ	4ビット左	6ビット左	6ビット左
オ	6ビット右	2ビット左	4ビット左
カ	6ビット右	2ビット左	2ビット左

解説　　解答：イ

本例題は，base64におけるエンコード処理の問題です。下記に示す処理手順の空欄a～cが問われています。この処理は，配列dataに格納されている3バイトのデータを6ビットずつ切り出し，それを配列encodeの要素に格納する処理です。

〔処理手順〕
(1) encode[1]に，data[1]を［　a　］に論理シフトした値を格納する。
(2) encode[2]に，data[1]の下位2ビットを取り出しそれを［　b　］に論理シフトした値と，data[2]を［　c　］に論理シフトした値の論理和を格納する。
(3) encode[3]に，data[2]の下位4ビットを取り出しそれを2ビット左に論理シフトした値と，data[3]を6ビット右に論理シフトした値の論理和を格納する。
(4) encode[4]に，data[3]の下位6ビットを取り出した値を格納する。

本例題の場合，具体的なデータを用いて処理手順を考えるよりも，ザックリとしたイメージで考えた方が分かりやすいと思います。配列dataに格納された3バイトのデータを6ビットずつ切り出し，それを配列encodeに格納するということは，下図の処理を行うということです。ここで，切り出した6ビットは，配列encodeの要素の下位6ビットに格納することに注意してください。上位2ビットは0です。

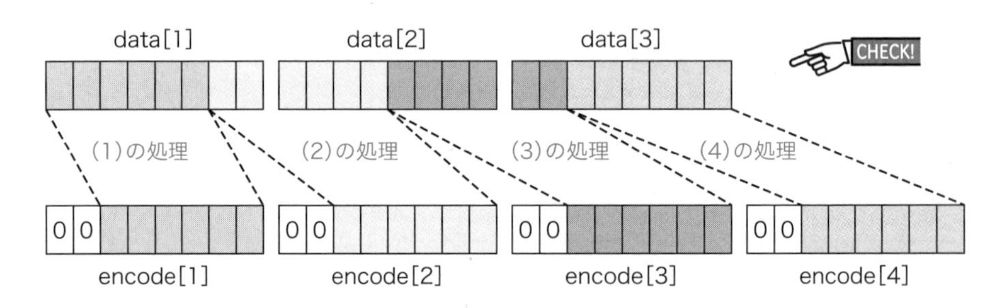

▶ 空欄a

(1)の処理では，data[1]の1ビット目から6ビット目までを，encode[1]の下位6ビットに格納します。図からも推測できると思いますが，この処理は，data[1]を**2ビット右**に論理シフトした値を，encode[1]に格納すればよいわけです。したがって，空欄aには「2ビット右」が入ります。

なお，data[1]を2ビット右に論理シフトすると，左の空いたビットには0が埋め込まれるため，encode[1]の上位2ビットは0になります※1。

▶ **空欄b，c**

(2) の処理を下図に示します。この処理では，data[1] から下位2ビットを取り出しそれを**4ビット左**に論理シフトした値と，data[2] を**4ビット右**に論理シフトした値のビット単位の論理和をencode[2] に格納します。したがって，空欄bには「4ビット左」，空欄cには「4ビット右」が入ります。

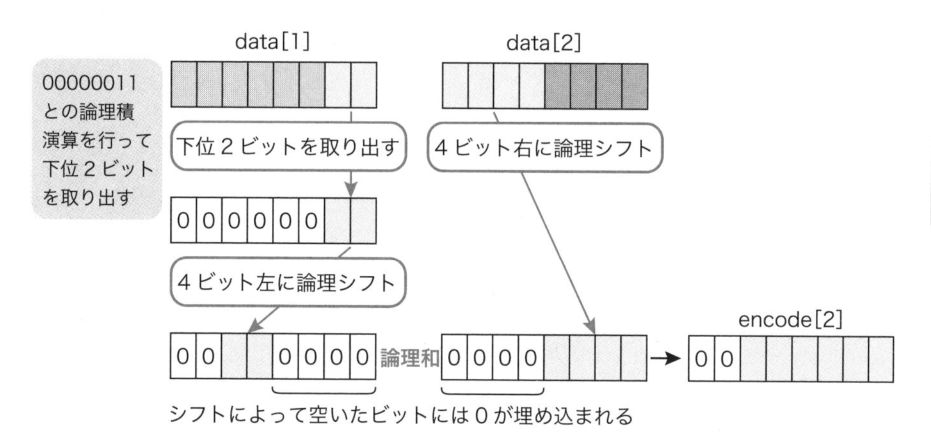

COLUMN 処理手順(2)の処理をプログラムで書いてみよう！

ビット単位の演算子 (∧：論理積，∨：論理和，>>：論理右シフト，<<：論理左シフト) を使って，(2) の処理を行う実行文を書いてみます。

data[1]の下位2ビットを取り出すためには，data[1] と00000011の論理積演算を行います。そして，その結果を4ビット左に論理シフトするので，実行文は「**(data[1] ∧ 00000011) << 4**」となります。

data[2]を4ビット右に論理シフトする実行文は「**data[2] >> 4**」です。したがって，この二つの値の論理和をencode[2]に格納する実行文は，

encode[2] ← ((data[1] ∧ 00000011) << 4) ∨ (data[2] >> 4)

となります。ちなみに，(1) (3) (4)の処理を行う実行文は，次のとおりです。

encode[1] ← data[1] >> 2

encode[3] ← ((data[2] ∧ 00001111) << 2) ∨ (data[3] >> 6)

encode[4] ← data[3] ∧ 00111111

※1 論理シフトについては，「3.14 ビット演算の結果を表示する」のコラム(p.115) を参照してください。

4.18 モンテカルロ法を用いて円周率の近似値を求める

例題

次のプログラム中の［ a ］と［ b ］に入れる正しい答えの組合せを，解答群の中から選べ。

手続circleRatioは，モンテカルロ法を用いて円周率の近似計算を行う。モンテカルロ法とは，乱数（確率）を用いて，求める解や法則性の近似を得る手法の総称である。円周率の近似値を得る場合，長さrの正方形及びその正方形に内接する四分円を考え，この正方形内に乱数を用いて多数の点を一様に打っていく。正方形の面積と四分円の面積の比は，そこに打たれた点の個数に比例するはずであるから，比例式「総打点数：四分円内点数 ＝ $r^2 : \pi r^2 \times 1/4$」が成り立つ。この比例式からπ（円周率）を得る。

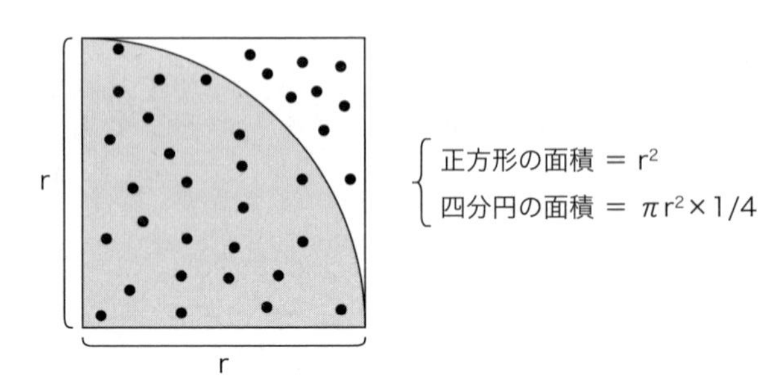

図　長さrの正方形内に乱数を用いて多数の点を一様に打点した様子

長さrを1としたときの近似計算の手順を次に示す。ここで，手続circleRatioが使う関数randは，0～1の一様実数乱数を返す。

〔近似計算手順〕

(1) 0～1の範囲の乱数を，関数randを用いてx，yに求める。
(2) (x , y)で示される点が四分円の中に入っている場合，四分円内点数を＋1する。
(3) (1)，(2)の処理を10^5回繰り返した後，近似計算で求めた円周率を出力する。

〔プログラム〕

```
○circleRatio()
  実数型：x, y
  整数型：i, totalCount, inCnt
  totalCount ← 100000
  inCnt ← 0
  for (i を 1 から totalCount まで 1 ずつ増やす)
    x ← rand()
    y ← rand()
    if ((     a     ) ≦ 1)
      inCnt ← inCnt + 1
    endif
  endfor
       b       の値 を出力する
```

解答群

	a	b
ア	x ＋ y	4 × (inCnt ÷ totalCount)
イ	x ＋ y	4 × (totalCount ÷ inCnt)
ウ	x ＋ y	inCnt ÷ totalCount
エ	x × x ＋ y × y	4 × (inCnt ÷ totalCount)
オ	x × x ＋ y × y	4 × (totalCount ÷ inCnt)
カ	x × x ＋ y × y	inCnt ÷ totalCount

解説　　解答：エ

手続circleRatioは，モンテカルロ法を用いて円周率（π）の近似計算を行う手続です。一見すると難しく見えますが，問題文に近似計算手順が示されています。したがって，近似計算手順とプログラムを次のように対応させて考えることがポイントになります。ここで，初期値として100000（10^5）が設定されている変数totalCountが総打点数，0が設定されている変数inCntが四分円内点数を表すことを確認しておきましょう。

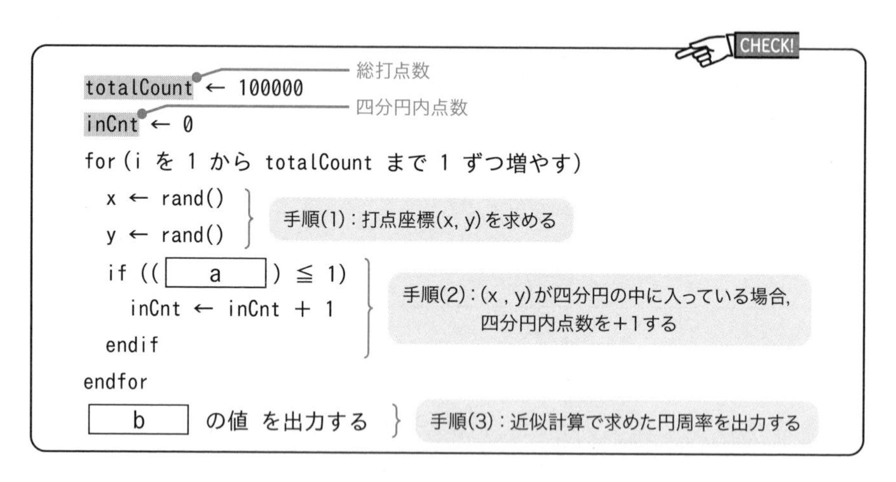

▶空欄a

条件式「(a) ≦ 1」が真のとき，変数inCntの値を+1しています。ということは，この条件式によって，(x, y)が四分円の中に入っているか否かの判定を行っていることになります。ここでのポイントは，(x, y)が四分円の中に入っているか否かは，円の内部の領域を表す不等式「$x^2 + y^2 \leqq 1$」を満たすかどうかで判定できることです。

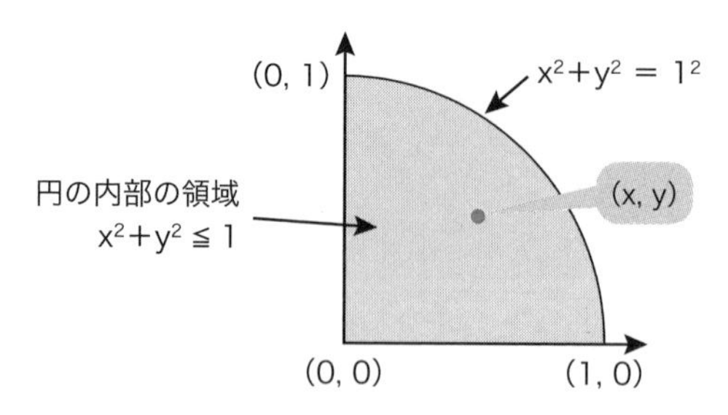

(x, y)が「$x^2 + y^2 \leqq 1$」を満たせば四分円の中に入っている，そうでなければ四分円の外です。したがって，空欄aには「$x^2 + y^2$」，すなわち「x × x + y × y」が入ります。

▶ 空欄b

空欄bには円周率を求める式が入ります。問題文に示されているように，円周率は，比例式「総打点数：四分円内点数 ＝ r^2：$\pi r^2 \times 1/4$」から得られます。つまり，この比例式を「$\pi =$」の式にすればよいわけです。ただし，本例題では長さrを1としているため，**「総打点数：四分円内点数 ＝ 1：$\pi \times 1/4$」**で考えます。

ここで，比例式には，「**外項の積と内項の積は等しい**」という性質があることを思い出してください。この性質を使うと，

総打点数 ×（$\pi \times 1/4$）＝ 四分円内点数 × 1

が成り立ちます。そして，この式を「$\pi =$」の式にすると次のようになります。

＊比例式

外項の積

A：B ＝ C：D

内項の積

A×D ＝ B×C

総打点数 ×（$\pi \times 1/4$）＝ 四分円内点数 × 1

$\pi \times 1/4$ ＝ 四分円内点数 ÷ 総打点数

π ＝ 4 ×（四分円内点数 ÷ 総打点数）

四分円内点数は変数inCntに求められています。また，変数totalCountの値が総打点数です。したがって，円周率（π）を求める式は，「4 ×（inCnt ÷ totalCount）」なので，空欄bには「4 ×（inCnt ÷ totalCount）」が入ります。

COLUMN （x, y）が四分円内にあるか否かを距離で判定する？

（x, y）が四分円の中に入っているか否かは，円の中心からの距離で判定できます。**円の中心から（x, y）までの距離が半径1以下**であれば，四分円の中に入っていることになります。

円の中心座標を（x_0, y_0）としたとき，（x, y）までの距離は$\sqrt{(x-x_0)^2 + (y-y_0)^2}$です。中心座標を（0, 0）と考えると，距離は$\sqrt{x^2 + y^2}$になります。

したがって，条件式「$\sqrt{x^2 + y^2} \leqq 1$」を用いても判定はできます。しかし，結局のところ，この条件式は，（x, y）が円の内部の領域に入っているかを判定することと同じなので，「$x^2 + y^2 \leqq 1$」で判定した方がシンプルです。

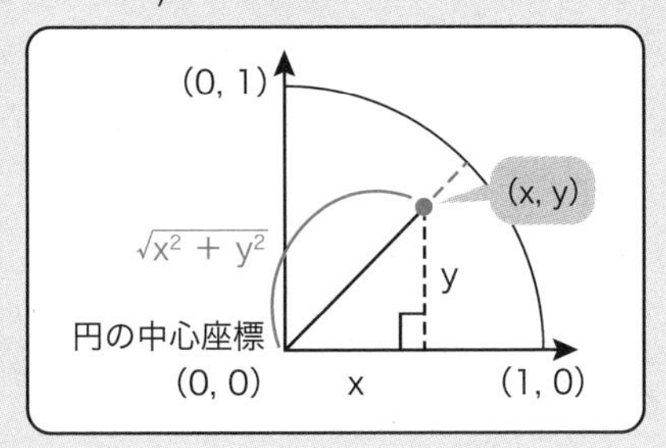

〔補足〕

点A（x_1, y_1）と点B（x_2, y_2）の**2点間の距離$\overline{AB}$**は，次の公式で求められます。

$$\overline{AB} = \sqrt{(x_2 - x_1)^2 + (y_2 - y_1)^2}$$

4.19 近似解を2分法で求める手順を考える

例題

次の記述中の［ a ］～［ d ］に入れる正しい答えの組合せを，解答群の中から選べ。

1次方程式以外の方程式を非線形方程式という。非線形方程式は，一般に，解を求める公式が存在しない場合が多く，その場合，近似計算法によって近似解を求める。ここでは，代表的な近似計算法として2分法を考える。

2分法は，中間値の定理を基礎とした近似計算法である。中間値の定理とは，『関数f(x)は閉区間[a, b]で連続な関数であり，f(a)≠f(b)ならば，f(a)とf(b)の間の任意の数kに対して，k＝f(c)となるc(a＜c＜b)が少なくとも一つ存在する』という定理である。この中間値の定理によれば，f(a)とf(b)が異符号，すなわちf(a)×f(b)＜0ならば，f(c)＝0となるc(a＜c＜b)が存在することになる。これを利用して，非線形方程式f(x)＝0の近似解を求める方法を2分法という。

2分法では，解を含む閉区間（以下，区間という）を半分に分け，そのどちらに解が存在するかを調べる操作を繰り返し行い，区間の幅を徐々に狭めていくことで近似解を得る。2分法の手順を下記に示す。

〔2分法の手順〕

(1) f(a)×f(b)＜0を満たす区間[a, b]を求める。

(2) 区間[a, b]の中点を，m＝(a＋b)÷2で求める。

(3) f(a)×f(m)＜0ならば，解はmより［ a ］にあるからbをmで置き換え，区間を［ a ］半分に狭める。

f(m)×f(b)＜0ならば，解はmより［ b ］にあるからaをmで置き換え，区間を［ b ］半分に狭める。

(4) (2)～(3)の手順を区間幅が十分に小さくなるまで繰り返し，区間幅が十分に小さくなったらmの値を近似解として終了する。

2分法では，計算を繰り返すごとに区間幅が半分になる。最初の区間[a, b]の幅をd_0とすると，手順(2)，(3)をn回反復したときの区間幅d_nは，

$d_n = d_0 \times$ [c]

となる。このとき，区間幅d_nが十分に小さくなったと判定され処理を終了したときの，近似誤差の大きさは，

近似誤差 ＜ [d]

である。

解答群

	a	b	c	d
ア	左	右	2^{-n}	d_n
イ	左	右	2^{-n}	m
ウ	左	右	2^n	2^n
エ	右	左	2^{-n}	d_n
オ	右	左	2^{-n}	m
カ	右	左	2^n	2^n

4

解説　　解答：ア

本例題は，2分法を用いた近似計算に関する問題です。「2分法？ 近似計算？ 難しい！」と考えずに，$f(x)=0$となる解xが存在する具体的なグラフをイメージし，問題文の〔2分法の手順〕に従って落ち着いて考えていくことが重要です。

▶ 空欄a，b

ここでは，下図のグラフを基に考えます。では，〔2分法の手順〕に従って空欄a，bを見ていきましょう。

(1) 処理を開始する最初の区間[a, b]を決めます。区間[a, b]は，$f(a) \times f(b) < 0$を満たす区間です。

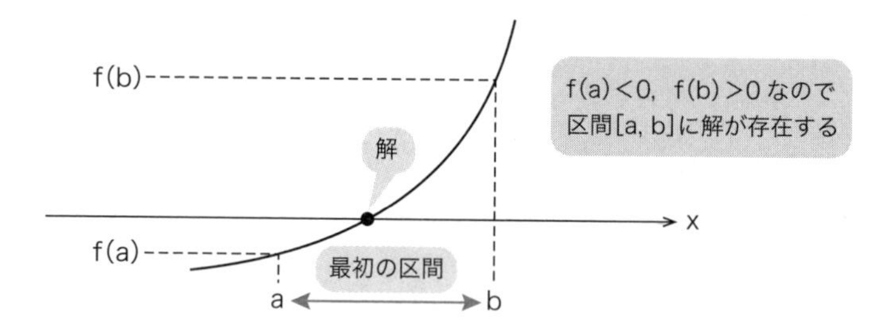

(2) 区間[a, b]の中点を，$m=(a+b) \div 2$で求めます(下図)。

(3) $f(a)<0$，$f(m)>0$なので$f(a) \times f(m)<0$です。この場合，a～mの間に解が存在することになります。つまり，解はmより**左**にあるのでbをmで置き換え，次の区間を[a, m]とします。

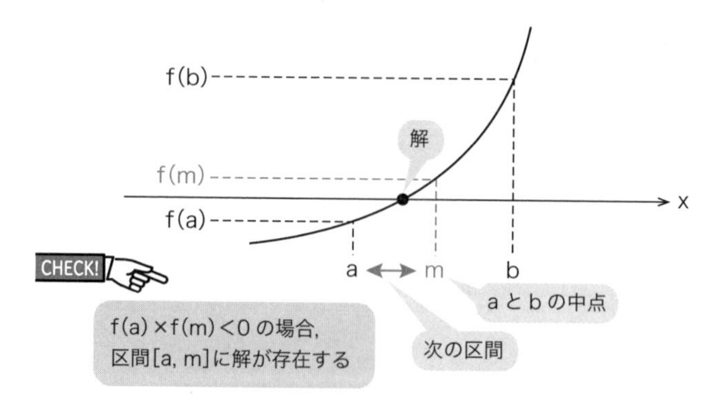

一方，次ページの図の場合であれば，$f(m) \times f(b)<0$なので，m～bの間に解が存在することになります。この場合，解はmより**右**にあるのでaをmで置き換え，次の区間を[m, b]とします。

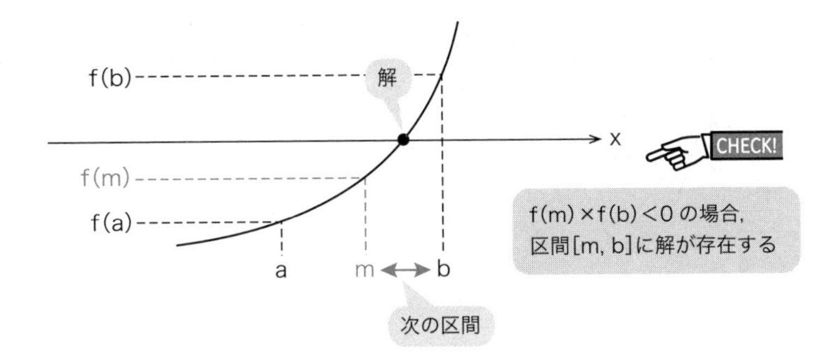

以上，空欄 a には左，空欄 b には右が入ります。

4

▶ 空欄 c

n 回反復したときの区間幅 d_n が問われています。2分法では，手順(2)～(3)を繰り返すごとに区間幅が半分になります。最初の区間[a, b]の幅が d_0 であった場合，1回目で区間幅は d_0 の1/2になり，2回目で $1/2^2$，3回目で $1/2^3$ になります。このことから，n 回反復したときの区間幅 d_n は，最初の区間 d_0 の $1/2^n$ です。

したがって，$d_n = d_0 \times 1/2^n = d_0 \times \mathbf{2^{-n}}$ となるので，空欄 c には「2^{-n}」が入ります。

▶ 空欄 d

近似誤差の大きさについて問われています。ここでいう近似誤差は，区間幅 d_n で処理を終了したときの，近似解 m と真の解(これを解 α とする)の差です。

区間幅 d_n で処理を終了するわけですから，このときの区間を$[a_n, b_n]$とすると，解 α は区間 $[a_n, b_n]$ に存在します。近似解 m は，一つ前の区間 $[a_{n-1}, b_{n-1}]$ における中点です。そして，$f(a_{n-1}) \times f(m) < 0$ なら m を b_n とし，$f(m) \times f(b_{n-1}) < 0$ なら m を a_n としているため，近似解 m は a_n か b_n のどちらかに等しい値になります。

つまり，解 α は区間 $[a_n, b_n(=m)]$ か，あるいは区間 $[a_n(=m), b_n]$ に存在することになるので，近似誤差の大きさは最大でも $|a_n - b_n|$ つまり区間幅 d_n です。したがって，空欄 d には「d_n」が入ります。

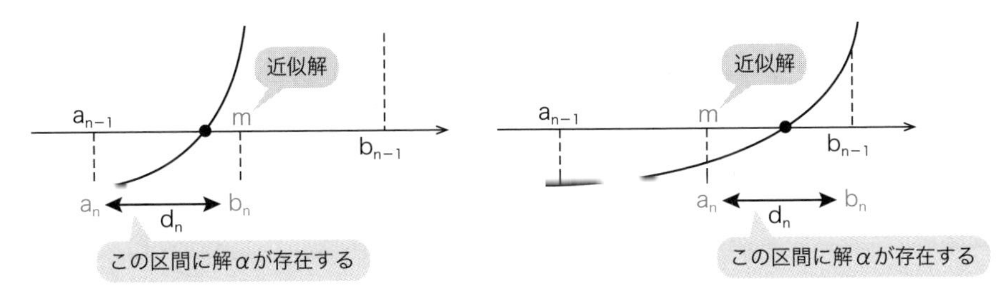

4.20 行列の乗算で2年後の格付推移行列を求める

例題

次のプログラム中の［　　　］に入れる正しい答えを，解答群の中から選べ。ここで，配列の要素番号は1から始まる。

格付推移行列とは，現在の格付けが一定期間後にどのような格付けとなるかについての確率（格付推移確率という）を行列形式で表したものである。格付推移行列によって，一定期間後の格付けが，現時点と同じ格付けで留まるのか，別の格付けに移るのかの確率を推定できる。

本問で扱う格付けの種類は，「A，B，C以下」の3種類であり，格付推移行列は3行3列(3×3)の正方行列とする。図は，1年後の格付け変化についての格付推移行列である。例えば，現在の格付けがBであったとき，1年後にAに上がる確率は20%，Bに留まる確率は70%，C以下に下がる確率は10%であることを表している。

		1年後の格付け		
		A	B	C以下
現在の格付け	A	0.7	0.2	0.1
	B	0.2	0.7	0.1
	C以下	0.0	0.2	0.8

図　1年後の格付け変化についての格付推移行列

ここで，n年後の格付推移行列は，1年後の格付推移行列を行列の乗法の公式に基づいてn回掛けることにより求められるとする。

手続calcRatingは，図の1年後の格付推移行列が格納された大域の二次元配列matrixを基に，2年後の格付推移行列をmatrixNに求める。

〔プログラム〕

```
/* matrixは，図の1年後の推移行列が格納されている3×3の二次元配列 */
大域: 実数型の二次元配列: matrix  ← {{0.7, 0.2, 0.1},
                                    {0.2, 0.7, 0.1},
                                    {0.0, 0.2, 0.8}}
/* matrixNは，2年後の推移行列を格納する3×3の二次元配列 */
大域: 実数型の二次元配列: matrixN

○calcRating()
  整数型: i, j, k
  for (i を 1 から matrixの行数 まで 1 ずつ増やす)
    for (j を 1 から matrixの列数 まで 1 ずつ増やす)
      matrixN[i, j] ← 0
      for (k を 1 から matrixの列数 まで 1 ずつ増やす)
        matrixN[i, j] ← matrixN[i, j] + [            ]
      endfor
    endfor
  endfor
```

解答群

ア matrix[i, k] × matrix[j, k]

イ matrix[i, k] × matrix[k, j]

ウ matrix[j, k] × matrix[k, i]

エ matrix[k, i] × matrix[k, j]

解説　　解答：イ

格付推移行列[※1]を題材に，行列の掛け算の理解度を確認する問題です。本例題では，1年後の格付推移行列（matrix）を基に，2年後の格付推移行列をmatrixNに求めます。問題文に「n年後の格付推移行列は，1年後の格付推移行列を行列の乗法の公式に基づいてn回掛けることにより求められる」とあるので，2年後の格付推移行列matrixNは，次の計算を行うことで求められます。

1年後の格付推移行列（matrix）　×　1年後の格付推移行列（matrix）　＝　2年後の格付推移行列（matrixN）

$$\begin{bmatrix} 0.7 & 0.2 & 0.1 \\ 0.2 & 0.7 & 0.1 \\ 0.0 & 0.2 & 0.8 \end{bmatrix} \times \begin{bmatrix} 0.7 & 0.2 & 0.1 \\ 0.2 & 0.7 & 0.1 \\ 0.0 & 0.2 & 0.8 \end{bmatrix} = \begin{bmatrix} 0.53 & 0.30 & 0.17 \\ 0.28 & 0.55 & 0.17 \\ 0.04 & 0.30 & 0.66 \end{bmatrix}$$

最初に，行列の掛け算の基本事項を確認しておきましょう。

〔行列の掛け算の基本事項〕

(1) a行b列の行列Aと，c行d列の行列Bとの積A×Bは，行列Aの列数bと行列Bの行数cが等しいときにだけ行うことができる。

(2) A×B＝Cとするとき，積の行列Cはa行d列になる。

(3) **行列Cのi行j列の要素の値は，行列Aのi行目のデータと行列Bのj列目のデータの対応する値同士を掛け算し，足し合わせた値[※2]である。**

上記の(3)について，matrixN[1, 1]の値の求め方を下図に示しました。**1行目**のデータと**1列目**のデータの演算で，**1行1列**の要素の値が求められることを確認してください。

matrixの**1行目**とmatrixの**1列目**の対応する値同士を掛け算し，足し合わせた値が，matrixN[**1, 1**]の値

0.7×0.7 ＋ 0.2×0.2 ＋ 0.1×0.0

$$\begin{bmatrix} 0.7 & 0.2 & 0.1 \\ 0.2 & 0.7 & 0.1 \\ 0.0 & 0.2 & 0.8 \end{bmatrix} \times \begin{bmatrix} 0.7 & 0.2 & 0.1 \\ 0.2 & 0.7 & 0.1 \\ 0.0 & 0.2 & 0.8 \end{bmatrix} = \begin{bmatrix} 0.53 & 0.30 & 0.17 \\ 0.28 & 0.55 & 0.17 \\ 0.04 & 0.30 & 0.66 \end{bmatrix}$$

※1　格付推移行列については，解説の後の〔補足〕（p.220）を参照してください。

※2　「対応する値同士を掛け算し，足し合わせる」とは，例えば行のデータが[a1 a2]，列のデータが[b1 b2]であれば，「a1×b1 ＋ a2×b2」という計算を行うということです。

さて，matrixNの全ての要素の値を求めるためには，matrixの一つの行に対して，matrixの全ての列を演算する必要があります。そのためプログラムでは，行番号を表す変数iと列番号を表す変数jを使って，次のような繰返し構造で処理を行っています。問われているのは，内側のfor文内で行う処理です。

```
for (i を 1 から matrixの行数 まで 1 ずつ増やす)
  for (j を 1 から matrixの列数 まで 1 ずつ増やす)
    matrixN[i, j] ← 0
    for (k を 1 から matrixの列数 まで 1 ずつ増やす)
      matrixN[i, j] ← matrixN[i, j] + [          ]
    endfor
  endfor
endfor
```

matrixN[**i, j**]に，matrixの**i行目**のデータとmatrixの**j列目**のデータの対応する値同士を掛け算し，足し合わせた値を求める処理

では，内側のfor文内の処理を具体的に考えていきましょう。

前ページでは，matrixN[1, 1]を「0.7×0.7 ＋ 0.2×0.2 ＋ 0.1×0.0」で求めました。これをプログラムで行う場合，次のような処理になります。

- matrixN[1, 1]を0で初期化する。
- matrixN[1, 1]に，matrix[1, **1**] × matrix[**1**, 1] の値を加算する。
- matrixN[1, 1]に，matrix[1, **2**] × matrix[**2**, 1] の値を加算する。
- matrixN[1, 1]に，matrix[1, **3**] × matrix[**3**, 1] の値を加算する。

matrixN[1, 1]の値を求める処理は，外側のfor文で変数iの値が1，内側のfor文で変数jの値が1のときに行われます。ここで，太字の数字に着目してください。1から3まで1ずつ増えています。ということは，matrixN[1, 1]の値を求めるためには，変数kを使って，「k を 1 から matrixの列数※3まで 1 ずつ増やす」繰返し処理の中で，次の処理を行えばよいことになります。

外側のfor文で変数iの値が1

matrixN[1, 1] ← matrixN[1, 1] ＋ matrix[1, **k**] × matrix[**k**, 1]

内側のfor文で変数jの値が1

このことから，matrixN[i, j]を求める場合は，次のようにすればよいでしょう。

matrixN[i, j] ← matrixN[i, j] ＋ matrix[i, k] × matrix[k, j]

※3　前ページの〔行列の掛け算の基本事項〕(1)にも記載しましたが，行列の掛け算は，掛けられる方の行列の列数と掛ける方の行列の行数が等しいときにだけ行うことができます。そのため，「matrixの行数」としても正しく処理できます。

〔補足〕 CHECK!

本例題は，**行列の掛け算の理解度**を確認する問題だったので，あえて格付推移行列（格付推移確率行列ともいう）には触れませんでした。少し説明しておきますね。

1年後の格付推移行列は，現在の格付けが1年後にどの格付けなるかの確率を表します。そして，1年後の格付推移行列を2回掛けて得られる2年後の格付推移行列は，現在の格付けが1年後，さらに1年後にどの格付けになるかの確率を表します。

つまり，2年後の格付推移行列は，「**格付けi**から，A，B，C以下のいずれかを経て，**格付けj**へ推移する確率」を**i行j列の値**としてもつ行列です。したがって，例えば，現在の格付けがAで2年後にAに留まる確率を知りたければ，2年後の格付推移行列の1行1列の値を見ればよいわけです。

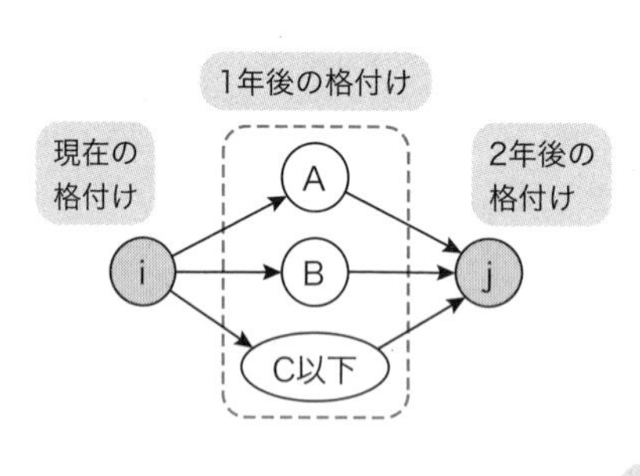

〔2年後の格付け推移行列〕

現在の格付け（i） ＼ 2年後の格付け（j）	A	B	C以下
A	0.53	0.30	0.17
B	0.28	0.55	0.17
C以下	0.04	0.30	0.66

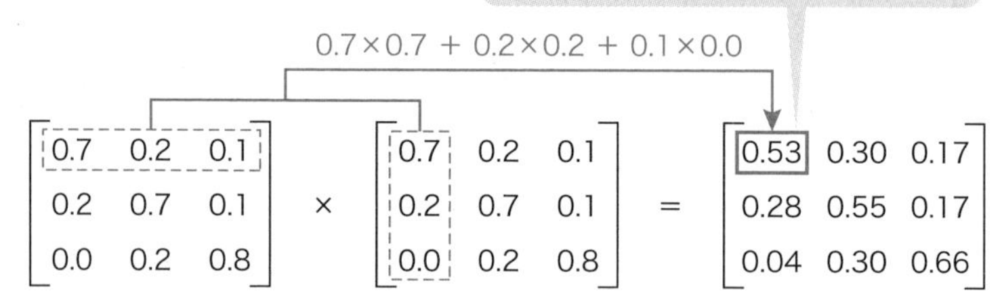

ちなみに，現在の格付けがAで2年後にAに留まる確率は，次の三つのパターンの確率の和で求められるので，「0.7×0.7 ＋ 0.2×0.2 ＋ 0.1×0.0 ＝ 0.53」です。この計算式は，上記のmatrixN[1, 1]の値を求める計算式と同じです。

- 「A $\xrightarrow{0.7}$ A $\xrightarrow{0.7}$ A」となる場合：0.7 × 0.7
- 「A $\xrightarrow{0.2}$ B $\xrightarrow{0.2}$ A」となる場合：0.2 × 0.2
- 「A $\xrightarrow{0.1}$ C以下 $\xrightarrow{0.0}$ A」となる場合：0.1 × 0.0

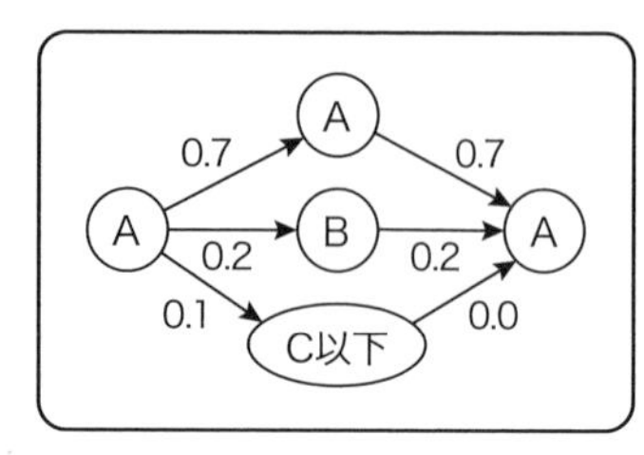

COLUMN 推移行列を用いて雨の2日後が晴れである確率を求めてみる

科目A試験では次の問題がよく出題されます。**推移行列**で考えてみましょう。

Q. 表は，ある地方の天気の移り変わりを示したものである。例えば，晴れの翌日の天気は，40%の確率で晴れ，40%の確率で曇り，20%の確率で雨であることを表している。天気の移り変わりが単純マルコフ過程※4であると考えたとき，雨の2日後が晴れである確率は何%か。

単位%

	翌日晴れ	翌日曇り	翌日雨
晴れ	40	40	20
曇り	30	40	30
雨	30	50	20

解答群

ア 15　　イ 27

ウ 30　　エ 33

A. 問題の表を，推移行列（以下，天気推移行列という）で表すと右のようになります。この天気推移行列を2回掛けて得られる行列が2日後の天気推移行列です。

$$\begin{bmatrix} 0.4 & 0.4 & 0.2 \\ 0.3 & 0.4 & 0.3 \\ 0.3 & 0.5 & 0.2 \end{bmatrix}$$

雨の2日後が晴れである確率とは，「**雨**の次の日が，晴れ，曇り，雨のいずれかになり，その次の日が**晴れ**になる確率」です。ということは，2日後の天気推移行列の**3行1列**の値を計算すればよいわけです。下図に示すように，3行目と1列目の対応する値同士を掛け算し，足し合わせると0.33になるので正解は〔**エ**〕です。

$$\begin{bmatrix} 0.4 & 0.4 & 0.2 \\ 0.3 & 0.4 & 0.3 \\ 0.3 & 0.5 & 0.2 \end{bmatrix} \times \begin{bmatrix} 0.4 & 0.4 & 0.2 \\ 0.3 & 0.4 & 0.3 \\ 0.3 & 0.5 & 0.2 \end{bmatrix} = \begin{bmatrix} \square & \square & \square \\ \square & \square & \square \\ \blacksquare & \square & \square \end{bmatrix}$$

$0.3\times0.4 + 0.5\times0.3 + 0.2\times0.3 = 0.33$

〔補足〕

雨の2日後が晴れになる確率は，「雨 $\xrightarrow{0.3}$ 晴れ $\xrightarrow{0.4}$ 晴れ」，「雨 $\xrightarrow{0.5}$ 曇り $\xrightarrow{0.3}$ 晴れ」，「雨 $\xrightarrow{0.2}$ 雨 $\xrightarrow{0.3}$ 晴れ」となるそれぞれの確率の和で求められます。

したがって，$(0.3\times0.4) + (0.5\times0.3) + (0.2\times0.3) = 0.33$です。

※4　**マルコフ過程**とは，いくつかの状態の中のある状態が現れる確率は，**その直前の状態のみで決定される**確率過程のことです。つまり，翌日が晴れになる確率は，前日の天気によってのみ決まるということです。「マルコフ過程」そのものを問う問題は出題されないので，安心してください。

4.21 最小二乗法を用いて回帰式を求める

例題

次のプログラム中の[a]と[b]に入れる正しい答えの組合せを，解答群の中から選べ。ここで，配列の要素番号は1から始まる。

需要予測を行うとき，よく用いられる手法の一つに回帰分析がある。回帰分析では，観測値x_iとy_i(i＝1, 2, 3, …, n)の間にどのような関係があるかを調べて，観測値に最もよく当てはまる直線又は曲線を求める。

手続regressionEquationは，観測値x_iとy_iの関係が「y ＝ ax ＋ b」といった直線の式(以下，回帰式という)に当てはまるとき，回帰式の係数a，bを最小二乗法と呼ばれる手法で求める。係数a，bを求める手順を下記に示す。

〔係数a，bを求める手順〕

観測値x_iに対する回帰式の値Y_iと，観測値y_iとの差をε_iとすると，

$$\varepsilon_i = y_i - Y_i = y_i - (ax_i + b)$$

である。この差ε_iの平方の和(残差平方和)をs，観測点数をnとすると，

$$s = \sum_{i=1}^{n}\varepsilon_i^2 = \sum_{i=1}^{n}(y_i - ax_i - b)^2$$

となり，sを最小にするa，bの値は，sを偏微分し，

$$\frac{\partial s}{\partial a} = 0,\ \frac{\partial s}{\partial b} = 0$$

として，連立方程式

$$a\sum_{i=1}^{n}x_i^2 + b\sum_{i=1}^{n}x_i = \sum_{i=1}^{n}x_i y_i$$

$$a\sum_{i=1}^{n}x_i + nb = \sum_{i=1}^{n}y_i$$

をa，bについて解くと，求められる。

データx_iの平均値を$\overline{x}$，データy_iの平均値を$\overline{y}$とすると，

$$a = \frac{\sum_{i=1}^{n}(x_i-\overline{x})(y_i-\overline{y})}{\sum_{i=1}^{n}(x_i-\overline{x})^2}$$

$$b = \overline{y} - a\overline{x}$$

となる。

手続regressionEquationが引数として受け取る，実数型の配列xDataと配列yDataの要素数は観測点数と同じであり，配列xDataには観測値x_iが，配列yDataには観測値y_iが格納されている。

〔プログラム〕

```
○regressionEquation(実数型の配列: xData,  // 観測値xiが格納された配列
                    実数型の配列: yData,  // 観測値yiが格納された配列
                    整数型: n)            // 観測点数
  実数型: sx ← 0, sy ← 0, sxx ← 0, sxy ← 0
  実数型: mx, my, a, b
  整数型: i
  for(i を 1 から n まで 1 ずつ増やす)
    sx ← sx + xData[i]
    sy ← sy + yData[i]
  endfor
  mx ← sx ÷ n
  my ← sy ÷ n
  for(i を 1 から n まで 1 ずつ増やす)
    sxx ← sxx + (xData[i] − mx) × (xData[i] − mx)
    sxy ← sxy + [      a      ]
  endfor
  a ← [   b   ]
  b ← my − a × mx
  aの値, 及びbの値 を出力
```

解答群

	a	b
ア	(xData[i] − mx) × (yData[i] − my)	sxx ÷ sxy
イ	(xData[i] − mx) × (yData[i] − my)	sxy ÷ sxx
ウ	(xData[i] − my) × (yData[i] − mx)	sxx ÷ sxy
エ	(xData[i] − my) × (yData[i] − mx)	sxy ÷ sxx
オ	(yData[i] − mx) × (yData[i] − mx)	sxx ÷ sxy
カ	(yData[i] − mx) × (yData[i] − mx)	sxy ÷ sxx

解説　　解答：イ

本例題は，最小二乗法[※1]によって回帰式（$y = ax + b$）の係数a及びbを求める問題です。問題文に示された〔係数a，bを求める手順〕を見ると，偏微分があったり，Σが使われた連立方程式があったりして，何をどのように計算しているのか分かりづらいと思います。しかし問われているのは，手続regressionEquationの中の空欄です。手続regressionEquationは，回帰式の**係数a，bを求める**手続ですから，〔係数a，bを求める手順〕の中で見るべき（必要な）箇所は，係数a，bの式（下記）だけです[※2]。

したがって，係数a，bを求めるためには，どのような処理を行えばよいのかを考えながらプログラムを見ていくことがポイントになります。

CHECK!

〔係数a，bを求める式〕

$$a = \frac{\sum_{i=1}^{n}(x_i - \bar{x})(y_i - \bar{y})}{\sum_{i=1}^{n}(x_i - \bar{x})^2}$$

$$b = \bar{y} - a\bar{x}$$

＊ $\bar{x}$：x_iの平均値
$\bar{y}$：y_iの平均値

では最初に，係数aの分子及び分母の式の意味を確認しておきましょう。

分子の式	$\sum_{i=1}^{n}(x_i - \bar{x})(y_i - \bar{y})$	変数 i の値を 1 から n まで 1 ずつ増やしながら $(x_i - \bar{x})(y_i - \bar{y})$の値を加算した合計値を求める
分母の式	$\sum_{i=1}^{n}(x_i - \bar{x})^2$	変数 i の値を 1 から n まで 1 ずつ増やしながら $(x_i - \bar{x})^2$の値を加算した合計値を求める

$\bar{x}$はx_iの平均値，$\bar{y}$はy_iの平均値です。x_i，y_iは，手続regressionEquationが引数として受け取った配列xData，及びyDataの要素の値（すなわち，xData[i]，yData[i]）のことです。

ということは，係数aを求めるためには，あらかじめ配列xDataに格納されている要素の値の平均値$\bar{x}$と配列yDataに格納されている要素の値の平均値$\bar{y}$を求めておく必要があるということです。

平均値は，「配列の全ての要素の合計値 ÷ 配列要素数」で求められます。問題文に，「配列xDataと配列yDataの要素数は観測点数と同じ」と記述されているので，配列要素数はnです。

※1　最小二乗法については，解説の後の「コラム」に記載してますので参考にしてください。

※2　本試験でも，数理・データサイエンス・AIなどの分野を題材とした問題では，このような問題がよく出題されます。難しい用語や式に惑わされることなく，見るべき必要箇所を見つけて，落ち着いて解答することがポイントです。

このことから下図に示した部分で，$\bar{x}$及び$\bar{y}$を求めていることが分かります。変数sx，sy，そして変数mx，myの役割(用途)は次のとおりです。

sx	配列 xData に格納されている要素の値の合計値
sy	配列 yData に格納されている要素の値の合計値
mx	配列 xData に格納されている要素の値の平均値 ($\bar{x}$)
my	配列 yData に格納されている要素の値の平均値 ($\bar{y}$)

```
for (i を 1 から n まで 1 ずつ増やす)
  sx ← sx + xData[i] ┐ 合計値を
  sy ← sy + yData[i] ┘ 求める
endfor
mx ← sx ÷ n ┐ 合計値を配列要素数nで
my ← sy ÷ n ┘ 割って平均値を求める
```

では，空欄a，bを見ていきましょう。空欄a，bが含まれる部分（すなわち，二つ目のfor文以降）で回帰式の係数a，bを求めます。ここでのポイントは，変数sxxと変数sxyの役割(用途)です。

▶ 空欄a

変数sxyに加算する値が問われています。for文の中の処理を見ると，変数sxxに，変数iの値を1からnまで1ずつ増やしながら,「(xData[i] − mx) × (xData[i] − mx)」の値を加算しています。(xData[i] − mx)は，$(x_i - \bar{x})$に該当する式ですから変数sxxに求めているのは，係数aの分母部分の$\sum_{i=1}^{n}(x_i - \bar{x})^2$です。

係数aを求めるためには，分子部分の$\sum_{i=1}^{n}(x_i - \bar{x})(y_i - \bar{y})$も求める必要があるので，変数sxyには，この分子部分を求めることになります。つまり，空欄aに入れるべき式は，「(xData[i] − mx) × (yData[i] − my)」です。

▶ 空欄b

変数aの値(係数a)を求める式が問われています。係数aの分子部分は変数sxyに，分母部分は変数sxxに求められているので，空欄bには「sxy ÷ sxx」が入ります。

```
for (i を 1 から n まで 1 ずつ増やす)
  sxx ← sxx + (xData[i] − mx) × (xData[i] − mx)
  sxy ← sxy + [a : (xData[i] − mx) × (yData[i] − my)]
endfor
a ← [b : sxy ÷ sxx]
b ← my − a × mx
aの値，及びbの値 を出力
```

COLUMN 最小二乗法って難しい?!

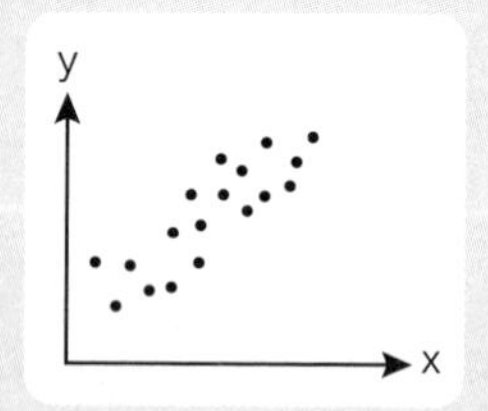

最小二乗法とは，データと直線の残差の二乗の和が最小となるように「y = ax + b」の係数a，bを求める方法です。

例えば，右図のようなデータの場合，xが増加すると，yも増加する傾向が見られます。そこで，このデータに最もよく当てはまる直線を「y = ax + b」と仮定し，最小二乗法を使って係数a，bを求めるわけです。

では，「データと直線の残差の二乗の和が最小となるように係数a，bを求める」とは，どういうことでしょう。簡単に説明しますね。

下図を見てください。データの中の任意の点を点$P_i(x_i, y_i)$とします。そして，点P_iからy軸に平行に引いた直線（すなわち，x軸に垂直に下ろした直線）と「y = ax + b」との交点をQ_iとします。「データと直線の残差」とは，点P_iとQ_iの差（図中のε_i），すなわち「$y_i - (ax_i + b)$」のことです。

この残差ε_iの二乗の和（$\sum_{i=1}^{n} \varepsilon_i^2$）である，「$\sum_{i=1}^{n}\{y_i - (ax_i + b)\}^2$」を最小にするa，bを求める方法が最小二乗法です。「二乗の和を最小にする」という意味ですね。

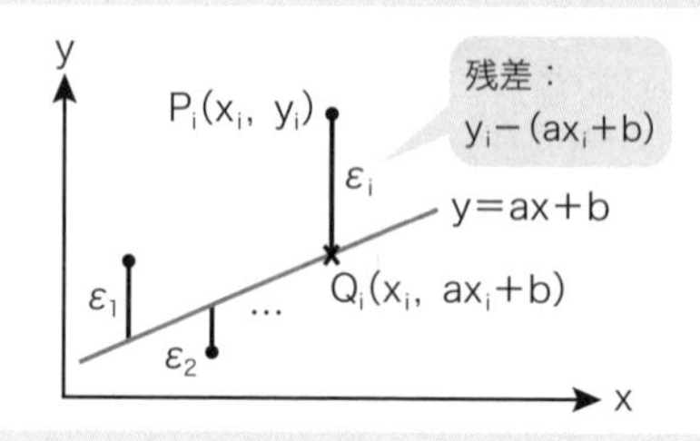

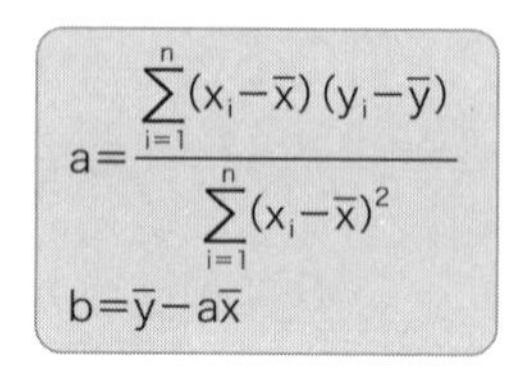

試験では，a，bを求める式は問われません。最小二乗法の概念を知っていればOKです。ただし，次の点は問われるので押さえておいた方がよいでしょう。

- xとyの間に，xが増加するとyも増加するという**正の相関関係**があるときの回帰式の係数aはプラス（正）になる。
- xとyの間に，xが増加するとyが減少するという**負の相関関係**があるときの回帰式の係数aはマイナス（負）になる。

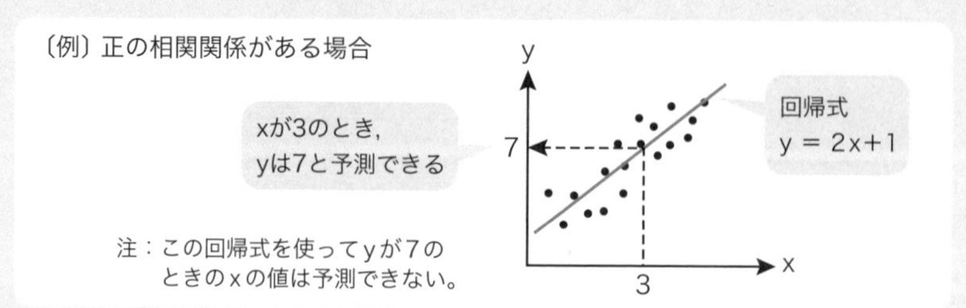

もーダメかも…

諦めようかー

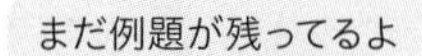

4.22 プログラムの検証と改良

例題

次の記述中の[　　　]に入れる正しい答えを，解答群の中から選べ。ここで，配列の要素番号は1から始まる。

プログラムの作成（コーディング）段階では，ソフトウェア製品の品質特性のうち，信頼性，性能効率性，保守性，移植性を考慮することが大切である。この点に着目し，次のプログラムを検証する。

〔プログラム（抜粋）〕

```
for (r を 1 から rMax まで 1 ずつ増やす)
  for (c を 1 から cMax まで 1 ずつ増やす)
    if (x[r, c] > sub(r))
      x[r, c] ← sub(r)
    endif
  endfor
endfor
```

このプログラムが使う関数subの戻り値は引数だけに依存するため，性能効率性の副特性である時間効率性を考慮し，[　　　]のように最適化する必要がある。ここで，関数subは処理時間が長い関数である。

解答群

ア
```
for (r を 1 から rMax まで 1 ずつ増やす)
  for (c を 1 から cMax まで 1 ずつ増やす)
    s1 ← sub(r)
    if (x[r, c] > s1)
      x[r, c] ← s1
    endif
  endfor
endfor
```

イ
```
for (r を 1 から rMax まで 1 ずつ増やす)
  s1 ← sub(r)
  for (c を 1 から cMax まで 1 ずつ増やす)
    if (x[r, c] > s1)
      x[r, c] ← s1
    endif
  endfor
endfor
```

ウ
```
for (r を 1 から rMax まで 1 ずつ増やす)
  for (c を 1 から cMax まで 1 ずつ増やす)
    s1 ← sub(r)
    xrc ← x[r, c]
    if (xrc > s1)
      xrc ← s1
    endif
  endfor
endfor
```

エ
```
for (r を 1 から rMax まで 1 ずつ増やす)
  s1 ← sub(r)
  for (c を 1 から cMax まで 1 ずつ増やす)
    xrc ← x[r, c]
    if (xrc > s1)
      xrc ← s1
    endif
  endfor
endfor
```

4

解説

解答：イ

本例題は，プログラムの作成段階におけるソフトウェアの性能効率性（**時間効率性**）への考慮に関する問題です。時間効率性の側面から，プログラムをどのように改善すればよいか問われています。

まず問題文に提示されたプログラムのどこが（何が），時間的に非効率なのかを確認する必要があります。着目すべきは関数subです。関数subは処理時間が長い関数なので，呼出し回数が少ないほど時間的効率はよくなります。

プログラム（下図）を見ると，関数subをsub(r)として，行番号3と行番号4の2箇所で呼び出しています。引数のrは，外側のfor文（行番号1～7）の制御記述に使われている変数です。行番号2～6の中で変数rの値は変更されていません※1。ということは，行番号3と行番号4のsub（r）は全く同じ呼出しであり，戻り値も同じということです。つまり，**この点が非効率**なわけです。

行番号　　＊説明のため行番号を付加しています

```
1   for (r を 1 から rMax まで 1 ずつ増やす)
2     for (c を 1 から cMax まで 1 ずつ増やす)
3       if (x[r, c] > sub(r))
4         x[r, c] ← sub(r)
5       endif
6     endfor
7   endfor
```

全く同じ呼出しをしている。
sub(r)の呼出し回数は，
最大で「rMax × cMax × 2」回となる

CHECK!

関数subは引数rだけをもつ関数なので，rの値が変わったらsub（r）の呼出しを行うようにすれば改善できます。

具体的には，行番号1の直後で，sub(r)を呼び出し，その戻り値を変数（ここではs1）に格納します。そして，行番号3と4では，sub(r)を呼び出す代わりに変数s1を使うようにします（右図）。

つまり，〔イ〕のように最適化すべきです。

```
for (r を 1 から rMax まで 1 ずつ増やす)
  s1 ← sub(r)
  for (c を 1 から cMax まで 1 ずつ増やす)
    if (x[r, c] > s1)
      x[r, c] ← s1
    endif
  endfor
endfor
```

ここでの呼出しがなくなるので，sub(r)の呼出し回数は，rMax回で済む

※1　for文の制御記述に使われている変数rは，繰返し回数をコントロールするための変数です。そのため，for文内で変数rの値を変更するような処理は，原則，行いません。

ア：内側のfor文の中で，「s1 ← sub(r)」を行っているため，sub(r)の呼出し回数は「rMax × cMax」回です。改良前と比べて最大で半分になるだけです。

```
for (r を 1 から rMax まで 1 ずつ増やす)
  for (c を 1 から cMax まで 1 ずつ増やす)
    s1 ← sub(r)
    if (x[r, c] > s1)
      x[r, c] ← s1
    endif
  endfor
endfor
```

sub(r)の呼出し回数は「rMax × cMax」回

ウ：sub (r)の呼出しに関しては〔ア〕と同じです。しかし，このプログラムには誤りがあります。x[r, c]の値を代入した変数xrcに，s1の値を代入しても，x[r, c]は変更されません。

```
for (r を 1 から rMax まで 1 ずつ増やす)
  for (c を 1 から cMax まで 1 ずつ増やす)
    s1 ← sub(r)
    xrc ← x[r, c]
    if (xrc > s1)
      xrc ← s1
    endif
  endfor
endfor
```

xrcはx[r, c]の値を代入しただけの変数なので，この代入文を行ってもx[r, c]をs1の値に変更できない

エ：sub (r)の呼出しに関しては〔イ〕と同じです。しかし,〔ウ〕と同様，このプログラムでは, x[r, c]を変更できません。

```
for (r を 1 から rMax まで 1 ずつ増やす)
  s1 ← sub(r)
  for (c を 1 から cMax まで 1 ずつ増やす)
    xrc ← x[r, c]
    if (xrc > s1)
      xrc ← s1
    endif
  endfor
endfor
```

COLUMN 時間効率性からみた最適化

時間効率性を向上させるための最適化には，次のものがあります。

- 終始更新されることがない変数は，定数で置き換える。
- ループ(繰返し処理)の中で値の変わらない式は，ループの外に出す(本例題が該当)。
- べき乗は乗算，乗算は加算に変換する。
  例えば，「$3x^3 + 8x^2 + 5x + 2$」を，「$((3x + 8)x + 5)x + 2$」のように変形する。

4.23 プログラムのテストケース

例題

次の記述中の［ a ］と［ b ］に入れる正しい答えの組合せを，解答群の中から選べ。

開発したプログラムに対するバグの摘出漏れの削減を目的として，プログラムを構成する最小単位である命令，経路，判定条件に着目し，テスト計画時に定めたカバレッジ基準を満たすテストケース及びテストデータを作成して，プログラムの動作を確認する。

カバレッジ基準としては，テストにおいて全ての命令文を1回は実行する命令網羅や，全ての分岐について分岐後の全ての経路を1回は実行する判定条件網羅（以下，分岐網羅という）などがある。本問では，カバレッジ基準として分岐網羅を採用する。本問における判定条件の評価を下記に示す。

〔判定条件の評価〕

分岐の判定条件には，一つの条件だけから成る単独条件と，二つ以上の単独条件をand又はorで組み合わせた複合条件がある。

例　(a ＞ b) and (a ＜ c)

(a ＞ b)：単独条件　(a ＜ c)：単独条件

(a ＞ b) and (a ＜ c)：複合条件

複合条件の場合，それを構成する単独条件を左から右へ向かって順に評価し，複合条件の結果が確定したら，残りの単独条件を評価しない。例えば，上記例の場合，一つ目の単独条件「a ＞ b」を評価した結果が偽ならば，複合条件は，二つ目の単独条件「a ＜ c」の真偽に関係なく必ず偽になるので，二つ目の単独条件を評価しない。

表は分岐網羅を基に作成されたプログラムのテストケースの例である。判定条件の評価に従って，このテストケースを用いて，プログラムをテストしたとき，テストケース①では［ a ］結果となり，テストケース②では［ b ］結果となる。

〔プログラム〕

```
○整数型: func(整数型: a, 整数型: b, 整数型: c, 整数型: d)
  整数型: n ← 0
  if ((a < 10) or (b < 20))
    n ← 10
  else
    n ← 20
  endif
  if ((c > 10) and (d > 10))
    n ← n + 1
  else
    n ← n − 1
  endif
  return n
```

表　プログラムのテストケースの例

	テストデータ			
変数	a	b	c	d
テストケース①	9	19	10	10
テストケース②	10	20	11	11

解答群

	a	b
ア	b ＜ 20 が評価されない	c ＞ 10 が評価されない
イ	b ＜ 20 と c ＞ 10 が評価されない	d ＞ 10 が評価されない
ウ	c ＞ 10 と d ＞ 10 が評価されない	全ての単独条件が評価される
エ	b ＜ 20 と d ＞ 10 が評価されない	全ての単独条件が評価される

解説　　解答：エ

本例題は，プログラムのテストに関する問題です。問われているのは，判定条件網羅（分岐網羅）をカバレッジ※1 基準として作成したテストケースを用いて，プログラムをテストしたときの検証結果です。ここでいう検証とは，プログラムが正常に動作するかどうかといった検証ではなく，全ての単独条件の評価が行われるか否かです。問題文に示された判定条件の評価，すなわち複合条件の評価方法がポイントになります。

CHECK!

〔複合条件の評価方法〕

単独条件を左から右へ向かって順に評価し，複合条件の結果が確定したら，残りの単独条件を評価しない。

では，テストケース①及び②を適用したときの，各if文における複合条件の評価を見ていきましょう。

▶ テストケース①

変数	a	b	c	d
テストケース①	9	19	10	10

(1) 一つ目のif文

最初に「a ＜ 10」が評価され，変数aの値が9なので評価結果は真です。そのため，この時点で「(a ＜ 10) or (b ＜ 20)」の評価が真と確定します。**「b ＜ 20」の評価は行われません。**

(2) 二つ目のif文

最初に「c ＞ 10」が評価され，変数cの値が10なので評価結果は偽です。そのため，この時点で「(c ＞ 10) and (d ＞ 10)」の評価が偽と確定します。**「d ＞ 10」の評価は行われません。**

```
if ((a < 10) or (b < 20))
  n ← 10
else
  n ← 20
endif
if ((c > 10) and (d > 10))
  n ← n + 1
else
  n ← n - 1
endif
```


※1　カバレッジとは「網羅率」のことです。テストによって全体のどれくらいの確認ができるかを表す指標です。

▶ **テストケース②**

変数	a	b	c	d
テストケース②	10	20	11	11

(1) 一つ目のif文

最初に「a < 10」が評価され，変数aの値が10なので評価結果は偽です。そのため，次の「b < 20」が評価されます。変数bの値が20なので評価結果は偽となり，これにより「(a < 10) or (b < 20)」の評価が偽と確定します。

(2) 二つ目のif文

最初に「c > 10」が評価され，変数cの値が11なので評価結果は真です。次に「d > 10」が評価され，変数dの値が11なので評価結果は真です。これにより「(c > 10) and (d > 10)」の評価は真と確定します。


```
if ((a < 10) or (b < 20))
  n ← 10
else
  n ← 20
endif
if ((c > 10) and (d > 10))
  n ← n + 1
else
  n ← n - 1
endif
```

以上，テストケース①では,「b < 20」と「d > 10」が評価されませんが，テストケース②では，全ての単独条件が評価されます。

COLUMN 判定条件網羅（分岐網羅）

判定条件網羅(以下，**分岐網羅**という)に基づいてテストを行う場合，全ての分岐について分岐後の全ての経路を1回は実行するようテストケースを作成します。つまり，分岐網羅では分岐の判定条件の真と偽の両方を最低1回はテストすることになります。本例題の場合，テストケース①，②を用いることで，全ての判定条件において真と偽の両方がテストできます。しかしその一方で，テストケース①では，評価されない単独条件が発見されています。評価されない単独条件があった場合，判定条件自体の誤りを発見できないという問題が発生します。

この問題を解決するためには，判定条件網羅と**条件網羅**を組み合わせます。条件網羅では，判定条件を構成する各単独条件の真と偽の両方がテストされるようにテストケースを設計するので，二つを組み合わせることで，判定条件における真偽，及び各単独条件における真偽を網羅できます。

4.24 デシジョンツリーを用いた意思決定

例題

次の記述中の［　　　］に入れる正しい答えを，解答群の中から選べ。

デシジョンツリーにより新製品を開発すべきかどうかを決定する。

A社の現在の利益は100億円である。A社では，新製品の開発に5億円の費用が掛かる。新製品を開発すると，競合会社のB社の新製品開発のいかんにかかわらず，現在よりも利益が20%，10%，5%増加する確率が，それぞれ0.2，0.2，0.6であると予想される。

これに反して新製品の開発をしなかったとき，競合会社のB社が新製品を開発する確率は0.5である。B社が新製品を開発したとき，A社が何も手を打たなければ，現在よりも利益が0%，5%，10%減少する確率が，それぞれ0.6，0.2，0.2であると予想される。A社が現在の利益の5%を広告に支出すると，現在よりも利益が20%，10%，5%増加する確率が，それぞれ0.3，0.3，0.4であると予想される。別の対策として，A社は価格の引き下げもできる。適切な引き下げを行うと，現在よりも利益が10%，5%，0%増加する確率が，それぞれ0.1，0.2，0.7であると予想される。なお，A社もB社も新製品を開発しなかった場合は，A社の利益は変わらない。

この関係を図のデシジョンツリーで表現する。ノード1と4が意思決定の点である。ノード②の期待利益は104億円である。また，ノード4において期待利益が最大となる決定は「広告5%」である。したがって，A社にとって最適な意思決定は［　　　］ことである。

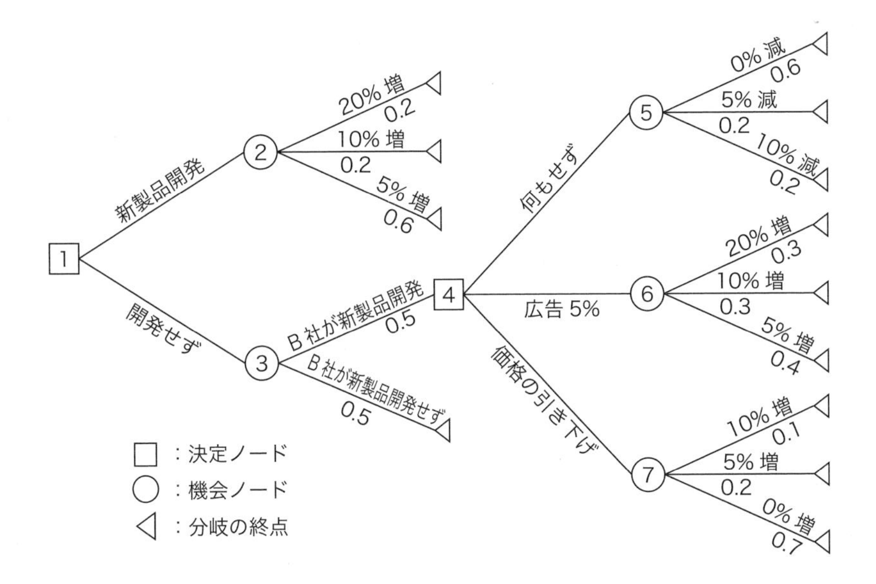

図　A社の新製品開発に関するデシジョンツリー

解答群

ア　新製品の開発をする

イ　新製品の開発はしないが，B社が新製品の開発をしたら価格の値下げをする

ウ　新製品の開発はしないが，B社が新製品の開発をしたら広告に利益額の5%を支出する

エ　新製品の開発をせず，B社が新製品の開発をしても手を打たない

オ　B社が新製品を開発してもしなくても，新製品の開発はしない

解説　　解答：ア

本例題は，デシジョンツリー(決定木ともいう)を用いて行う意思決定に関する問題です。デシジョンツリーとは，関連するいくつかの選択の，想定しうる結果を可視化させた分析図です。機会ノード(○で表されたノード)における期待値※1を求めることで，決定ノード(□で表されたノード)で何を選択すればよいかを判断します。

さて，本例題で問われているのはA社にとっての最適な意思決定です。つまり，ノード1における決定が問われているわけです。ノード1での決定は，ノード②とノード③のうち期待利益の大きい方の選択になります。ノード②の期待利益については，問題文に104億円であることが記述されているので，ここではノード③の期待利益を求める必要があります。ノード③の期待利益を求める式は，次のとおりです。

ノード③の期待利益 ＝ B社が新製品開発を行った場合の期待利益 × 0.5 ＋
B社が新製品開発を行わなかった場合の期待利益 × 0.5

B社が新製品開発を行わなかった場合，A社の利益は変わらないため期待利益は100億円です。では，B社が新製品開発を行った場合の期待利益はいくらになるでしょう？ ここで問題文に「ノード4において期待利益が最大となる決定は広告5%である」と記述されていることに着目します。ノード4で「広告5%」を決定(すなわち，選択)したということは，ノード⑤，⑥，⑦の中でノード⑥の期待利益が最も大きいことを意味します。つまり，「ノード⑥の期待利益 ＝ B社が新製品開発を行った場合の期待利益」です。

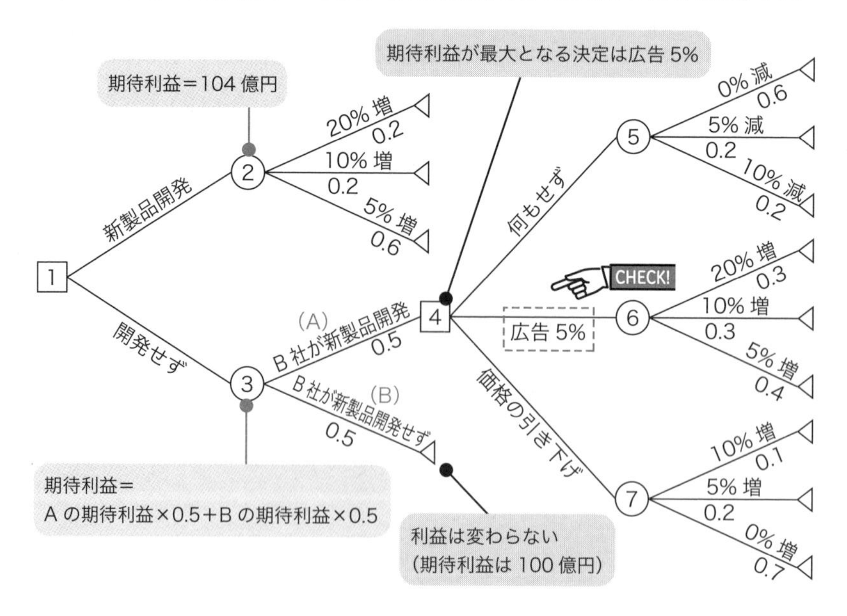

では，ノード⑥の期待利益を求めます。ノード⑥における利益増加率の期待値は，

(利益20%増) × 0.3 + (利益10%増) × 0.3 + (利益5%増) × 0.4

= 20 × 0.3 + 10 × 0.3 + 5 × 0.4 = 11[%]

です。A社の現在の利益は100億円で，広告に掛かる費用は5億円(利益の5%)なので，期待利益は，

100 × 1.11 − 5 = 106[億円]

です。

以上，ノード⑥の期待利益，すなわちB社が新製品開発を行った場合の期待利益が106億円，B社が新製品開発を行わなかった場合の期待利益が100億円なので，ノード③の期待利益は，

106 × 0.5 + 100 × 0.5 = 103[億円]

です。

ノード①での決定は，ノード②（期待利益104億円）とノード③（期待利益103億円）のうち期待利益の大きい方の選択になるので，その決定は「**新製品開発**」です。したがって，A社にとって最適な意思決定は〔ア〕の「新製品の開発をする」となります。

COLUMN 期待値原理を用いた意思決定

将来の起こりうる状態とその発生確率が予測できる場合の意思決定判断基準に**期待値原理**があります。

例えば，将来の状態S1，S2，S3の発生確率が下表に示すように予測できた場合，戦略ごとに期待利得を計算することで採るべき戦略を判断します。

		将来の状態		
		S1	S2	S3
発生確率		0.2	0.3	0.5
戦略	P1	50	24	− 25
	P2	30	0	15
	P3	15	30	− 15

- 戦略P1を採ったときの期待利得
  50 × 0.2 + 24 × 0.3 + (− 25 × 0.5) = 4.7
- 戦略P2を採ったときの期待利得
  30 × 0.2 + 0 × 0.3 + 15 × 0.5 = 13.5
- 戦略P3を採ったときの期待利得
  15 × 0.2 + 30 × 0.3 + (− 15 × 0.5) = 4.5

この例の場合，期待利得が最も大きい戦略はP2なので，採るべき戦略はP2です。なお，こうした問題も**デシジョンツリー**で表すことができます。

※1 **期待値**とは理論的な平均値のことで，起こりうる事象 X_i ($1 \leqq i \leqq n$) に対し，その発生確率 P_i ($1 \leqq i \leqq n$) が定まっているとき，「$X_1 \cdot P_1 + X_2 \cdot P_2 + \cdots + X_n \cdot P_n$」で求められる値のことです。

4.25 ゲーム木の探索

例題

次の記述中の［ a ］と［ b ］に入れる正しい答えの組合せを，解答群の中から選べ。

チェスやオセロなどのゲームでは，最終状態まで読み切って最善手を決定しようとすれば，探索量が膨大となる。そこで，数手先までで探索を打ち切り，その段階での状態評価によって「次の手」を決定する。

図は，あるゲームでプレイヤー甲が3手先まで読んだ結果を，探索木の形に表したものである。図中のP_1～P_{10}，S_0～S_9は局面を，t_1～t_{19}は「手」を表す。また，最下段の葉に示された数値は，3手先の局面S_0～S_9の，甲の立場から見た状態評価値（すなわち，その局面の有利さを定量化した値）を表す。

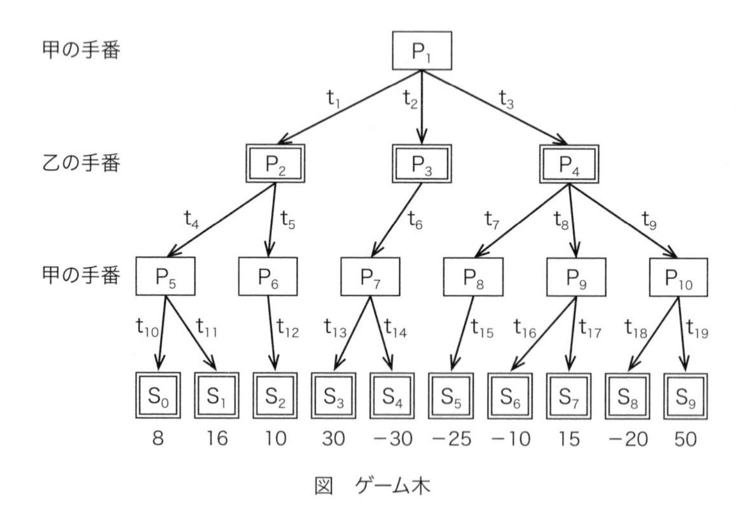

図　ゲーム木

ゲームが最上段にある根の状態のとき，3手先の局面で評価値が最大であるのはS_9であるので，甲としてはこの局面へ向かうよう手t_3を打ちたい。しかし，その次は乙の手番であり，乙は甲に最も不利となるような手t_7を打つと予想される。そうすると，甲はt_{15}を選ぶしかなく，3手先の局面はS_5に決定してしまう。

そこで，乙の手番を考慮に入れた上での最善手を決定するには，3手先以前の局面についても，次のルールで評価値を決め，これに基づいて指し手を決めることが考えられる。

・ルール1：甲の手番のとき，その直後に続く局面の評価値の中で最大のものを，その局面の評価値とする。

・ルール2：乙の手番のとき，その直後に続く局面の評価値の中で最小のものを，その局面の評価値とする。

この方法によれば，P_{10}の評価値は50であり，P_4の評価値は［ a ］である。したがって，このルールに基づいて甲が現時点で選ぶべき指し手は，［ b ］である。

解答群

	a	b
ア	−25	t1
イ	−25	t2
ウ	−20	t1
エ	−20	t2
オ	−10	t1
カ	−10	t2
キ	15	t1
ク	15	t2
ケ	50	t1
コ	50	t2

解説　　解答：イ

本例題は，ゲーム木の探索問題です。ゲーム木とは，相手の戦略（行動）を見てから自分の戦略を選べるゲーム（例えば，チェスやオセロなどのゲーム）※1を探索木の形に整理したものです。ゲーム木を探索することで最善手を決定するわけですが，ここでいう探索とは「先読み」です。自分の打った手に対して相手がどのように行動するのか，つまり相手がどういう戦略でくるのかを想定し最善手を決定します。

ここで問題文を見ると，「ゲームが最上段にある根の状態のとき，3手先の局面で評価値が最大であるのはS_9であるので，甲としてはこの局面へ向かうよう手t_3を打ちたい。しかし，その次は乙の手番であり，**乙は甲に最も不利となるような手t_7を打つと予想される**」と記述されています。この記述から，本例題において想定される戦略はミニマックス戦略です。ミニマックス戦略は，Aの利得がBの損失になるような二者間の関係※2における戦術戦略の原理で，「Bは自分自身の損失を最小にするために，**Aの利得が最小となるような戦略をとる**」とするものです。

さて，問題文に示されたゲーム木は，プレイヤー甲が3手先まで読んだ結果を表したものです。最下段の葉に示された数値は，3手先の局面S_0～S_9の，甲の立場から見た状態評価値です。ゲームが最上段にある根の状態のときに，甲が選ぶべき指し手（すなわち，最善手）を決定するためには，3手先の局面S_0～S_9における評価値からその一つ前の局面P_5～P_{10}の評価値を求め，さらにその評価値から局面P_2～P_4を求める必要があります。そして，この評価値を求める際のルールが，問題文に示されたルール1，2です。

CHECK!

〔評価値を決めるルール〕

- ルール1：甲の手番のとき，その直後に続く局面の評価値の中で最大のものを，その局面の評価値とする。
- ルール2：乙の手番のとき，その直後に続く局面の評価値の中で最小のものを，その局面の評価値とする。

このルールに従って，局面P_5～P_{10}，及び局面P_2～P_4における評価値を求めると次のようになります。

※1　このようなゲームを交互進行ゲームといいます。これに対して，じゃんけんのように，プレイヤーが同時に（互いにどんな戦略を選択するのか分からない状況で）戦略を選ぶゲームを同時進行ゲームといいます。

※2　プレイヤー間の利害が完全に対立し，「自分の利得＝相手の損失」となるゲームを二人零和完全情報ゲームといいます。零和（ゼロワ）とは，「全てのプレイヤーの利得・損失の和がゼロ」という意味です。ゼロサムゲーム（ゼロ和ゲーム）とも呼ばれます。

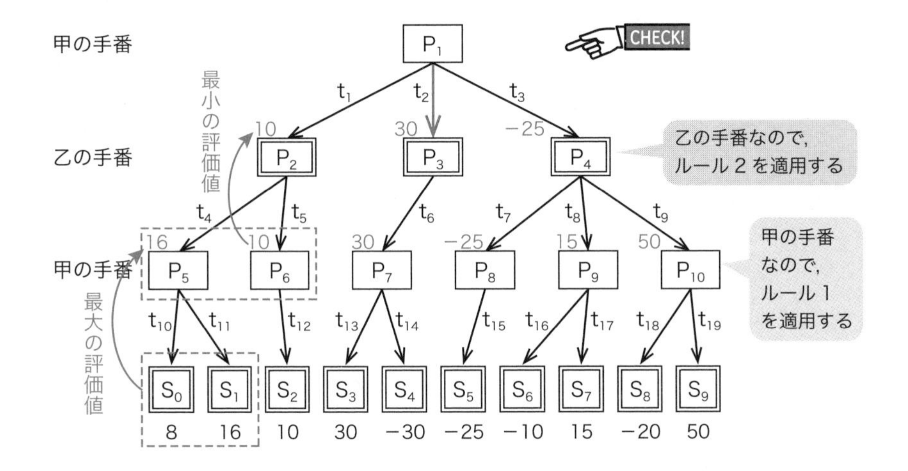

局面P_5～P_{10}は甲の手番です。ルール1に基づくと，局面P_5の評価値は局面S_0とS_1の評価値の中で最も大きい16になります。局面P_6は，次の局面がS_2だけなので局面S_2の評価値10が評価値になります。同様に考えていくと，局面P_7の評価値は30，P_8は−25，P_9は15，そしてP_{10}は50です。

局面P_2～P_4は乙の手番です。ルール2に基づくと，局面P_2の評価値は局面P_5とP_6の評価値の中で最も小さい10になります。局面P_3は，次の局面がP_7だけなので局面P_7の評価値30が評価値になります。P_4の評価値は局面P_8～P_{10}の評価値の中で最も小さい**−25**になります。

▶ 空欄a，b

局面P_2，P_3，P_4の評価値がそれぞれ10，30，−25ですから，甲が局面P_1で選ぶべき指し手は，評価値が最も大きい局面P_3へ向かう手$\mathbf{t_2}$です。

以上，空欄aのP_4の評価値は「−25」，空欄bの甲が選ぶべき指し手は「t_2」です。

COLUMN ゲーム木のミニマックス探索

ゲーム木を用いたゲームの整理法を展開型といいます。また，本例題のようにミニマックス戦略を想定したゲーム木の探索法を，**ミニマックス探索**あるいは**ミニマックス法**といいます。

ゲーム木の探索問題は，分かったようで分からない問題の一つです。そこで，確認のためにもう一つの問題を次ページに用意しました。本例題の内容が理解できたかどうか，挑戦してみましょう。

問. 二人が交互に着手するゲームを表現したゲーム木において，双方が最善を尽くすミニマックス戦略を想定する。先手が最初の手番Sで選択する手は，aとbのどちらか。ここで，□は先手の手番，○は後手の手番を表す。また，最下段に示された数値は，ゲーム木の終端節点での評価値である。[※解答]

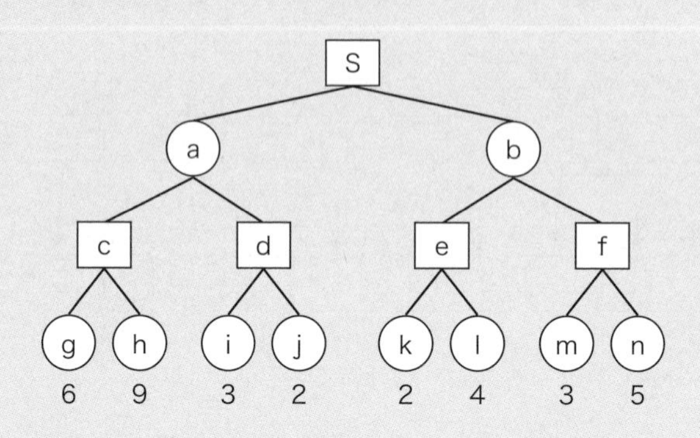

COLUMN 原始モンテカルロ法

二人零和完全情報ゲームでは，**ミニマックス探索**により最善手を求めることができます。ただし，厳密に最善手を求めようとするならば，終端節点での評価値は，ゲームの勝敗を実際に示すスコアでなければなりません。しかし，チェスやオセロといった複雑なゲームでは，探索範囲が大きくなりすぎるため，勝敗が決まるところまで探索を行うことは不可能です。そこで，探索を適度の深さで打ち切って，その段階での最善手を求めることになります(これを**部分ゲーム**という)。この場合，途中局面の評価値を，評価関数(局面の有利さを定量化する関数)を用いて求めますが，ゲームによっては，途中局面を評価すること自体が難しい場合があります。

これに対して，途中局面の評価をせずに利用できる手法として，**原始モンテカルロ法**[※3]があります。これは，「自分も相手もランダムに手を指す」という手順をゲーム終了まで続けたときの勝率を計算することで，勝ちか負けか引き分けのいずれかの結果が得られるという方法です。

※3 原始モンテカルロ法は，モンテカルロ法の一種です。モンテカルロ法とは，乱数を応用して，求める解や法則性の近似を得る手法の総称で，その代表例に「**円周率πの近似計算**」があります(p.208を参照)。

※解答 b

第5章

サンプル問題

この章では，IPA のサンプル問題を使って，これまで学習してきた自身の実力を確認します。

- サンプル問題 1：2022 年 4 月 25 日に公開された問題（全 5 問）
- サンプル問題 2：2022 年 12 月 26 日に公開された問題（全 20 問）

1 問当たりの解答時間（およそ 5 分）を意識しながら挑戦してみましょう。

読者特典として，**公開問題の解答・解説PDF** をダウンロードいただけます。
詳しくは，本書のサポートページ（下記URL）をご参照ください。
https://gihyo.jp/book/2024/978-4-297-14271-1/support

5.1 サンプル問題1

解答・解説はp.252

問1

次のプログラム中の [　　　] に入れる正しい答えを，解答群の中から選べ。

ある施設の入場料は，0歳から3歳までは100円，4歳から9歳までは300円，10歳以上は500円である。関数feeは，年齢を表す0以上の整数を引数として受け取り，入場料を返す。

〔プログラム〕

```
○整数型: fee(整数型: age)
  整数型: ret
  if (age が 3 以下)
    ret ← 100
  elseif ([　　　])
    ret ← 300
  else
    ret ← 500
  endif
  return ret
```

解答群

ア　(age が 4 以上) and (age が 9 より小さい)
イ　(age が 4 と等しい) or (age が 9 と等しい)
ウ　(age が 4 より大きい) and (age が 9 以下)
エ　age が 4 以上
オ　age が 4 より大きい
カ　age が 9 以下
キ　age が 9 より小さい

次のプログラム中の [a] と [b] に入れる正しい答えの組合せを，解答群の中から選べ。ここで，配列の要素番号は1から始まる。

次のプログラムは，整数型の配列arrayの要素の並びを逆順にする。

〔プログラム〕

```
整数型の配列: array ← {1, 2, 3, 4, 5}
整数型: right, left
整数型: tmp

for (left を 1 から (arrayの要素数 ÷ 2 の商) まで 1 ずつ増やす)
  right ← [ a ]
  tmp ← array[right]
  array[right] ← array[left]
  [ b ] ← tmp
endfor
```

解答群

	a	b
ア	arrayの要素数 − left	array[left]
イ	arrayの要素数 − left	array[right]
ウ	arrayの要素数 − left ＋ 1	array[left]
エ	arrayの要素数 − left ＋ 1	array[right]

5

問3

次のプログラム中の [a] と [b] に入れる正しい答えの組合せを，解答群の中から選べ。

手続appendは，引数で与えられた文字を単方向リストに追加する手続である。単方向リストの各要素は，クラスListElementを用いて表現する。クラスListElementの説明を図に示す。ListElement型の変数はクラスListElementのインスタンスの参照を格納するものとする。大域変数listHeadは，単方向リストの先頭の要素の参照を格納する。リストが空のときは，listHeadは未定義である。

メンバ変数	型	説明
val	文字型	リストに格納する文字。
next	ListElement	リストの次の文字を保持するインスタンスの参照。初期状態は未定義である。

コンストラクタ	説明
ListElement(文字型: qVal)	引数 qVal でメンバ変数 val を初期化する。

図　クラス ListElement の説明

〔プログラム〕

```
大域: ListElement: listHead ← 未定義の値

○append(文字型: qVal)
  ListElement: prev, curr
  curr ← ListElement(qVal)
  if (listHead が [ a ])
    listHead ← curr
  else
    prev ← listHead
    while (prev.next が 未定義でない)
      prev ← prev.next
    endwhile
    prev.next ← [ b ]
  endif
```

解答群

	a	b
ア	未定義	curr
イ	未定義	curr.next
ウ	未定義	listHead
エ	未定義でない	curr
オ	未定義でない	curr.next
カ	未定義でない	listHead

問4

次の記述中の [a] ～ [c] に入れる正しい答えの組合せを，解答群の中から選べ。ここで，配列の要素番号は1から始まる。

要素の多くが0の行列を疎行列という。次のプログラムは，二次元配列に格納された行列のデータ量を削減するために，疎行列の格納に適したデータ構造に変換する。

関数transformSparseMatrixは，引数matrixで二次元配列として与えられた行列を，整数型配列の配列に変換して返す。関数transformSparseMatrixをtransformSparseMatrix({{3, 0, 0, 0, 0}, {0, 2, 2, 0, 0}, {0, 0, 0, 1, 3}, {0, 0, 0, 2, 0}, {0, 0, 0, 0, 1}})として呼び出したときの戻り値は，{{ [a] }, { [b] }, { [c] }}である。

〔プログラム〕

```
○整数型配列の配列: transformSparseMatrix(整数型の二次元配列: matrix)
  整数型: i, j
  整数型配列の配列: sparseMatrix
  sparseMatrix ← {{}, {}, {}} /* 要素数0の配列を三つ要素にもつ配列 */
  for (i を 1 から matrixの行数 まで 1 ずつ増やす)
    for (j を 1 から matrixの列数 まで 1 ずつ増やす)
      if (matrix[i, j] が 0 でない)
        sparseMatrix[1]の末尾 に iの値 を追加する
        sparseMatrix[2]の末尾 に jの値 を追加する
        sparseMatrix[3]の末尾 に matrix[i, j]の値 を追加する
      endif
    endfor
  endfor
  return sparseMatrix
```

解答群

	a	b	c
ア	1, 2, 2, 3, 3, 4, 5	1, 2, 3, 4, 5, 4, 5	3, 2, 2, 1, 2, 3, 1
イ	1, 2, 2, 3, 3, 4, 5	1, 2, 3, 4, 5, 4, 5	3, 2, 2, 1, 3, 2, 1
ウ	1, 2, 3, 4, 5, 4, 5	1, 2, 2, 3, 3, 4, 5	3, 2, 2, 1, 2, 3, 1
エ	1, 2, 3, 4, 5, 4, 5	1, 2, 2, 3, 3, 4, 5	3, 2, 2, 1, 3, 2, 1

5

問5

次のプログラム中の［　　　　］に入れる正しい答えを，解答群の中から選べ。

任意の異なる2文字をc1，c2とするとき，英単語群に含まれる英単語において，c1の次にc2が出現する割合を求めるプログラムである。英単語は，英小文字だけから成る。英単語の末尾の文字がc1である場合，その箇所は割合の計算に含めない。例えば，図に示す4語の英単語“importance”，“inflation”，“information”，“innovation”から成る英単語群において，c1を“n”，c2を“f”とする。英単語の末尾の文字以外に“n”は五つあり，そのうち次の文字が“f”であるものは二つである。したがって，求める割合は，2÷5＝0.4である。c1とc2の並びが一度も出現しない場合，c1の出現回数によらず割合を0と定義する。

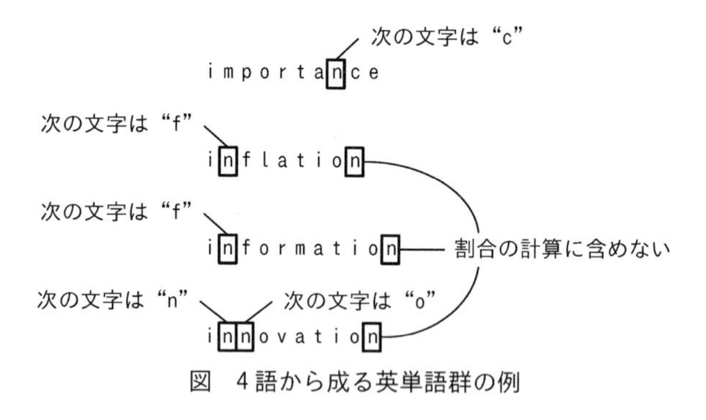

図　4語から成る英単語群の例

プログラムにおいて，英単語群はWords型の大域変数wordsに格納されている。クラスWordsのメソッドの説明を，表に示す。本問において，文字列に対する演算子“＋”は，文字列の連結を表す。また，整数に対する演算子“÷”は，実数として計算する。

表　クラスWordsのメソッドの説明

メソッド	戻り値	説明
freq(文字列型: str)	整数型	英単語群中の文字列strの出現回数を返す。
freqE(文字列型: str)	整数型	英単語群の中で，文字列strで終わる英単語の数を返す。

〔プログラム〕

```
大域: Words: words /* 英単語群が格納されている */

/* c1の次にc2が出現する割合を返す */
○実数型: prob(文字型: c1, 文字型: c2)
  文字列型: s1 ← c1の1文字だけから成る文字列
  文字列型: s2 ← c2の1文字だけから成る文字列
  if (words.freq(s1 + s2) が 0 より大きい)
    return [          ]
  else
    return 0
  endif
```

解答群

ア (words.freq(s1) − words.freqE(s1)) ÷ words.freq(s1 + s2)

イ (words.freq(s2) − words.freqE(s2)) ÷ words.freq(s1 + s2)

ウ words.freq(s1 + s2) ÷ (words.freq(s1) − words.freqE(s1))

エ words.freq(s1 + s2) ÷ (words.freq(s2) − words.freqE(s2))

サンプル問題1の解答・解説

問1　　解答：カ

入場料は，0歳から3歳までは100円，4歳から9歳までは300円，10歳以上は500円です。関数feeでは，最初に「age が 3 以下」であるかを評価し，真であれば「ret ← 100」を実行しています。変数retは入場料を格納する変数です。

問われている空欄は，変数retに300を設定する条件式です。入場料が300円になるのは4歳から9歳までなので，本来の条件式は「（age が 4 以上）and（age が 9 以下）」となりますが，最初の条件式で「age が 3 以下」であるかを評価しているため，空欄の条件式を評価するときは「age が 3 より大きい」，すなわち「age が 4 以上」という条件を満たしています。したがって，ここではageが9歳以下であるかどうかを評価します。つまり，空欄に入れる条件式は「age が 9 以下」です。

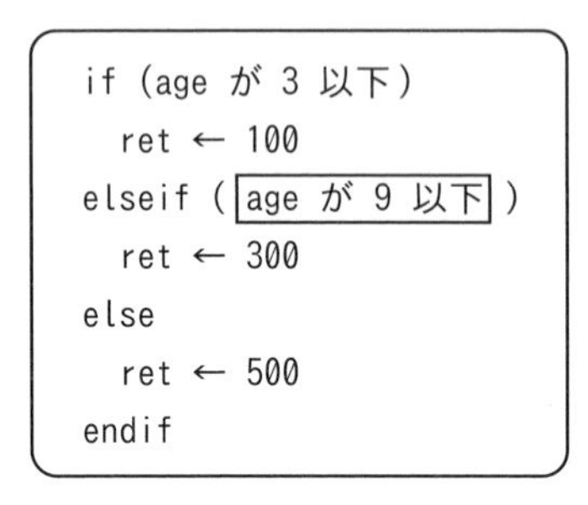

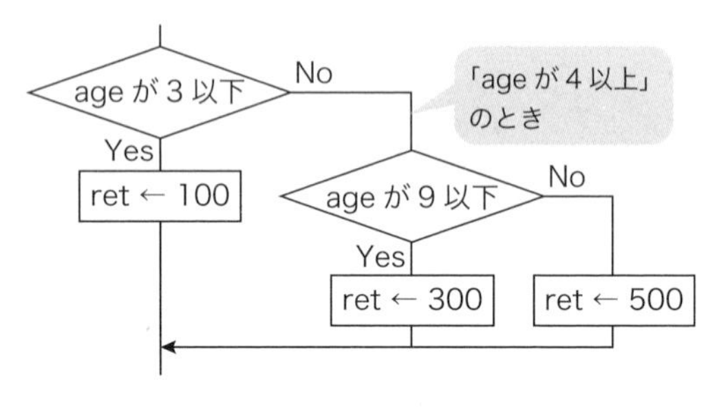

問2　　解答：ウ

整数型の配列arrayの要素の並びを逆順にするプログラムです。配列要素の並びを逆順にするためには，最初に一番外側の要素（先頭要素と末尾要素）の値を交換し，次に一つ内側の要素の値を交換し，さらに一つ内側の要素の値を交換するというように，配列の外側から内側に向けて順番に要素の値を交換していきます。本問の場合は，配列arrayの要素数が5なので，下図に示すように，最初にarray[1]とarray[5]の値を交換し，次にarray[2]とarray[4]の値を交換すれば要素の並びは逆順になります。

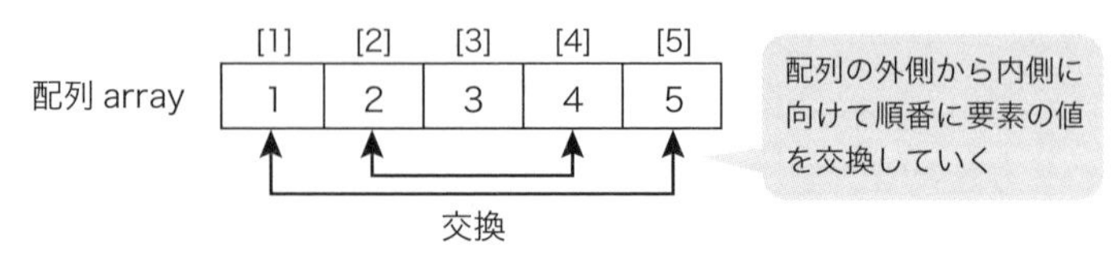

このことを念頭に，考えやすい空欄bから見ていきます。

▶空欄b

プログラムでは，交換する左側の要素の要素番号をleftで表し，右側の要素の要素番号をrightで表しています。array[left]とarray[right]の値を交換するためには，まずarray[right]の値を変数tmpに退避してから，array[right]にarray[left]の値を格納します。その後，退避しておいたtmpの値をarray[left]に格納します※1。

したがって，空欄bには「**array[left]**」が入ります。

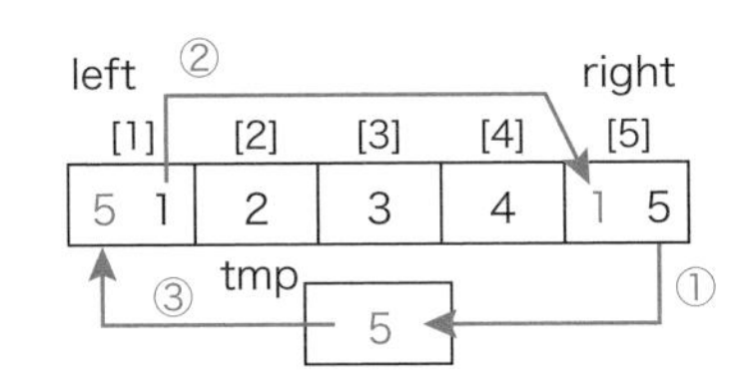

▶空欄a

最初に交換する要素は，array[1]とarray[5]です。このときleftの値は1，rightの値は5でなければいけません。

for文の制御記述を見ると，「left を 1 から（arrayの要素数 ÷ 2 の商）まで 1 ずつ増やす」となっているので，繰返し1回目のとき，変数leftの値は1です。そしてrightの値を5に設定するためには，「right ← arrayの要素数 − left ＋ 1」を行えばよいでしょう。arrayの要素数は5，leftの値は1なので，「arrayの要素数 − left ＋ 1 ＝ 5 − 1 ＋ 1 ＝ 5」となり，変数rightに5が設定できます。

なお，繰返し2回目でleftの値が2になったら，rightの値は「arrayの要素数 − left ＋ 1 ＝ 5 − 2 ＋ 1 ＝ 4」となるのでarray[2]とarray[4]の値が交換できます。

以上，空欄aには「**arrayの要素数 − left ＋ 1**」が入ります。

```
for (left を 1 から (arrayの要素数 ÷ 2 の商) まで 1 ずつ増やす)
  right ← [arrayの要素数 − left ＋ 1]
  tmp ← array[right]                    ┐ array[left]とarray[right]の値を
  array[right] ← array[left]            │ 交換する処理
  [array[left]] ← tmp                   ┘
endfor
```

※1　array[left]の値を変数tmpに退避してもOKです。この場合，array[left]の値をtmpに退避したら，array[left]にarray[right]の値を格納します。その後，退避しておいたtmpの値をarray[right]に格納します。

問3　　解答：ア

手続appendは，引数で与えられた文字（qVal）を単方向リストに追加する手続です。プログラムを見ると，最初に「curr ← ListElement（qVal）」を行っています。これは，リストに追加する新たな要素を作成する処理です。

具体的には，クラスListElementのインスタンスを生成し（下図①），生成されたインスタンスの「参照」※2をListElement型の変数currに格納します（下図②）。なお，インスタンスの生成時には，コンストラクタListElement※3によって，メンバ変数valが引数qValの値で初期化されます（下図③）。メンバ変数nextの初期状態は未定義です。

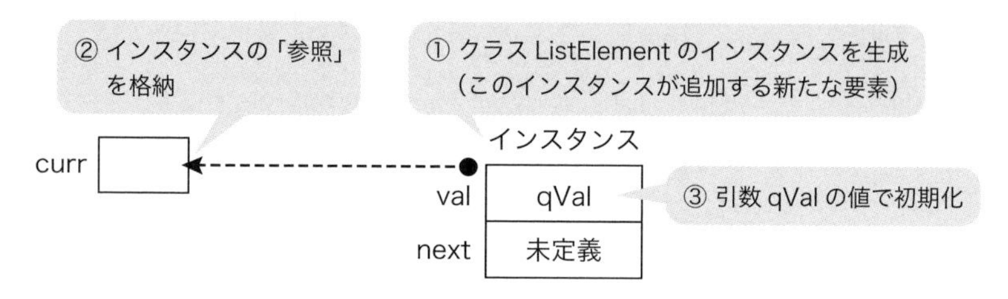

▶ 空欄a

条件式「listHeadが [a] 」が真のとき，「listHead ← curr」を行っています。変数listHeadは，リストの先頭要素の「参照」を格納する変数なので，currの値を代入するということは，currが参照する要素がリストの先頭要素になるということです。つまりこの処理が行われるのは，リストが空（すなわち，listHeadが未定義）のときです。したがって，空欄aには「**未定義**」が入ります。

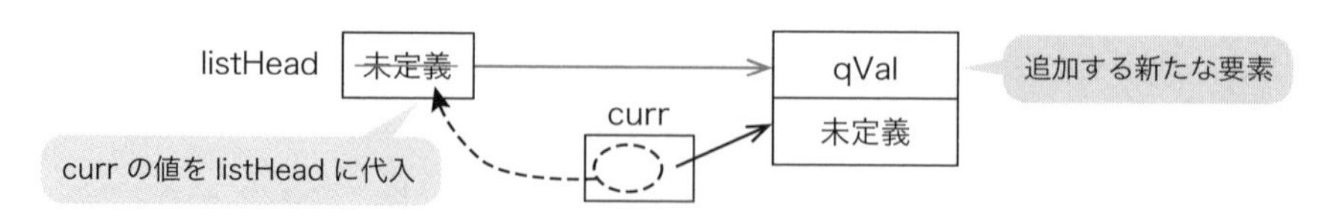

▶ 空欄b

リストが空でないとき（すなわち，listHeadが未定義ではないとき），listHeadの値をprevに代入し，「prev.nextが未定義でない」間，「prev ← prev.next」を繰返し行っています。この処理は，変数prevを使ってリストの末尾の要素まで順番にたどる処理です。

prev.nextが未定義になったら繰返しが終了するので，このとき，「prev.next ← curr」を行えば，currが参照する要素をリストの末尾に追加できます（次ページの図を参照）。したがって，空欄bには「**curr**」が入ります。

※2　本書では「〜を参照する」と区別するため，カギ括弧を付けて「参照」と表現しています。「参照」ときたら，「場所」と読み替えてください。

※3　コンストラクタ（p.68参照）は，クラス名と同じ名前のメソッドです。

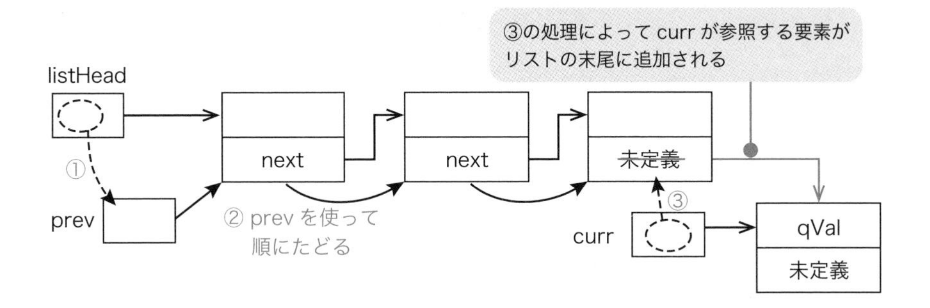


```
大域: ListElement: listHead ← 未定義の値

○append(文字型: qVal)
  ListElement: prev, curr
  curr ← ListElement(qVal)            リストに追加する新たな要素を生成する
  if (listHead が [未定義] )           リストが空のときは，currが参照する要素が
    listHead ← curr                    リストの先頭になる
  else
    prev ← listHead  ① listHeadの値をprevに代入する
    while (prev.next が 未定義でない)  ② 変数prevを使って，
      prev ← prev.next                   リストの末尾の要素までたどる
    endwhile
    prev.next ← [curr]    ③ currの値をprev.nextに代入する
  endif                      （これによって，currが参照する要素が
                              リストの末尾に追加される）
```

COLUMN 新たな要素をリストの先頭に追加するプログラム

本問では新たな要素をリストの末尾に追加していますが，リストの先頭に追加する場合もあります。この場合，プログラムは次のようになります。

```
/*  新たな要素をリストの先頭に追加する  */
大域: ListElement: listHead ← 未定義の値

○append(文字型: qVal)
  ListElement: curr
  curr ← ListElement(qVal)
  curr.next ← listHead
  listHead ← curr
```

問4　解答：イ

関数transformSparseMatrixの戻り値が問われています。

transformSparseMatrix({{3, 0, 0, 0, 0}, {0, 2, 2, 0, 0}, {0, 0, 0, 1, 3}, {0, 0, 0, 2, 0}, {0, 0, 0, 0, 1}})として呼び出されたときの引数matrixは，下図に示す二次元配列になります。本問のポイントは，「matrix[i, j]が0でない」とき，下記の処理を行っていることです。

二次元配列 matrix

	1	2	3	4	5
1	**3**	0	0	0	0
2	0	**2**	**2**	0	0
3	0	0	0	**1**	**3**
4	0	0	0	**2**	0
5	0	0	0	0	**1**

〔matrix[i, j]が0でないときの処理〕
sparseMatrix[1]の末尾にiの値を追加する
sparseMatrix[2]の末尾にjの値を追加する
sparseMatrix[3]の末尾にmatrix[i, j]の値を追加する

例えば，matrix[1, 1]に対しては，次の処理が行われます。

配列の内容

- sparseMatrix[1]の末尾にiの値を追加する ⇒ sparseMatrix[1]:{**1**}
- sparseMatrix[2]の末尾にjの値を追加する ⇒ sparseMatrix[2]:{**1**}
- sparseMatrix[3]の末尾にmatrix[i, j]の値を追加する ⇒ sparseMatrix[3]:{**3**}

また，matrix[2, 2]に対しては，次の処理が行われます。

- sparseMatrix[1]の末尾にiの値を追加する ⇒ sparseMatrix[1]:{1, **2**}
- sparseMatrix[2]の末尾にjの値を追加する ⇒ sparseMatrix[2]:{1, **2**}
- sparseMatrix[3]の末尾にmatrix[i, j]の値を追加する ⇒ sparseMatrix[3]:{3, **2**}

matrix[2, 3]，matrix[3, 4]，matrix[3, 5]，matrix[4, 4]，matrix[5, 5]に対しても同様な処理を行うと，sparseMatrixは次のようになります。したがって，〔イ〕が正解です。

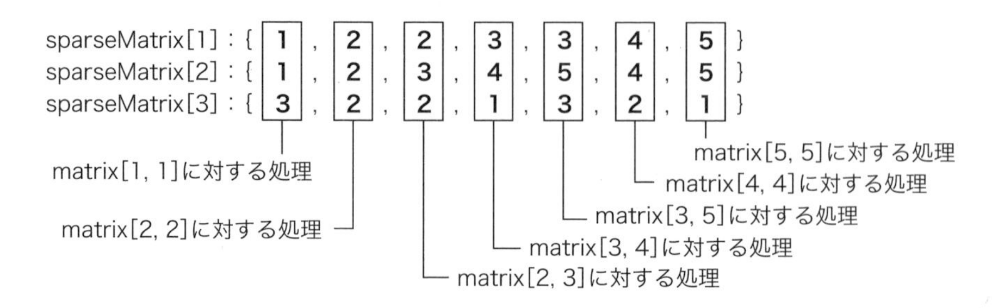

問5　解答：ウ

手続probは，英単語群※4に含まれる英単語において，c1の次にc2が出現する割合を求める手続です。引数として与えられた文字c1とc2を，それぞれ文字列型の変数s1及びs2に代入しているので，手続probでは，s1の次にs2が出現する割合を求めることになります。問題文に示された例を基に考えると，s1の次にs2が出現する割合は，次の式で求められます。

（s1とs2を連結した文字列の出現回数）÷（s1の出現回数 − s1で終わる英単語数）

〔例：s1 = “n”，s2 = “f”〕

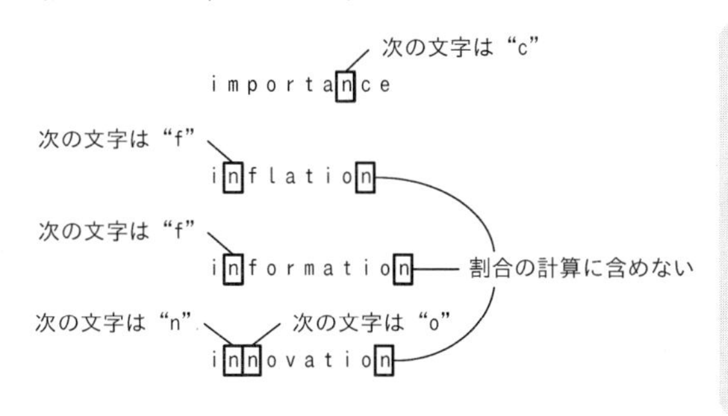

- “n” と “f” を連結した文字列の出現回数：2
- “n” の出現回数：8
- “n” で終わる英単語数：3

↓

求める割合

2÷(8−3)＝2÷5＝0.4

ここで，

- s1とs2を連結した文字列の出現回数は，words.freq (s1 + s2) ※5
- s1の出現回数は，words.freq (s1)
- s1で終わる英単語数は，words.freqE (s1)

で求められるので，s1の次にs2が出現する割合を求める式は，次のようになります。

words.freq(s1＋s2) ÷ (words.freq(s1)− words.freqE(s1))

問われている空欄は，条件式「words.freq(s1＋s2)が0より大きい」とき，すなわち，s1とs2を連結した文字列の出現回数が一つ以上あったときの戻り値です。この場合，上記の式で求められる割合を返せばよいので，空欄には，

words.freq(s1＋s2) ÷ (words.freq(s1)− words.freqE(s1))

が入ります。なお，条件式が偽のとき（すなわち，s1とs2を連結した文字列の出現回数が0のとき）は，0を返します。

※4　問題文に「英単語群はWords型の大域変数wordsに格納されている」とあります。これは，すでにクラスWordsのインスタンスが作成されていて，そのインスタンスの「参照」を大域変数wordsが保持しているという意味です。

※5　「s1＋s2」は文字列s1とs2を連結した文字列です。文字列の出現回数は，クラスWordsのメソッドfreqで求められます。クラスWordsのインスタンスの「参照」は，大域変数wordsに格納されているので，メソッドfreqを使用するときは「words.freq」と記述します。

5.2 サンプル問題 2

解答・解説はp.280

問1

次の記述中の ＿＿＿ に入れる正しい答えを，解答群の中から選べ。

プログラムを実行すると，“ ＿＿＿ ”と出力される。

〔プログラム〕

```
整数型：x ← 1
整数型：y ← 2
整数型：z ← 3
x ← y
y ← z
z ← x
yの値 と zの値 をこの順にコンマ区切りで出力する
```

解答群

ア　1,2	イ　1,3	ウ　2,1
エ　2,3	オ　3,1	カ　3,2

問2

次のプログラム中の［ a ］～［ c ］に入れる正しい答えの組合せを，解答群の中から選べ。

関数fizzBuzzは，引数で与えられた値が，3で割り切れて5で割り切れない場合は“3で割り切れる”を，5で割り切れて3で割り切れない場合は“5で割り切れる”を，3と5で割り切れる場合は“3と5で割り切れる”を返す。それ以外の場合は“3でも5でも割り切れない”を返す。

〔プログラム〕

```
○文字列型: fizzBuzz(整数型: num)
  文字列型: result
  if (num が [ a ] で割り切れる)
    result ← "[ a ] で割り切れる"
  elseif (num が [ b ] で割り切れる)
    result ← "[ b ] で割り切れる"
  elseif (num が [ c ] で割り切れる)
    result ← "[ c ] で割り切れる"
  else
    result ← "3 でも 5 でも割り切れない"
  endif
  return result
```

解答群

	a	b	c
ア	3	3と5	5
イ	3	5	3と5
ウ	3と5	3	5
エ	5	3	3と5
オ	5	3と5	3

5

問3

次の記述中の[　　　]に入れる正しい答えを，解答群の中から選べ。ここで，配列の要素番号は1から始まる。

関数makeNewArrayは，要素数2以上の整数型の配列を引数にとり，整数型の配列を返す関数である。関数makeNewArrayをmakeNewArray({3, 2, 1, 6, 5, 4})として呼び出したとき，戻り値の配列の要素番号5の値は[　　　]となる。

〔プログラム〕

```
○整数型の配列: makeNewArray(整数型の配列: in)
  整数型の配列: out ← {}  // 要素数0の配列
  整数型: i, tail
  outの末尾 に in[1]の値 を追加する
  for (i を 2 から inの要素数 まで 1 ずつ増やす)
    tail ← out[outの要素数]
    outの末尾 に (tail + in[i]) の結果を追加する
  endfor
  return out
```

解答群

ア　5　　イ　6　　ウ　9　　エ　11　　オ　12
カ　17　　キ　21

問4

次のプログラム中の [a] ～ [c] に入れる正しい答えの組合せを，解答群の中から選べ。

関数gcdは，引数で与えられた二つの正の整数num1とnum2の最大公約数を，次の(1) ～(3)の性質を利用して求める。

(1) num1とnum2が等しいとき，num1とnum2の最大公約数はnum1である。
(2) num1がnum2より大きいとき，num1とnum2の最大公約数は，(num1－num2)とnum2の最大公約数と等しい。
(3) num2がnum1より大きいとき，num1とnum2の最大公約数は，(num2－num1)とnum1の最大公約数と等しい。

〔プログラム〕

```
○整数型: gcd(整数型: num1, 整数型: num2)
  整数型: x ← num1
  整数型: y ← num2
```

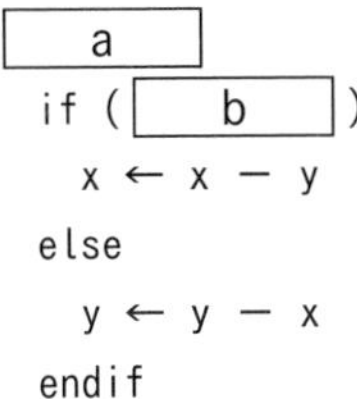

```
  [   a   ]
    if ( [   b   ] )
      x ← x － y
    else
      y ← y － x
    endif
  [   c   ]
  return x
```

解答群

	a	b	c
ア	if (x ≠ y)	x ＜ y	endif
イ	if (x ≠ y)	x ＞ y	endif
ウ	while (x ≠ y)	x ＜ y	endwhile
エ	while (x ≠ y)	x ＞ y	endwhile

問5

次のプログラム中の ＿＿＿ に入れる正しい答えを，解答群の中から選べ。

関数calcは，正の実数xとyを受け取り，$\sqrt{x^2+y^2}$の計算結果を返す。関数calcが使う関数powは，第1引数として正の実数aを，第2引数として実数bを受け取り，aのb乗の値を実数型で返す。

〔プログラム〕

```
○実数型: calc(実数型: x, 実数型: y)
  return ＿＿＿
```

解答群

ア (pow(x, 2) + pow(y, 2)) ÷ pow(2, 0.5)

イ (pow(x, 2) + pow(y, 2)) ÷ pow(x, y)

ウ pow(2, pow(x, 0.5)) + pow(2, pow(y, 0.5))

エ pow(pow(pow(2, x), y), 0.5)

オ pow(pow(x, 2) + pow(y, 2), 0.5)

カ pow(x, 2) × pow(y, 2) ÷ pow(x, y)

キ pow(x, y) ÷ pow(2, 0.5)

問6

次のプログラム中の [　　　] に入れる正しい答えを，解答群の中から選べ。

関数revは8ビット型の引数byteを受け取り，ビットの並びを逆にした値を返す。例えば，関数revをrev(01001011)として呼び出すと，戻り値は11010010となる。

なお，演算子∧はビット単位の論理積，演算子∨はビット単位の論理和，演算子>>は論理右シフト，演算子<<は論理左シフトを表す。例えば，value >> nはvalueの値をnビットだけ右に論理シフトし，value << nはvalueの値をnビットだけ左に論理シフトする。

〔プログラム〕

```
○8ビット型: rev(8ビット型: byte)
  8ビット型: rbyte ← byte
  8ビット型: r ← 00000000
  整数型: i
  for (i を 1 から 8 まで 1 ずつ増やす)
    [　　　]
  endfor
  return r
```

解答群

ア　r ← (r << 1) ∨ (rbyte ∧ 00000001)
　　rbyte ← rbyte >> 1

イ　r ← (r << 7) ∨ (rbyte ∧ 00000001)
　　rbyte ← rbyte >> 7

ウ　r ← (rbyte << 1) ∨ (rbyte >> 7)
　　rbyte ← r

エ　r ← (rbyte >> 1) ∨ (rbyte << 7)
　　rbyte ← r

問7

次のプログラム中の [ ] に入れる正しい答えを，解答群の中から選べ。

関数factorialは非負の整数nを引数にとり，その階乗を返す関数である。非負の整数nの階乗はnが0のときに1になり，それ以外の場合は1からnまでの整数を全て掛け合わせた数となる。

〔プログラム〕

```
○整数型: factorial(整数型: n)
  if (n = 0)
    return 1
  endif
  return [    ]
```

解答群

ア (n − 1) × factorial(n)

イ factorial(n − 1)

ウ n

エ n × (n − 1)

オ n × factorial(1)

カ n × factorial(n − 1)

5

問8

次の記述中の［　　　　］に入れる正しい答えを，解答群の中から選べ。

優先度付きキューを操作するプログラムである。優先度付きキューとは扱う要素に優先度を付けたキューであり，要素を取り出す際には優先度の高いものから順番に取り出される。クラスPrioQueueは優先度付きキューを表すクラスである。クラスPrioQueueの説明を図に示す。ここで，優先度は整数型の値1，2，3のいずれかであり，小さい値ほど優先度が高いものとする。

手続prioSchedを呼び出したとき，出力は［　　　　］の順となる。

コンストラクタ	説明
PrioQueue()	空の優先度付きキューを生成する。

メソッド	戻り値	説明
enqueue(文字列型: s, 整数型: prio)	なし	優先度付きキューに，文字列 s を要素として，優先度 prio で追加する。
dequeue()	文字列型	優先度付きキューからキュー内で最も優先度の高い要素を取り出して返す。最も優先度の高い要素が複数あるときは，そのうちの最初に追加された要素を一つ取り出して返す。
size()	整数型	優先度付きキューに格納されている要素の個数を返す。

図　クラス PrioQueue の説明

〔プログラム〕

```
○prioSched()
  PrioQueue: prioQueue ← PrioQueue()
  prioQueue.enqueue("A", 1)
  prioQueue.enqueue("B", 2)
  prioQueue.enqueue("C", 2)
  prioQueue.enqueue("D", 3)
  prioQueue.dequeue()  /* 戻り値は使用しない */
  prioQueue.dequeue()  /* 戻り値は使用しない */
  prioQueue.enqueue("D", 3)
  prioQueue.enqueue("B", 2)
  prioQueue.dequeue()  /* 戻り値は使用しない */
  prioQueue.dequeue()  /* 戻り値は使用しない */
  prioQueue.enqueue("C", 2)
  prioQueue.enqueue("A", 1)
  while (prioQueue.size() が 0 と等しくない)
    prioQueue.dequeue() の戻り値を出力
  endwhile
```

解答群

ア　"A", "B", "C", "D"

イ　"A", "B", "D", "D"

ウ　"A", "C", "C", "D"

エ　"A", "C", "D", "D"

5

問9

次の記述中の ＿＿＿ に入れる正しい答えを，解答群の中から選べ。ここで，配列の要素番号は1から始まる。

手続orderは，図の2分木の，引数で指定した節を根とする部分木をたどりながら，全ての節番号を出力する。大域の配列treeが図の2分木を表している。配列treeの要素は，対応する節の子の節番号を，左の子，右の子の順に格納した配列である。例えば，配列treeの要素番号1の要素は，節番号1の子の節番号から成る配列であり，左の子の節番号2，右の子の節番号3を配列{2，3}として格納する。

手続orderをorder(1)として呼び出すと， ＿＿＿ の順に出力される。

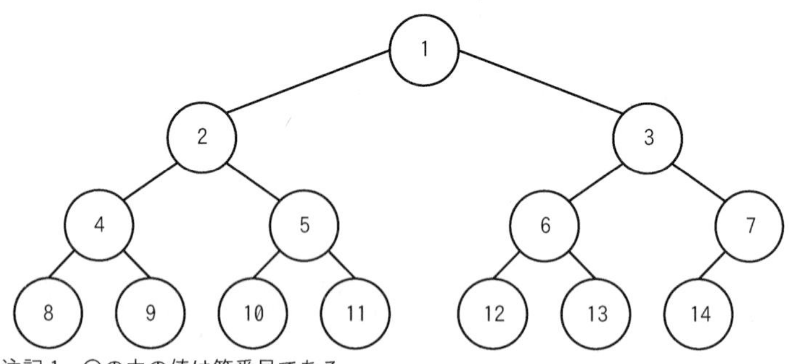

注記1　○の中の値は節番号である。
注記2　子の節が一つの場合は，左の子の節とする。

図　プログラムが扱う2分木

〔プログラム〕

```
大域: 整数型配列の配列: tree ← {{2, 3}, {4, 5}, {6, 7}, {8, 9},
                              {10, 11}, {12, 13}, {14}, {}, {}, {},
                              {}, {}, {}, {}}  // {}は要素数0の配列

○order(整数型: n)
  if (tree[n]の要素数 が 2 と等しい)
    order(tree[n][1])
    nを出力
    order(tree[n][2])
  elseif (tree[n]の要素数 が 1 と等しい)
    order(tree[n][1])
    nを出力
  else
    nを出力
  endif
```

解答群

ア 1, 2, 3, 4, 5, 6, 7, 8, 9, 10, 11, 12, 13, 14

イ 1, 2, 4, 8, 9, 5, 10, 11, 3, 6, 12, 13, 7, 14

ウ 8, 4, 9, 2, 10, 5, 11, 1, 12, 6, 13, 3, 14, 7

エ 8, 9, 4, 10, 11, 5, 2, 12, 13, 6, 14, 7, 3, 1

5

問10

次のプログラム中の ［　　　］ に入れる正しい答えを，解答群の中から選べ。

手続delNodeは，単方向リストから，引数posで指定された位置の要素を削除する手続である。引数posは，リストの要素数以下の正の整数とする。リストの先頭の位置を1とする。

クラスListElementは，単方向リストの要素を表す。クラスListElementのメンバ変数の説明を表に示す。ListElement型の変数はクラスListElementのインスタンスの参照を格納するものとする。大域変数listHeadには，リストの先頭要素の参照があらかじめ格納されている。

表　クラス ListElement のメンバ変数の説明

メンバ変数	型	説明
val	文字型	要素の値
next	ListElement	次の要素の参照 次の要素がないときの状態は未定義

〔プログラム〕

```
大域: ListElement: listHead  // リストの先頭要素が格納されている

○delNode(整数型: pos)  /* posは，リストの要素数以下の正の整数 */
  ListElement: prev
  整数型: i
  if (pos が 1 と等しい)
    listHead ← listHead.next
  else
    prev ← listHead
    /* posが2と等しいときは繰返し処理を実行しない */
    for (i を 2 から pos − 1 まで 1 ずつ増やす)
      prev ← prev.next
    endfor
    prev.next ← [　　　]
  endif
```

解答群

ア　listHead　　イ　listHead.next

ウ　listHead.next.next　　エ　prev

オ　prev.next　　カ　prev.next.next

問11

次の記述中の[　　　　]に入れる正しい答えを，解答群の中から選べ。ここで，配列の要素番号は1から始まる。

関数binSortをbinSort([　　　　])として呼び出すと，戻り値の配列には未定義の要素は含まれておらず，値は昇順に並んでいる。

〔プログラム〕

```
○整数型の配列: binSort(整数型の配列: data)
  整数型: n ← dataの要素数
  整数型の配列: bins ← {n個の未定義の値}
  整数型: i

  for (i を 1 から n まで 1 ずつ増やす)
    bins[data[i]] ← data[i]
  endfor

  return bins
```

解答群

ア {2, 6, 3, 1, 4, 5}　　イ {3, 1, 4, 4, 5, 2}
ウ {4, 2, 1, 5, 6, 2}　　エ {5, 3, 4, 3, 2, 6}

5

問12

次のプログラム中の [　　　] に入れる正しい答えを，解答群の中から選べ。ここで，配列の要素番号は1から始まる。

関数simRatioは，引数として与えられた要素数1以上の二つの文字型の配列s1とs2を比較し，要素数が等しい場合は，配列の並びがどの程度似ているかの指標として，(要素番号が同じ要素の文字同士が一致する要素の組みの個数 ÷ s1の要素数) を実数型で返す。例えば，配列の全ての要素が一致する場合の戻り値は1，いずれの要素も一致しない場合の戻り値は0である。

なお，二つの配列の要素数が等しくない場合は，−1を返す。

関数simRatioに与えるs1，s2及び戻り値の例を表に示す。プログラムでは，配列の領域外を参照してはならないものとする。

表　関数simRatioに与えるs1，s2及び戻り値の例

s1	s2	戻り値
{"a", "p", "p", "l", "e"}	{"a", "p", "p", "l", "e"}	1
{"a", "p", "p", "l", "e"}	{"a", "p", "r", "i", "l"}	0.4
{"a", "p", "p", "l", "e"}	{"m", "e", "l", "o", "n"}	0
{"a", "p", "p", "l", "e"}	{"p", "e", "n"}	−1

〔プログラム〕

```
○実数型: simRatio(文字型の配列: s1, 文字型の配列: s2)
  整数型: i, cnt ← 0
  if (s1の要素数 ≠ s2の要素数)
    return −1
  endif
  for (i を 1 から s1の要素数 まで 1 ずつ増やす)
    if ([　　　])
      cnt ← cnt + 1
    endif
  endfor
  return cnt ÷ s1の要素数  /* 実数として計算する */
```

解答群

ア　s1[i] ≠ s2[cnt]　　　イ　s1[i] ≠ s2[i]

ウ　s1[i] = s2[cnt]　　　エ　s1[i] = s2[i]

問13

次の記述中の [　　　　] に入れる正しい答えを，解答群の中から選べ。ここで，配列の要素番号は1から始まる。

関数searchは，引数dataで指定された配列に，引数targetで指定された値が含まれていればその要素番号を返し，含まれていなければ−1を返す。dataは昇順に整列されており，値に重複はない。

関数searchには不具合がある。例えば，dataの [　　　　] 場合は，無限ループになる。

〔プログラム〕

```
○整数型: search(整数型の配列: data, 整数型: target)
  整数型: low, high, middle

  low ← 1
  high ← dataの要素数

  while (low ≦ high)
    middle ← (low ＋ high) ÷ 2 の商
    if (data[middle] ＜ target)
      low ← middle
    elseif (data[middle] ＞ target)
      high ← middle
    else
      return middle
    endif
  endwhile

  return −1
```

解答群

ア　要素数が1で，targetがその要素の値と等しい

イ　要素数が2で，targetがdataの先頭要素の値と等しい

ウ　要素数が2で，targetがdataの末尾要素の値と等しい

エ　要素に−1が含まれている

問14

次の記述中の [   ] に入れる正しい答えを，解答群の中から選べ。ここで，配列の要素番号は1から始まる。

要素数が1以上で，昇順に整列済みの配列を基に，配列を特徴づける五つの値を返すプログラムである。

関数summarizeをsummarize({0.1, 0.2, 0.3, 0.4, 0.5, 0.6, 0.7, 0.8, 0.9, 1})として呼び出すと，戻り値は [   ] である。

〔プログラム〕

```
○実数型: findRank(実数型の配列: sortedData, 実数型: p)
  整数型: i
  i ← (p × (sortedDataの要素数 − 1)) の小数点以下を切り上げた値
  return sortedData[i ＋ 1]

○実数型の配列: summarize(実数型の配列: sortedData)
  実数型の配列: rankData ← {}  /* 要素数0の配列 */
  実数型の配列: p ← {0, 0.25, 0.5, 0.75, 1}
  整数型: i
  for (i を 1 から pの要素数 まで 1 ずつ増やす)
    rankDataの末尾 に findRank(sortedData, p[i])の戻り値 を追加する
  endfor
  return rankData
```

解答群

ア {0.1, 0.3, 0.5, 0.7, 1}

イ {0.1, 0.3, 0.5, 0.8, 1}

ウ {0.1, 0.3, 0.6, 0.7, 1}

エ {0.1, 0.3, 0.6, 0.8, 1}

オ {0.1, 0.4, 0.5, 0.7, 1}

カ {0.1, 0.4, 0.5, 0.8, 1}

キ {0.1, 0.4, 0.6, 0.7, 1}

ク {0.1, 0.4, 0.6, 0.8, 1}

問15

次の記述中の [a] と [b] に入れる正しい答えの組合せを，解答群の中から選べ。

三目並べにおいて自分が勝利する可能性が最も高い手を決定する。次の手順で，ゲームの状態遷移を木構造として表現し，根以外の各節の評価値を求める。その結果，根の子の中で最も評価値が高い手を，最も勝利する可能性が高い手とする。自分が選択した手を○で表し，相手が選択した手を×で表す。

〔手順〕

(1) 現在の盤面の状態を根とし，勝敗がつくか，引き分けとなるまでの考えられる全ての手を木構造で表現する。

(2) 葉の状態を次のように評価する。

① 自分が勝ちの場合は10

② 自分が負けの場合は−10

③ 引き分けの場合は0

(3) 葉以外の節の評価値は，その節の全ての子の評価値を基に決定する。

① 自分の手番の節である場合，子の評価値で最大の評価値を節の評価値とする。

② 相手の手番の節である場合，子の評価値で最小の評価値を節の評価値とする。

ゲームが図の最上部にある根の状態のとき，自分が選択できる手は三つある。そのうちAが指す子の評価値は [a] であり，Bが指す子の評価値は [b] である。

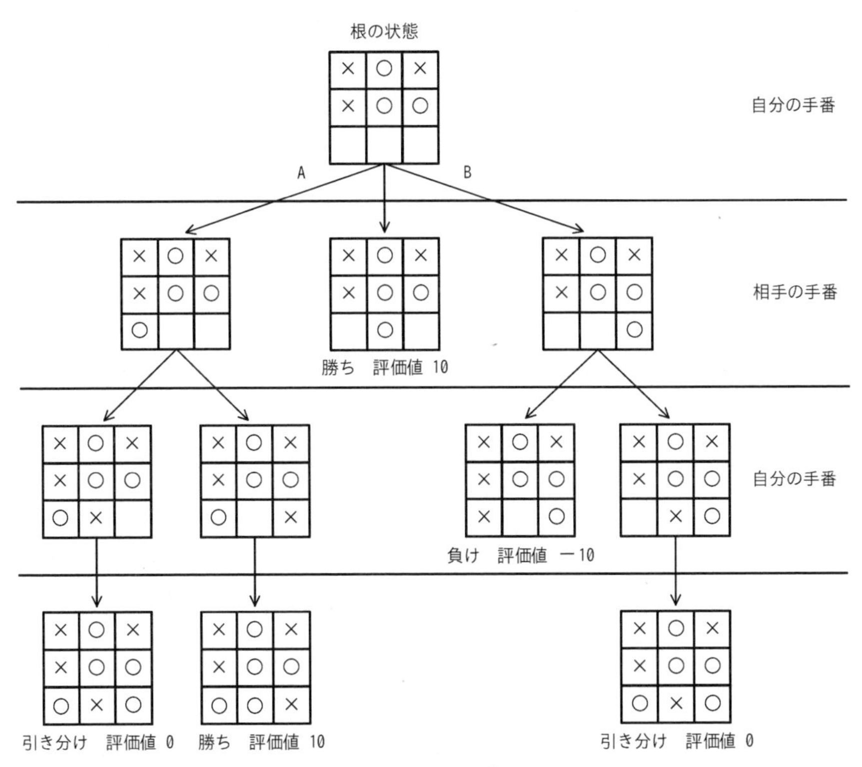

図　三目並べの状態遷移

解答群

	a	b
ア	0	−10
イ	0	0
ウ	10	−10
エ	10	0

問16

次のプログラム中の [ ] に入れる正しい答えを，解答群の中から選べ。二つの [ ] には，同じ答えが入る。ここで，配列の要素番号は1から始まる。

Unicodeの符号位置を，UTF-8の符号に変換するプログラムである。本問で数値の後ろに“(16)”と記載した場合は，その数値が16進数であることを表す。

Unicodeの各文字には，符号位置と呼ばれる整数値が与えられている。UTF-8は，Unicodeの文字を符号化する方式の一つであり，符号位置が800(16)以上FFFF(16)以下の文字は，次のように3バイトの値に符号化する。

3バイトの長さのビットパターンを1110<u>xxxx</u> 10<u>xxxxxx</u> 10<u>xxxxxx</u>とする。ビットパターンの下線の付いた“<u>x</u>”の箇所に，符号位置を2進数で表した値を右詰めで格納し，余った“<u>x</u>”の箇所に，0を格納する。この3バイトの値がUTF-8の符号である。

例えば，ひらがなの“あ”の符号位置である3042(16)を2進数で表すと11000001000010である。これを，上に示したビットパターンの“<u>x</u>”の箇所に右詰めで格納すると，1110<u>xx11</u> 10<u>000001</u> 10<u>000010</u>となる。余った二つの“<u>x</u>”の箇所に0を格納すると，“あ”のUTF-8の符号11100011 10000001 10000010が得られる。

関数encodeは，引数で渡されたUnicodeの符号位置をUTF-8の符号に変換し，先頭から順に1バイトずつ要素に格納した整数型の配列を返す。encodeには，引数として，800(16)以上FFFF(16)以下の整数値だけが渡されるものとする。

〔プログラム〕

```
○整数型の配列: encode(整数型: codePoint)
  /* utf8Bytesの初期値は，ビットパターンの“x”を全て0に置き換え，
     8桁ごとに区切って，それぞれを2進数とみなしたときの値 */
  整数型の配列: utf8Bytes ← {224, 128, 128}
  整数型: cp ← codePoint
  整数型: i
  for (i を utf8Bytesの要素数 から 1 まで 1 ずつ減らす)
    utf8Bytes[i] ← utf8Bytes[i] + (cp ÷ [ ] の余り)
    cp ← cp ÷ [ ] の商
  endfor
  return utf8Bytes
```

解答群

ア　((4 − i) × 2)	イ　(2の (4 − i)乗)	ウ　(2のi乗)
エ　(i × 2)	オ　2	カ　6
キ　16	ク　64	ケ　256

5

サンプル問題２の解答・解説

問1　解答：カ

プログラムの代入処理に関する基本問題です。変数x，y，zの初期値はそれぞれ1，2，3です。

最初の「x ← y」を実行すると，**変数x**にyの値（すなわち，**2**）が代入されます。次に「y ← z」を実行すると，**変数y**にzの値（すなわち，**3**）が代入されます。そして，「z ← x」を実行すると，**変数z**にxの値(すなわち，**2**)が代入されます。

したがって，処理が終了したときの変数yの値は3，変数zの値は2なので，これをコンマ区切りで出力すると“3，2”となります。

問2　解答：ウ

if文の中の空欄a～cが問われています。numの値を3で割り切れるか，5で割り切れるかで分類すると下図のようになります。

	5で割り切れる	5で割り切れない
3で割り切れる	3と5の両方で割り切れる	3で割り切れて 5で割り切れない　①
3で割り切れない	5で割り切れて 3で割り切れない　②	3でも5でも割り切れない

3と5の両方で割り切れない

着目点は，3と5の両方で割り切れない数（図中太枠）の中に，3で割り切れて5で割り切れない数(図中①)と，5で割り切れて3で割り切れない数(図中②)があることです。

この点に着目すると，最初に評価すべきは「3と5の両方で割り切れるか」です。そして，3と5の両方で割り切れないなら，「3で割り切れるか」，「5で割り切れるか」の順に評価します※1。

つまり，空欄aには「3と5」，空欄bには「3」，空欄cには「5」が入ります。

※1　「3で割り切れるか」，「5で割り切れるか」の評価は逆順でも構いません。

問3　解答：カ

関数makeNewArrayは，引数で受け取った配列inから，配列outを作成する関数です。作成された配列outの要素番号5の値が問われていますが，ポイントとなるのは，どのように配列outを作成しているのかをプログラムから読み取ることです。では，プログラムを見ていきます。

配列in及び配列outの最初の状態は下図左のとおりです。この状態で実行文「outの末尾 に in[1]の値 を追加する」を行うと，配列outは下図右のようになります。

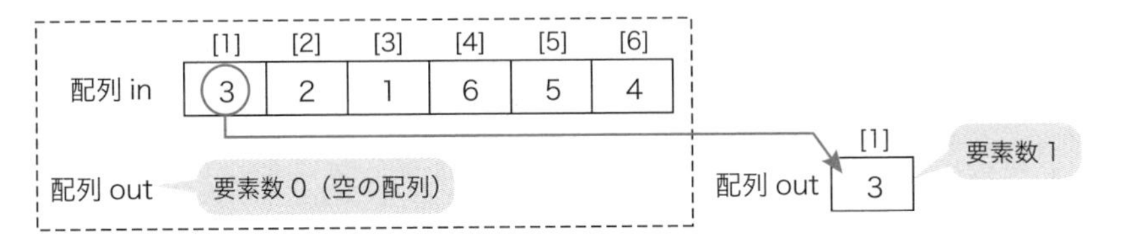

本問で特に着目すべきは，for文内で行っている「tail ← out[outの要素数]」です。out[outの要素数]は，配列outの末尾の要素のことです。要素数が1ならout[1]，要素数が2ならout[2]です。したがって，「tail ← out[outの要素数]」を行うということは，変数tailに，配列outの末尾の要素の値を代入するということです。

このことに気付けば，「outの末尾 に（tail ＋ in[i]）の結果を追加する」という処理は，**「配列outの末尾の要素の値と配列inのi番目の要素の値を加算したものを，outの末尾に追加する」**処理であることが見えてきます。

下図に，変数iの値を2からinの要素数（すなわち，6）まで1ずつ増やしながら，「配列outの末尾の要素の値と配列inのi番目の要素の値を加算したものを，outの末尾に追加する」処理を実行した様子を示します。配列outの要素番号5の値は17になります。

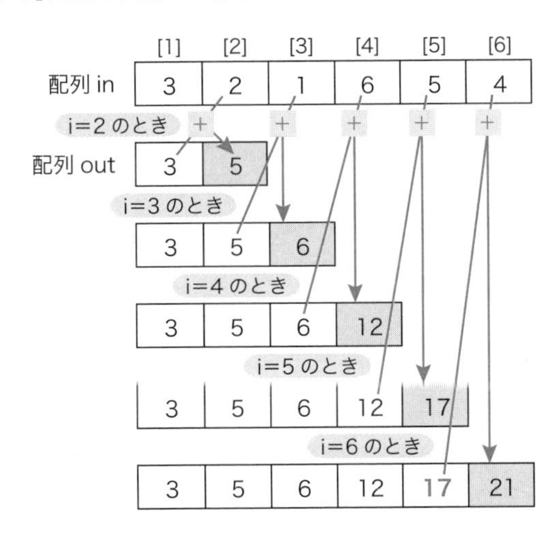

問4　解答：エ

関数gcdは，引数として受け取った二つの正の整数xとyの最大公約数を求める関数です。問題文に示された（1）～（3）の性質のnum1，num2をx，yに書き換えると次のようになります。

（1）xとyが等しいとき，xとyの最大公約数はxである。

（2）xがyより大きいとき，xとyの最大公約数は，(x－y)とyの最大公約数と等しい。

（3）yがxより大きいとき，xとyの最大公約数は，(y－x)とxの最大公約数と等しい。

xとy（x>y）の最大公約数の求め方として，「"xとyの最大公約数"問題を，"x－yとyの最大公約数"問題に置き換え，さらにx－yとyについても同様な置き換えを繰り返し，x＝yとなったときのxが最大公約数である」という考え方があります。（1）～（3）の性質は，これをアルゴリズム的に表したものです※2。

▶空欄a，c

上記に示した考え方によれば，（1）あるいは（2）の処理を繰り返し行い，x＝yとなったときのxが最大公約数です。このことから，空欄aは「while (x ≠ y)」，空欄cは「endwhile」です。

▶空欄b

空欄bの条件式が真のとき，「x ← x－y」を行っています。これは，（2）の性質である「xとyの最大公約数は，(x－y)とyの最大公約数と等しい」ことを利用し，xをx－yで置き換える処理です。したがって，空欄bには「x > y」が入ります。

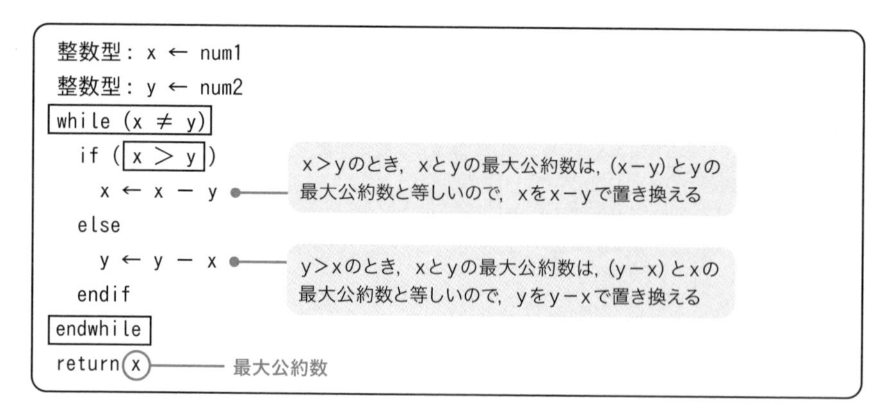

※2　最大公約数の求め方については，第3章のコラム「二つの正の整数の最大公約数を再帰的に求める」（p.119）も参照。

問5　　解答：オ

関数powを用いて，$\sqrt{x^2+y^2}$をどのように計算すればよいかを問う問題です。関数powは，第1引数として正の実数aを，第2引数として実数bを受け取り，aのb乗の値を実数型で返す関数です。例えば，x^2を求める場合，pow(x，2)として呼び出します。

$\sqrt{x^2+y^2}$は$(x^2+y^2)^{1/2}$，さらに$(x^2+y^2)^{1/2}$は$\mathbf{(x^2+y^2)^{0.5}}$と表すことができる※3ので，次の順に計算すれば$\sqrt{x^2+y^2}$の値を求められます。

① x^2を計算する　⇒　pow(x，2)

② y^2を計算する　⇒　pow(y，2)

③ ①と②の計算結果の和を0.5乗する　⇒　pow(pow(x，2)＋pow(y，2)，0.5)

x^2　y^2

$(x^2+y^2)^{0.5}$

したがって，空欄には「pow(pow(x，2)＋pow(y，2)，0.5)」が入ります。

```
○実数型： calc(実数型： x, 実数型： y)
  return pow(pow(x, 2) + pow(y, 2), 0.5)
```

関数powからの戻り値を返す

問6　　解答：ア

関数revは，引数byteを受け取り，ビットの並びを逆にした値を変数rに求める関数です。byteの値をrbyteに代入しているので，関数内ではrbyteに対して処理を行うことになります。例えば，rbyteのビット列が「01001011」であれば，変数rには「11010010」を求めます。

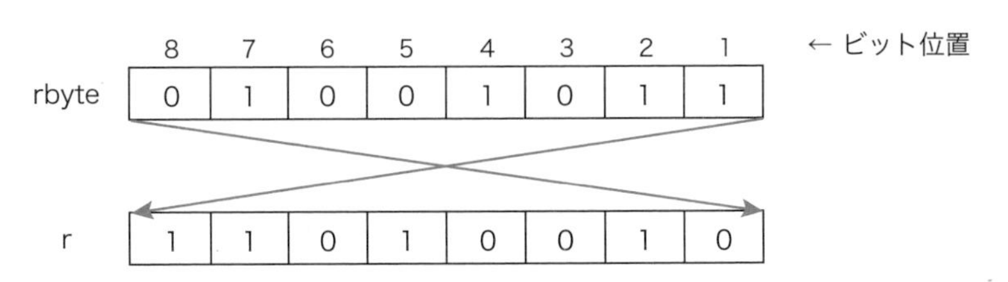

プログラムでは，変数rに初期「00000000」を設定し，for文内の処理(空欄)を8回繰り返す※4ことでrbyteのビットの並びを逆にした値を変数rに求めています。このようなビット操作に関する問題は，どのようにビット操作を行えばよいかを，考えることが重要です。本問の場合，rbyteに格納されたビットの並びを逆にするわけですから，考

※3　$\sqrt{A} = A^{1/2} = A^{0.5}$です。

※4　for文の制御記述が「iを1から8まで1ずつ増やす」となっているので，繰返し回数は8回です。

えられる操作は，最初に「rbyteの1ビット目を取り出し，それをrの8ビット目に格納する」，次に「rbyteの2ビット目を取り出し，rの7ビット目に格納する」，…，最後に「rbyteの8ビット目を取り出し，rの1ビット目に格納する」という操作です。この観点から考えると，for文の繰返し1回目のときrbyteの1ビット目を取り出し，繰返し2回目のとき2ビット目，…，繰返し8回目のとき8ビット目を取り出す必要があります。そして，これを行うためには次の操作が必要です。

```
for (i を 1 から 8 まで 1 ずつ増やす)
  ● rbyteの値と最下位ビットのみを1とした「000000001」の論理積演算を行い，
    rbyteの最下位ビットを取り出す。
  ● rbyteの値を1ビット右にずらして（論理シフトして），次に取り出すビット
    を最下位ビットに移動する。
endfor
```

選択肢の中で上記の操作を行っているのは〔ア〕だけです。

```
for (i を 1 から 8 まで 1 ずつ増やす)
  r ← (r << 1) ∨ (rbyte ∧ 00000001)  }
  rbyte ← rbyte >> 1                  } 〔ア〕
endfor
```

では，rbyteを「01001011」としたとき，rが「11010010」になるか，上記のプログラムを確認してみます。ここで，rの初期値は「00000000」です。

● 繰返し1回目

	8	7	6	5	4	3	2	1	← ビット位置
rbyte	0	1	0	0	1	0	1	1	
	0	0	0	0	0	0	0	1	← ①rbyte ∧ 00000001
r	0	0	0	0	0	0	0	0	← ②r << 1
r	0	0	0	0	0	0	0	1	← 「r ← ①∨②」
rbyte	0	0	1	0	0	1	0	1	← 「rbyte ← rbyte >> 1」

● 繰返し2回目

	8	7	6	5	4	3	2	1	
rbyte	0	0	1	0	0	1	0	1	
	0	0	0	0	0	0	0	1	← ①rbyte ∧ 00000001
r	0	0	0	0	0	0	1	0	← ②r << 1
r	0	0	0	0	0	0	1	1	← 「r ← ①∨②」
rbyte	0	0	0	1	0	0	1	0	← 「rbyte ← rbyte >> 1」

- 繰返し 3 回目

	8	7	6	5	4	3	2	1	
rbyte	0	0	0	1	0	0	1	0	
	0	0	0	0	0	0	0	0	← ①rbyte ∧ 00000001
r	0	0	0	0	0	1	1	0	← ②r << 1
r	0	0	0	0	0	1	1	0	← 「r ← ①∨②」
rbyte	0	0	0	0	1	0	0	1	← 「rbyte ← rbyte >> 1」

- 繰返し 4 回目

	8	7	6	5	4	3	2	1	
rbyte	0	0	0	0	1	0	0	1	
	0	0	0	0	0	0	0	1	← ①rbyte ∧ 00000001
r	0	0	0	0	1	1	0	0	← ②r << 1
r	0	0	0	0	1	1	0	1	← 「r ← ①∨②」
rbyte	0	0	0	0	0	1	0	0	← 「rbyte ← rbyte >> 1」

- 繰返し 5 回目

	8	7	6	5	4	3	2	1	
rbyte	0	0	0	0	0	1	0	0	
	0	0	0	0	0	0	0	0	← ①rbyte ∧ 00000001
r	0	0	0	1	1	0	1	0	← ②r << 1
r	0	0	0	1	1	0	1	0	← 「r ← ①∨②」
rbyte	0	0	0	0	0	0	1	0	← 「rbyte ← rbyte >> 1」

- 繰返し 6 回目

	8	7	6	5	4	3	2	1	
rbyte	0	0	0	0	0	0	1	0	
	0	0	0	0	0	0	0	0	← ①rbyte ∧ 00000001
r	0	0	1	1	0	1	0	0	← ②r << 1
r	0	0	1	1	0	1	0	0	← 「r ← ①∨②」
rbyte	0	0	0	0	0	0	0	1	← 「rbyte ← rbyte >> 1」

- 繰返し 7 回目

	8	7	6	5	4	3	2	1	
rbyte	0	0	0	0	0	0	0	1	
	0	0	0	0	0	0	0	1	← ①rbyte ∧ 00000001
r	0	1	1	0	1	0	0	0	← ②r << 1
r	0	1	1	0	1	0	0	1	← 「r ← ①∨②」
rbyte	0	0	0	0	0	0	0	0	← 「rbyte ← rbyte >> 1」

- 繰返し 8 回目

	8	7	6	5	4	3	2	1	
rbyte	0	0	0	0	0	0	0	0	
	0	0	0	0	0	0	0	0	← ①rbyte ∧ 00000001
r	1	1	0	1	0	0	1	0	← ②r << 1
r	**1**	**1**	**0**	**1**	**0**	**0**	**1**	**0**	← 「r ← ①∨②」
rbyte	0	0	0	0	0	0	0	0	← 「rbyte ← rbyte >> 1」

以上，rの値が「11010010」になることが確認できました。ちなみに，このプログラムでは，繰返しごとにrの値を1ビットずつ左に論理シフトすることでrbyteから取り出した

ビットを，rの所定ビット位置に移動しているわけです。つまり，最初に取り出した1ビット目の値は，8回繰り返すとrの8ビット目に移動できるという仕組みです。

COLUMN ビットの並びを逆にするもう一つの方法

ビットの並びを逆にする方法はいくつかありますが，ここではよく知られた方法の一つを紹介しておきます。

〔手順〕

(1) 1ビット単位で交換する。つまり，隣同士のビットを交換する。

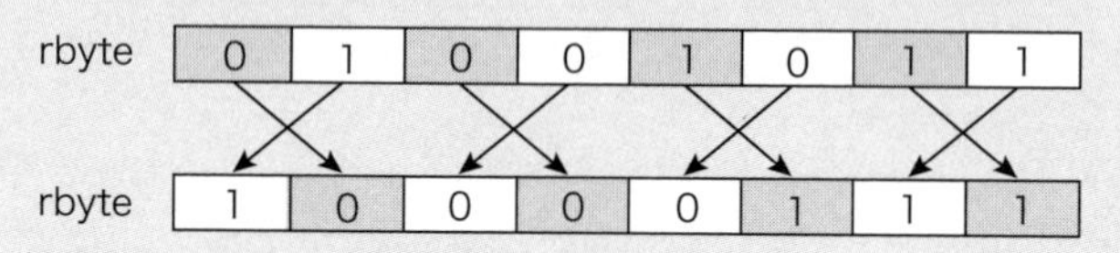

(2) (1)で得られたビット列を2ビット単位で交換する。

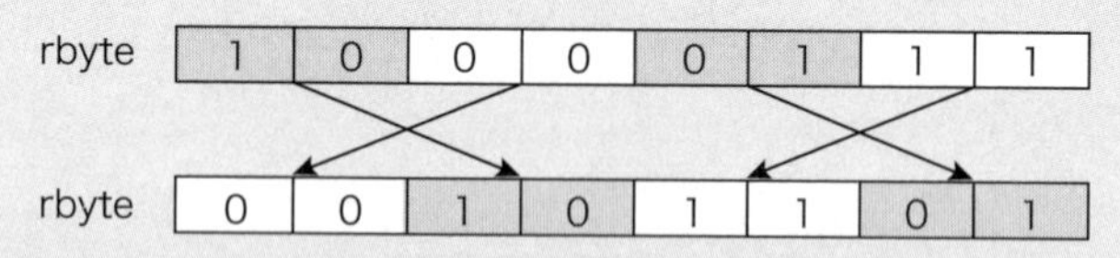

(3) (2)で得られたビット列を4ビット単位で交換する。

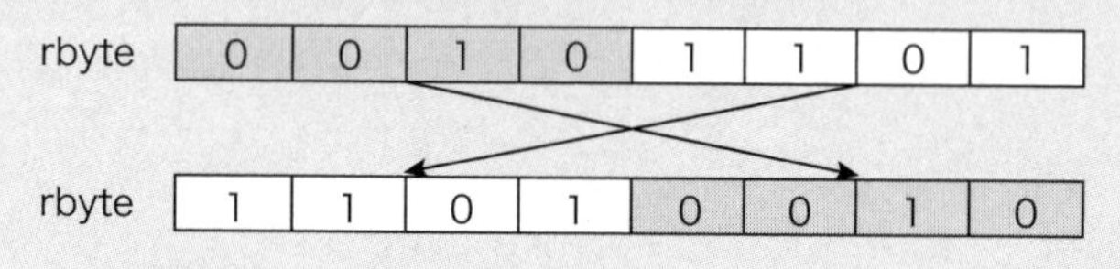

問7 解答：カ

関数factorialは，nの階乗(n!)を返す関数※5です。

nの階乗は「n! = n × (n－1) × (n－2) × … × 1」です。そして，(n－1)の階乗は「(n－1)! = (n－1) × (n－2) × … × 1」です。このことから，nの階乗(n!)は，**「n! = n × (n－1)!」**と表すことができます。

したがって，関数factorialが受け取った引数nの階乗は，「n × factorial(n－1)」で求めることができるので，空欄には「n × factorial(n－1)」が入ります。

※5　階乗関数については，第3章のコラム「試験によく出る再帰関数」(p.118)を参照。

問8　解答：エ

手続prioSchedを呼び出したときの出力が問われています。本問のプログラムでは，クラスPrioQueueを使って優先度付きキューを実現していますが，クラスに惑わされずにプログラムを見ていくことがポイントです。つまり，「prioQueue.enqueue」を単にenqueue（エンキュー）と読み替え，「prioQueue.dequeue」をdequeue（デキュー）と読み替えればよいわけです。ただし，本問におけるdequeueは，次の操作であることに注意しましょう。

dequeue：キューから**キュー内で最も優先度の高い（値の小さい）要素**を取り出す。優先度の高い要素が複数ある場合，そのうちの最初に追加された要素を一つ取り出す。

では，while文の直前までのプログラム実行の様子を下図に示します。

実行文	優先度付きキューの内容
prioQueue.enqueue ("A", 1)	**["A", 1]**
prioQueue.enqueue ("B", 2)	**["B", 2]** ["A", 1]
prioQueue.enqueue ("C", 2)	**["C", 2]** ["B", 2] ["A", 1]
prioQueue.enqueue ("D", 3)	**["D", 3]** ["C", 2] ["B", 2] ["A", 1]
prioQueue.dequeue ()	["A", 1]が取り出され， ["D", 3] ["C", 2] ["B", 2]になる
prioQueue.dequeue ()	["B", 2]が取り出され， ["D", 3] ["C", 2]になる
prioQueue.enqueue ("D", 3)	**["D", 3]** ["D", 3] ["C", 2]
prioQueue.enqueue ("B", 2)	**["B", 2]** ["D", 3] ["D", 3] ["C", 2]
prioQueue.dequeue ()	["C", 2]が取り出され， ["B", 2] ["D", 3] ["D", 3]になる
prioQueue.dequeue ()	["B", 2]が取り出され， ["D", 3] ["D", 3]になる
prioQueue.enqueue ("C", 2)	**["C", 2]** ["D", 3] ["D", 3]
prioQueue.enqueue ("A", 1)	**["A", 1]** ["C", 2] ["D", 3] ["D", 3]

while文で，「prioQueue.size() が 0 と等しくない」間，prioQueue.dequeue()の戻り値を出力すると，最初に["A", 1]が取り出され，次に["C", 2]，次に一番右にある["D", 3]，最後に右から2番目にある["D", 3]が取り出されます。したがって，出力は，"A"，"C"，"D"，"D"の順になります。

問9　解答：ウ

手続orderは，引数nで指定された節を根とする部分木を，自分自身を呼び出しながらたどり，全ての節番号を出力する再帰的なプログラムです。問われているのは，手続orderをorder(1)として呼び出したときの出力です。

まず図の2分木と大域の配列treeの対応を確認すると，下図のようになります。2分木の節の横に記した[ ]内の数値が配列treeの要素番号です。

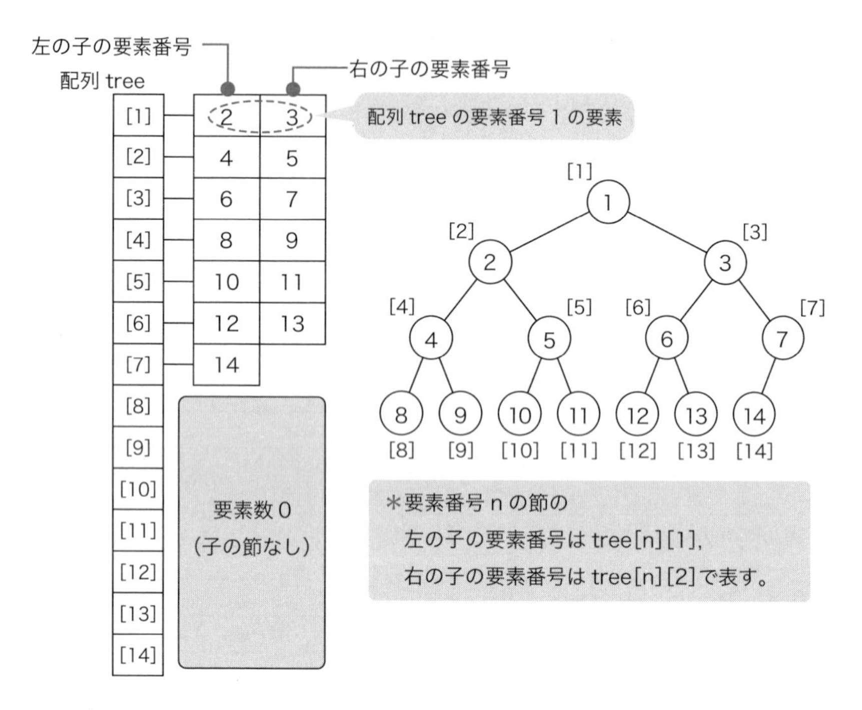

プログラムを見ると，tree[n]の要素数が2と等しいとき(すなわち，左の子と右の子が存在するとき)，下記①，②，③の処理を行っています。

①は左の子を根とする部分木をたどるための呼出しです。この呼出しから戻ったら，②で自身の節番号(n)を出力し，次に③で右の子を根とする部分木をたどります。

```
① order(tree[n][1])
② nを出力
③ order(tree[n][2])
```

このことから，プログラムでは図の2分木を**深さ優先の中間順**[※6]でたどっていることが分かります。図の2分木を，節番号1を根として深さ優先の中間順で探索すると，次ページの図のようになります。図中の●印は節番号が出力されるタイミングを表します。

※6　深さ優先探索には，先行順，中間順，後行順の三つがあります(次ページの「コラム」を参照)。

したがって，order(1)として呼び出されたときの出力順は，「8，4，9，2，10，5，11，1，12，6，13，3，14，7」になります。

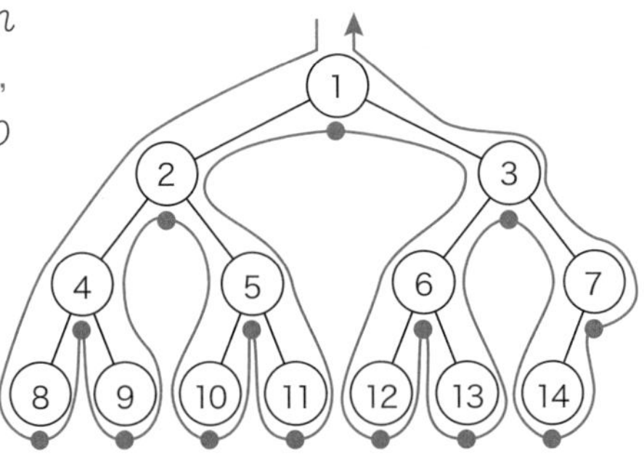


```
○order(整数型: n)
  if (tree[n]の要素数 が 2 と等しい)  ●―― 左の子と右の子が存在するとき
    order(tree[n][1]) ← 左の子を根とした部分木の処理を行う
    nを出力
    order(tree[n][2]) ← 右の子を根とした部分木の処理を行う
  elseif (tree[n]の要素数 が 1 と等しい)  ●―― 左の子のみ存在するとき
    order(tree[n][1]) ← 左の子を根とした部分木の処理を行う
    nを出力
  else
    nを出力  ●―― 子が存在しないとき
                  自身の節番号(n)を出力するだけ。再帰呼出しはしない
  endif
```


COLUMN 深さ優先探索（先行順，中間順，後行順）

深さ優先探索における「先行順，中間順，後行順」の処理概要をまとめておきます。

〔先行順〕

- 自身の処理（節番号を出力）
- 左の子の節に対して手続orderを再帰的に呼び出す
- 右の子の節に対して手続orderを再帰的に呼び出す

〔中間順〕

- 左の子の節に対して手続orderを再帰的に呼び出す
- 自身の処理（節番号を出力）
- 右の子の節に対して手続orderを再帰的に呼び出す

〔後行順〕

- 左の子の節に対して手続orderを再帰的に呼び出す
- 右の子の節に対して手続orderを再帰的に呼び出す
- 自身の処理（節番号を出力）

問10　　解答：カ

手続delNodeは，単方向リストから，引数posで指定された位置にある要素を削除する※7手続です。リストの先頭要素の「参照」※8は，大域変数listHeadに格納されています。また，リストの先頭の位置は1です。

例えば，リストが下図の状態のときdelNode (1) として呼び出された場合には，1番目の要素（先頭要素）を削除する必要があります。1番目の要素を削除するということは，現在2番目の要素がリストの先頭要素になるということです。そして，この操作を行うためには，「listHeadに，listHeadが参照している要素のnextの値を代入」します。

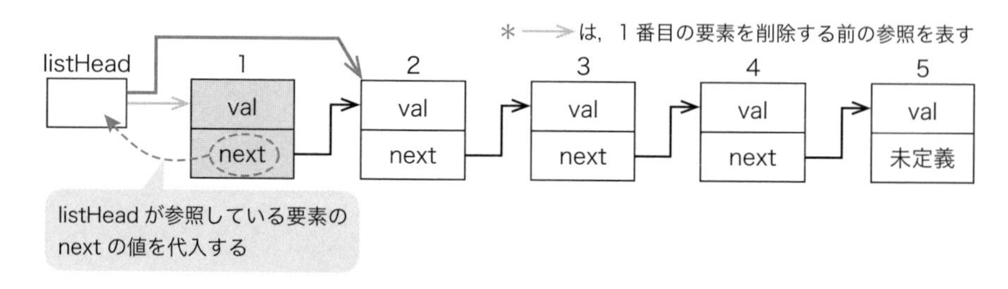

問われているのは，条件式「pos が 1 と等しい」が偽のとき，つまり先頭要素以外の要素を削除する処理です。例えば，delNode (4) として呼び出された場合，3番目の要素の次に5番目の要素を繋げることで4番目の要素を削除するわけですが，これを行うためには，「3番目の要素のnextに，4番目の要素のnextの値を代入」する必要があります。

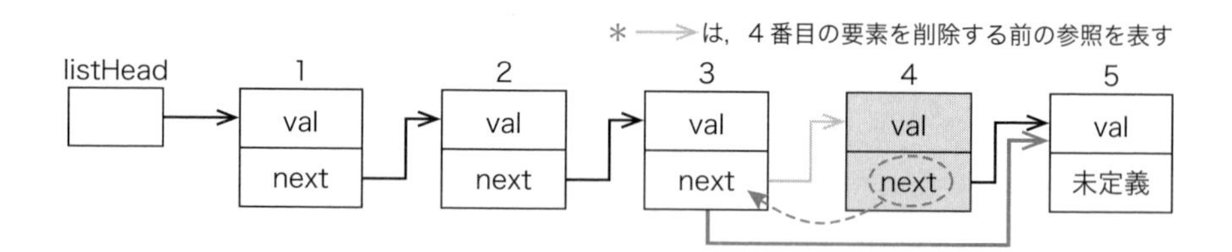

このことを念頭にプログラムを見ていきます。

変数prevにlistHeadの値を代入し，「i を 2 から pos－1 まで 1 ずつ増やす」繰返し処理の中で「prev ← prev.next」を行っています。4番目の要素を削除する場合，変数posの値は4なので繰返し回数は2回です。したがって，この繰返しが終了したとき，変数prevには3番目の要素の「参照」が格納されていることになります。

※7　リストの要素を削除するとは，その要素をリストから外すという意味です。

※8　本書では「～を参照する」と区別するため，カギ括弧を付けて「参照」と表現しています。「参照」ときたら，「場所」と読み替えてください。

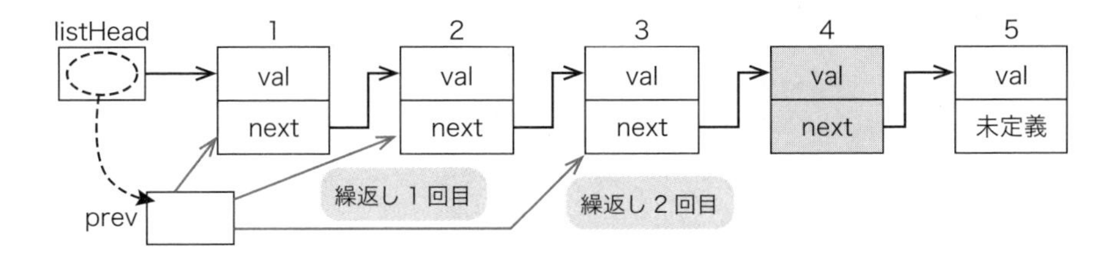

先述したように，４番目の要素を削除するためには，「3番目の要素のnextに，４番目の要素のnextの値を代入」する必要があります。現在prevが参照している要素が3番目なので，「3番目の要素のnext」はprev.nextで表すことができます。

では，「4番目の要素のnext」をどのように表したらいいのでしょう？ 3番目の要素のnextに4番目の要素の「参照」が格納されていることに着目すると，「4番目の要素のnext」は，「**prevが参照している要素のnextが参照している要素のnext**」，つまり**prev.next.next**で表すことができます。

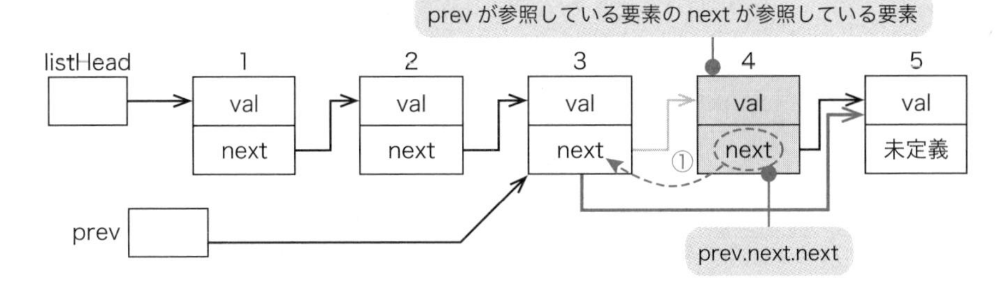

したがって，「3番目の要素のnextに，４番目の要素のnextの値を代入」する処理（上図①）は，「prev.next ← prev.next.next」になります。

以上，空欄には「prev.next.next」が入ります。

```
if (pos が 1 と等しい)
  listHead ← listHead.next  } 1番目の要素(先頭要素)を削除
else
  prev ← listHead
  /* posが2 と等しいときは繰返し処理を実行しない */
  for (i を 2 から pos − 1 まで 1 ずつ増やす)
    prev ← prev.next                              先頭要素以外を削除
  endfor
  prev.next ← [prev.next.next]
endif
```

問11　　解答：ア

関数binSortは，引数dataで指定された配列を昇順に並べ替える関数です。問題文にある「戻り値の配列には未定義の要素は含まれていない」との記述に着目すると，本問で問われているのは，配列dataがどのような内容であれば昇順に並べ替えた配列（すなわち，配列bins）に未定義の要素が含まれないかです。

プログラムを見ると，配列dataの内容を昇順に並べ替えるため，for文を使って，配列binsのdata[i]番目に，data[i]を格納する処理を行っています。

```
for (i を 1 から n まで 1 ずつ増やす)
  bins[data[i]] ← data[i]
endfor
```

配列binsのdata[i]番目に，data[i]を格納する

この処理から分かることは，配列dataの要素の値が，配列binsの何番目の要素であるかを示す値だということです。例えば，data[i]の値が2であれば，「2番目の要素」を示しているわけです。

したがって，配列data内に，1から配列binsの要素数6までの全ての値がない場合（すなわち，配列data内に同じ値がある場合）には，未定義の要素が発生することになります。

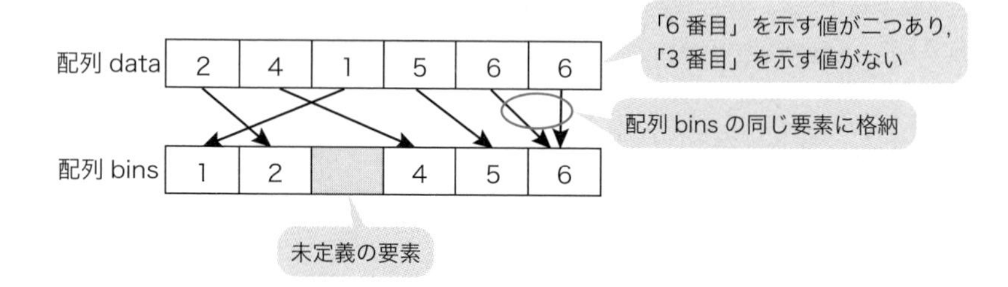

選択肢の中で1から6までの全ての値があるのは〔ア〕の{2，6，3，1，4，5}だけです。したがって，binSort（{2，6，3，1，4，5}）として呼び出すと，未定義の要素はなく昇順に並べ替えられた配列binsが得られます。

＊■：未定義の値

イ：{3，1，4，4，5，2}の場合，配列binsの内容は{1，2，3，4，5，■}になります。
ウ：{4，2，1，5，6，2}の場合，配列binsの内容は{1，2，■，4，5，6}になります。
エ：{5，3，4，3，2，6}の場合，配列binsの内容は{■，2，3，4，5，6}になります。

問12　　解答：エ

関数simRatioは，引数として与えられた要素数1以上の二つの文字型の配列s1とs2を比較し，要素数が等しい場合は，配列の並びがどの程度似ているかの指標として,「要素番号が同じ要素の文字同士が一致する要素の組みの個数 ÷ s1の要素数」を返す関数です。

return文で返している値が「cnt ÷ s1の要素数」であることから，変数cntは，要素番号が同じ要素の文字同士が一致する要素の組みの個数です。

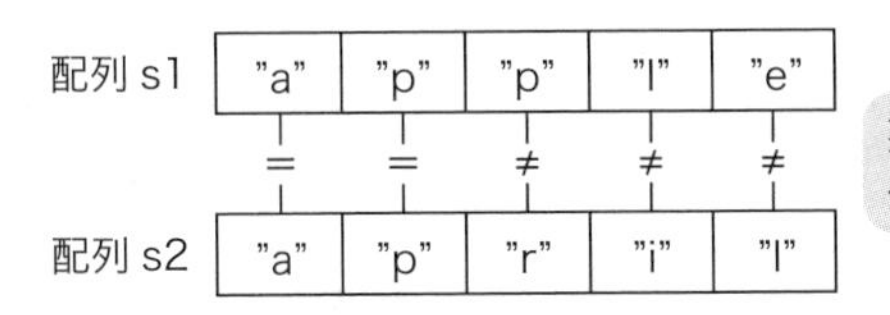

プログラムでは,「i を 1 から s1の要素数 まで 1 ずつ増やす」繰返し処理の中で，空欄の条件式が真のとき，cntの値を+1しています。変数cntには，要素番号が同じ要素の文字同士が一致する要素の組みの個数を求めるわけですから，s1[i]とs2[i]が等しいときにcntの値を+1すべきです。

したがって，空欄には条件式「s1[i] = s2[i]」が入ります。

```
○実数型: simRatio(文字型の配列: s1, 文字型の配列: s2)
  整数型: i, cnt ← 0
  if (s1の要素数 ≠ s2の要素数)
    return −1
  endif
  for (i を 1 から s1の要素数 まで 1 ずつ増やす)
    if ([s1[i] = s2[i]])
      cnt ← cnt + 1
    endif
  endfor
  return cnt ÷ s1の要素数  /* 実数として計算する※9 */
```

※9　「実数として計算する」という注釈があるのは，戻り値を実数型にする必要があるからです。変数cntは整数型の変数でありs1の要素数も整数値なので，通常「cnt÷s1の要素数」の結果は整数になります。しかし，関数simRatioは実数型の関数であるため，戻り値を実数型にする必要があるわけです。

問13　　解答：ウ

2分探索法※10に関する問題です。関数searchは，配列dataの中から，変数targetの値と一致する要素を2分探索法で見つける関数ですが，不具合があるため，探索する値によっては無限ループになります。

無限ループとは，繰返し処理を延々と続けてしまい，プログラムが終了しない現象のことです。関数searchでは，条件式「low ≦ high」が偽にならない場合，つまり「low ＞ high」にならない場合に無限ループになります。

では，各選択肢を吟味していきます。ここで，各変数の役割（用途）は次のとおりです。

- low：探索範囲の左端の要素番号
- high：探索範囲の右端の要素番号
- middle：探索範囲の中央の位置の要素番号

```
low ← 1
high ← dataの要素数
```

「low ＞ high」にならない場合，無限ループになる

```
while (low ≦ high)
  middle ← (low + high) ÷ 2 の商
  if (data[middle] ＜ target)
①   low ← middle
  elseif (data[middle] ＞ target)
②   high ← middle
  else
③   return middle
  endif
endwhile
return −1
```

ア：「要素数が1で，targetがその要素の値と等しい」

この場合，変数lowとhighの値はともに1なので，middleの値は，(1 ＋ 1) ÷ 2 の商 ＝ 1になります。

したがって，「data[middle] ＝ target」であるため，上図に示した③の「return middle」が実行されプログラムは終了します。

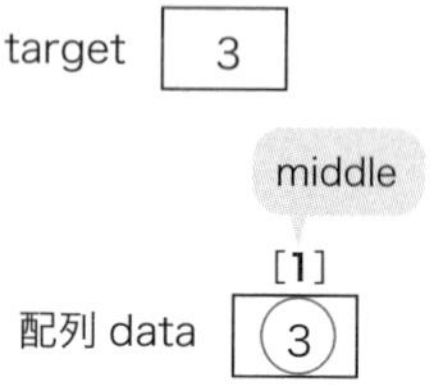

イ：「要素数が2で，targetがdataの先頭要素の値と等しい」

この場合，変数lowの値は1，highは2なので，middleの値は，(1 ＋ 2) ÷ 2 の商 ＝ 1です。

したがって，「data[middle] ＝ target」であるため，上図に示した③の「return middle」が実行されプログラムは終了します。

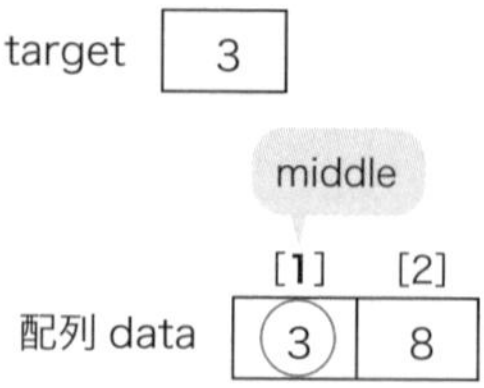

※10　2分探索法の処理概要については，第2章の「2分探索法の問題」（p.60）を参照。

ウ：「要素数が2で，targetがdataの末尾要素の値と等しい」

〔イ〕と同様，middleの値は，(1 ＋ 2) ÷ 2 の商 ＝ 1です。この場合，「data[middle] < target」であるため，①の「low ← middle」が実行され，繰返しの先頭に戻ります。しかし，middleの値は1なのでlowの値も1のままです。したがって，いつになってもlowの値は変わらず，「low ＞ high」になることはありません。つまり，**無限ループになります**。

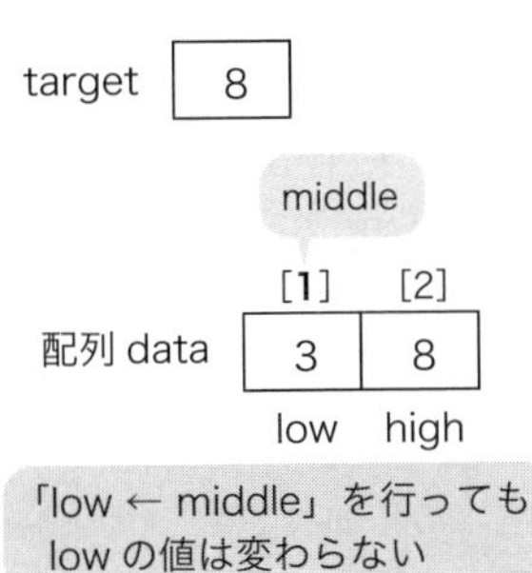

エ：「要素に−1が含まれている」

〔ア〕の場合で考えると，要素数が1で要素の値が−1，そしてtargetの値が−1の場合でも探索ができプログラムは終了します。

以上，無限ループになるのは〔ウ〕の場合です。

5

COLUMN 不具合のある2分探索プログラム

関数searchには，lowとhighの設定方法に不具合があります。そのため，探索値が配列dataの中にない場合，ある時点からlowやhighの値が変わらなくなり，無限ループになります。また，**探索値が配列dataの末尾要素の値と等しい場合も無限ループになります**（先頭要素の値と等しい場合は無限ループになりません）。本問はこの点の理解度を問う問題です。正解の〔ウ〕の記述を「**要素数が2で**，targetがdataの末尾要素の値と等しい」としたのは，問題の難易度を下げるためです。

ちなみに，middleの値を「**((low＋high)÷2)の小数点以下を切り上げた値**」で求めると，探索値が配列dataの先頭要素の値と等しい場合に無限ループとなり，末尾要素の値と等しい場合は無限ループになりません。

さて，右記のプログラムは，関数searchの不具合を訂正したものです。色字が訂正箇所です。このプログラムを基に，〔ウ〕の場合の動作を確認してみてください。無限ループにならないことが分かると思います。

```
low ← 1
high ← dataの要素数
while (low ≦ high)
  middle ← (low ＋ high) ÷ 2 の商
  if (data[middle] < target)
    low ← middle ＋ 1
  elseif (data[middle] > target)
    high ← middle − 1
  else
    return middle
  endif
endwhile
return −1
```

問14　　解答：ク

関数summarizeをsummarize({0.1, 0.2, 0.3, 0.4, 0.5, 0.6, 0.7, 0.8, 0.9, 1})として呼び出したときの戻り値が問われています。

関数summarizeでは，「i を 1 から pの要素数 まで 1 ずつ増やす」繰返し処理の中で，「rankDataの末尾 に **findRank (sortedData, p[i])の戻り値** を追加する」処理を行っています。配列pの内容は{0, 0.25, 0.5, 0.75, 1}なので，各繰返しの中で，次の値をrankDataの末尾に追加することになります。

- 繰返し 1 回目：findRank(sortedData, 0)の戻り値
- 繰返し 2 回目：findRank(sortedData, 0.25)の戻り値
- 繰返し 3 回目：findRank(sortedData, 0.5)の戻り値
- 繰返し 4 回目：findRank(sortedData, 0.75)の戻り値
- 繰返し 5 回目：findRank(sortedData, 1)の戻り値

引数pに渡される値

関数findRankでは，引数として受け取った配列sortedDataと実数pの値を基に，式「p × (sortedDataの要素数 − 1)」によって変数iの値を求め，sortedData[i＋1]の値を返します。「p × (sortedDataの要素数 − 1)」の値は，小数点以下を切り上げた値です。また，summarize({0.1, 0.2, 0.3, 0.4, 0.5, 0.6, 0.7, 0.8, 0.9, 1})として呼び出されたとき，配列sortedDataの要素数は10です。

	[1]	[2]	[3]	[4]	[5]	[6]	[7]	[8]	[9]	[10]
配列 sortedData	0.1	0.2	0.3	0.4	0.5	0.6	0.7	0.8	0.9	1

したがって，関数findRankを呼び出したときの戻り値は，次のようになるため，配列rankDataの内容は{0.1, 0.4, 0.6, 0.8, 1}となります。

	変数 i の値	戻り値 (sortedData [i + 1])
1 回目の呼出し findRank (sortedData, 0)	0 × (10 − 1) = 0	sortedData [0 + 1] ＝ 0.1
2 回目の呼出し findRank (sortedData, 0.25)	0.25 × (10 − 1) = 2.25 ⇒ 3	sortedData [3 + 1] ＝ 0.4
3 回目の呼出し findRank (sortedData, 0.5)	0.5 × (10 − 1) = 4.5 ⇒ 5	sortedData [5 + 1] ＝ 0.6
4 回目の呼出し findRank (sortedData, 0.75)	0.75 × (10 − 1) = 6.75 ⇒ 7	sortedData [7 + 1] ＝ 0.8
5 回目の呼出し findRank (sortedData, 1)	1 × (10 − 1) = 9	sortedData [9 + 1] ＝ 1

問15　　解答：ア

ゲーム木[※11]に関する問題です。問題文に示された〔手順〕(3) を基に，各節の評価値を求めると下図のようになります。ここで，節の評価値は，最下位レベルにある評価値からその一つ上のレベルの評価値を求め，さらにその評価値から一つ上のレベルの評価値を求めることに注意してください。

〔手順〕(3)

葉以外の節の評価値は，その節の全ての子の評価値を基に決定する。

① 自分の手番の節である場合，子の評価値で最大の評価値を節の評価値とする。

② 相手の手番の節である場合，子の評価値で最小の評価値を節の評価値とする。

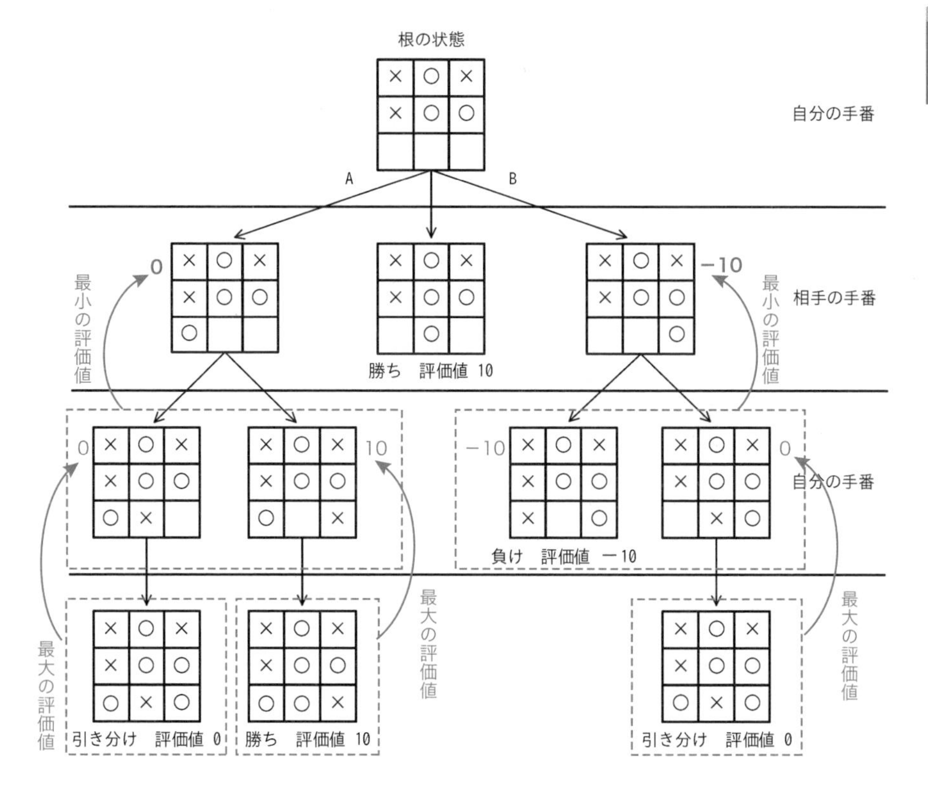

したがって，Aが指す手の評価値は0で，Bが指す手の評価値は−10です。

※11　ゲーム木については，「4.25 ゲーム木の探索」(p.240) を参照。

問16　　解答：ク

関数encodeは，Unicodeの文字をUTF-8の符号に変換する関数です。Unicodeの各文字には，符号位置と呼ばれる整数値が与えられていて，符号位置が800 (16) 以上 FFFF (16) 以下の文字は，3バイトの値に符号化します。例えば，ひらがなの“あ”は，符号位置が3042 (16) なので，この3042 (16) を2進数で表した「11000001000010」※12を，3バイトのビットパターン「1110xxxx 10xxxxxx 10xxxxxx」の下線の付いた“x”の箇所に右詰めで格納し，余った“x”の箇所に，0を格納します。

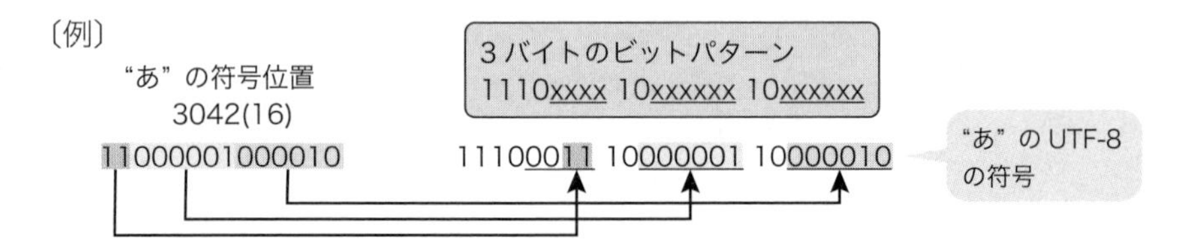

では，プログラムを見ていきます。整数型の配列utf8Bytesを{224, 128, 128}で初期化していますが，この三つの数値は，3バイトのビットパターン「1110xxxx 10xxxxxx 10xxxxxx」の下線の付いた“x”を全て0に置き換えた数値です。

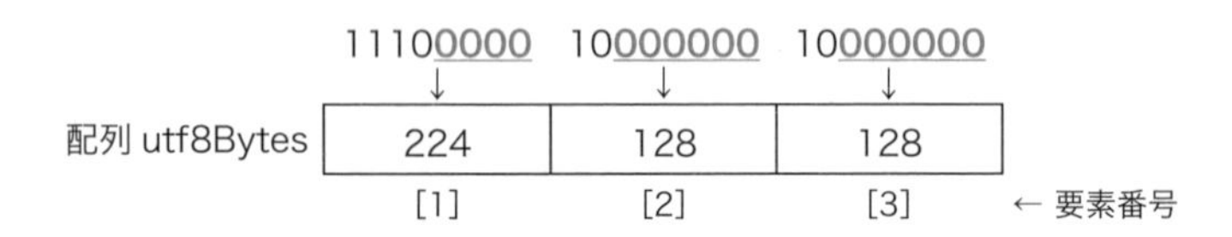

したがって，関数encodeでは，整数型の引数codePointで渡されたUnicodeの符号位置を基に，配列utf8Bytesの各要素の“0”部分を埋める処理を行うことになります。

具体的には，引数codePointの値を代入した変数cpの値を基に，「i を utf8Bytesの要素数 から 1 まで **1ずつ減らす**※13」繰返し処理の中で，

- utf8Bytes[3]の下位6ビットに，cpの1ビット目※14から6ビット目までを埋め込む
- utf8Bytes[2]の下位6ビットに，cpの7ビット目から12ビット目までを埋め込む
- utf8Bytes[1]の下位4ビットに，cpの13ビット目から16ビット目までを埋め込む

という処理を行います。

※12　16進数の1桁は2進数4桁で表現できます。3042 (16) の各桁をそれぞれ4桁の2進数で表すと，「0011」「0000」「0100」「0010」になります。

※13　「1ずつ減らす」ことに注意しましょう。

※14　ここではビット列のビット番号を右端から順に1，2，3，… として説明しています。

ここで，「utf8Bytes[1] の下位4ビットに，cpの13ビット目から**16ビット目**までを埋め込む」としたのは，変数cpが整数型だからです。具体的に説明すると，ひらがなの“あ”の符号位置3042（16）を2進数で表すと「11000001000010」（ビット数14）ですが，この値は整数値として関数encodeに渡され，変数cpに格納されます。したがって，cpの内部の値（コンピュータの中で表される値）は「0011000001000010」（ビット数16）であり上位2ビットは0です。このため，変数cpの値の13ビット目から16ビット目までの4ビット（上記網掛けしたビット）を，utf8Bytes[1] の下位4ビットに埋め込めばよいわけです（「余った“x”の箇所に，0を格納する」という処理は不要です）。

さて，for文（繰返し処理）の中では，utf8Bytes[i]の値と，cpの値をある値（空欄の値）で割った余りを加算することでutf8Bytes[i] を求めています。ここでのポイントは，6ビットで表される値「000000（10進数の0）」～「111111（10進数の63）」を，初期値が128である変数に加算しても，その変数の上位2ビットの値は変わらないということです。

128＋ 1	＝	10000000＋00000001	＝	10000001
128＋ 2	＝	10000000＋00000010	＝	10000010
		：		
128＋62	＝	10000000＋00111110	＝	10111110
128＋63	＝	10000000＋00111111	＝	10111111

＊ここでは，utf8Bytes[3] 及びutf8Bytes[2] における処理に着目する。

つまり，for文の繰返し1回目で，utf8Bytes[3]の下位6ビットに，cpの1ビット目から6ビット目（すなわち，下位6ビット）を埋め込むためには，cpの下位6ビットで表される値をutf8Bytes[3] に加算すればよいわけです。cpの下位6ビットで表される値とは，**cpの値を2^6（すなわち，64）で割った余り**です。2^6で割るということはcpの値を6ビット右にシフトすることと同じであり，シフトによって右に飛び出したビット列が余りになります。

以上のことから，空欄には64を入れればよいでしょう。なお，utf8Bytes[3]の処理が終わったら，cpの値を64で割っておきます。こうすることで，実質，cpの7ビット目が1ビット目にシフトされることになるため，utf8Bytes[3] と同様な処理でutf8Bytes[2] を求めることができます。次ページに，for文の実行の様子を示しますので確認してください。

```
for（i を utf8Bytesの要素数 から 1 まで 1 ずつ減らす）
  utf8Bytes[i] ← utf8Bytes[i] ＋（cp ÷ [ 64 ] の余り）
  cp ← cp ÷ [ 64 ] の商
endfor
```

〔例〕

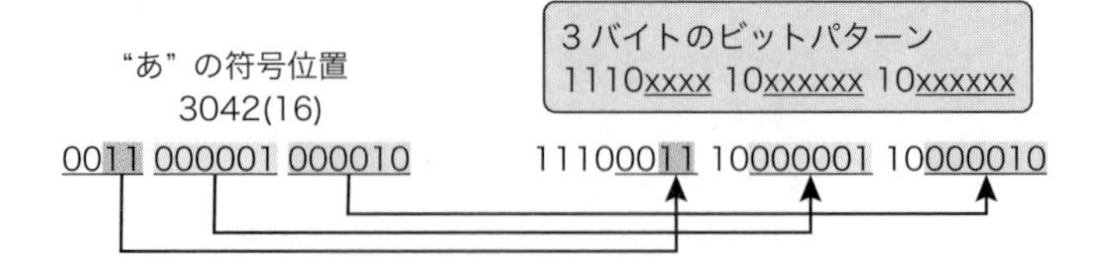

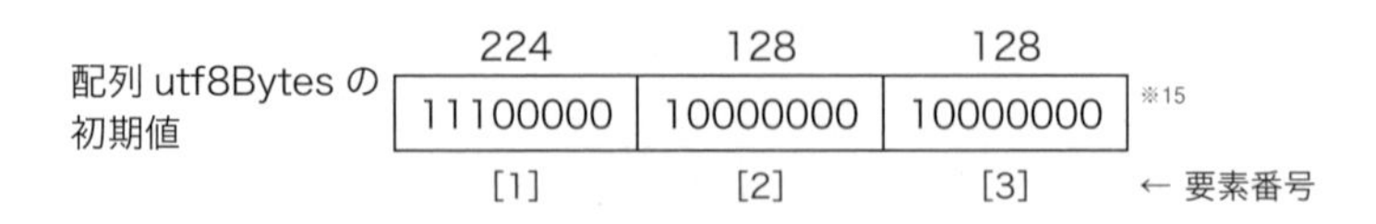

繰返し 1 回目	cp = 0011000001000010 utf8Bytes [3] ← utf8Bytes [3] + cp の値を 64 で割った余り utf8Bytes [3] ← 10000000 (2) + 000010 (2) utf8Bytes [3] ← 10000010 (2) cp ← cp ÷ 64 で割った商 (つまり，6 ビット右にシフトした値)
繰返し 2 回目	cp = 0000000011000001 utf8Bytes [2] ← utf8Bytes [2] + cp の値を 64 で割った余り utf8Bytes [2] ← 10000000 (2) + 000001 (2) utf8Bytes [2] ← 10000001 (2) cp ← cp ÷ 64 で割った商 (つまり，6 ビット右にシフトした値)
繰返し 3 回目	cp = 0000000000000011 （この4ビットが元の値(ビット値)） utf8Bytes [1] ← utf8Bytes [1] + cp の値を 64 で割った余り utf8Bytes [1] ← 11100000 (2) + 000011 (2) ※16 utf8Bytes [1] ← 11100011 (2) cp ← cp ÷ 64 で割った商 (つまり，6 ビット右にシフトした値)

処理後の配列 utf8Bytes

11100011	10000001	10000010	
[1]	[2]	[3]	← 要素番号

※15　配列utf8Bytesの要素の大きさは2バイトだと考えられます。理由は，同じ整数型である変数cpの大きさが2バイトだからです（800(16) ～ FFFF(16) を格納するためには2バイトの大きさが必要）。したがって，実際には配列utf8Bytesの各要素の先頭8ビットは0になります。

※16　cpの値を64で割った余りの上位2ビット（色文字）は必ず「0」です。そのため，utf8Bytes[1] に加算してもutf8Bytes[1] の上位4ビットに影響はありません。

索引

● **大滝 みや子（おおたき みやこ）**

IT企業にて地球科学分野を中心としたソフトウェア開発に従事した後，日本工学院八王子専門学校ITスペシャリスト科の教員を経て，現在は資格対策書籍の執筆に専念するかたわら，IT企業における研修・教育を担当するなど，IT人材育成のための活動を幅広く行っている。

著書：『応用情報技術者 合格教本』『応用情報技術者 試験によくでる問題集【午前】』，『応用情報技術者 試験によくでる問題集【午後】』，『要点・用語早わかり 応用情報技術者 ポケット攻略本（改訂4版）』（以上，技術評論社），『かんたんアルゴリズム解法 - 流れ図と擬似言語（第4版）』（リックテレコム），『基本情報技術者 スピードアンサー338』（翔泳社）ほか多数。

◇カバーデザイン　小川 純（オガワデザイン）
◇本文デザイン　轟木 亜紀子（株式会社トップスタジオ デザイン室）
◇本文レイアウト　株式会社トップスタジオ

[改訂新版]基本情報技術者【科目B】
アルゴリズム×擬似言語
トレーニングブック

2023年　6月　9日　初　版　第1刷発行
2024年　9月14日　第２版　第1刷発行
2024年　10月17日　第２版　第2刷発行

著　者　大滝 みや子
発行者　片岡 巌
発行所　株式会社技術評論社
東京都新宿区市谷左内町21-13
電話　03-3513-6150　販売促進部
　　　03-3513-6166　書籍編集部

印刷／製本　昭和情報プロセス株式会社

定価はカバーに表示してあります。

ISBN978-4-297-14271-1 C3055
Printed in Japan

●お問い合わせについて

本書に関するご質問は，FAX か書面でお願いいたします。電話での直接のお問い合わせにはお答えできませんので，あらかじめご了承ください。また，下記の Web サイトでも質問用フォームを用意しておりますので，ご利用ください。

ご質問の際には，書籍名と質問される該当ページ，返信先を明記してください。e-mail をお使いになられる方は，メールアドレスの併記をお願いいたします。ご質問の際に記載いただいた個人情報は質問の返答以外の目的には使用いたしません。

お送りいただいたご質問には，できる限り迅速にお答えするよう努力しておりますが，場合によってはお時間をいただくこともございます。なお，ご質問は，本書に記載されている内容に関するもののみとさせていただきます。

◆お問い合わせ先

〒162-0846　東京都新宿区市谷左内町 21-13
株式会社技術評論社　書籍編集部
「[改訂新版]基本情報技術者【科目 B】
アルゴリズム×擬似言語
トレーニングブック」係
FAX：03-3513-6183
Web：https://gihyo.jp/book/